Les fruits de l'hiver

BERNARD CLAVEL	*ŒUVRES*
Romans	
LE TONNERRE DE DIEU (QUI M'EMPORTE)	*J'ai lu* 290/1*
L'OUVRIER DE LA NUIT	
L'ESPAGNOL	*J'ai lu* 309/4*
MALATAVERNE	*J'ai lu* 324/1*
LE VOYAGE DU PÈRE	*J'ai lu* 300/1*
L'HERCULE SUR LA PLACE	*J'ai lu* 333/3*
L'ESPION AUX YEUX VERTS	*J'ai lu* 499/3*
LE TAMBOUR DU BIEF	*J'ai lu* 457/2*
LE SEIGNEUR DU FLEUVE	*J'ai lu* 590/3*
LE SILENCE DES ARMES	*J'ai lu* 742/3*
LA BOURRELLE *suivi de* L'IROQUOISE	*J'ai lu* 1164/2*
L'HOMME DU LABRADOR	*J'ai lu* 1566/2*
LE ROYAUME DU NORD	
HARRICANA	*J'ai lu* 2153/4*
L'OR DE LA TERRE	*J'ai lu* 2328/4*
MISÉRÉRÉ	*J'ai lu* 2540/4*
AMAROK	
L'ANGÉLUS DU SOIR	
MAUDITS SAUVAGES	
LA GRANDE PATIENCE	
I. LA MAISON DES AUTRES	*J'ai lu* 522/4*
II. CELUI QUI VOULAIT VOIR LA MER	*J'ai lu* 523/4*
III. LE CŒUR DES VIVANTS	*J'ai lu* 524/4*
IV. LES FRUITS DE L'HIVER *(Prix Goncourt 1968)*	*J'ai lu* 525/4*
LES COLONNES DU CIEL	
I. LA SAISON DES LOUPS	*J'ai lu* 1235/3*
II. LA LUMIÈRE DU LAC	*J'ai lu* 1306/4*
III. LA FEMME DE GUERRE	*J'ai lu* 1356/3*
IV. MARIE BON PAIN	*J'ai lu* 1422/3*
V. COMPAGNONS DU NOUVEAU-MONDE	*J'ai lu* 1503/3*
Divers	
LE MASSACRE DES INNOCENTS	*J'ai lu* 474/1*
PIRATES DU RHÔNE	*J'ai lu* 658/2*
PAUL GAUGUIN	
LÉONARD DE VINCI	
L'ARBRE QUI CHANTE	
VICTOIRE AU MANS	*J'ai lu* 611/2*
LETTRE À UN KÉPI BLANC	*J'ai lu* D 100/1*
LE VOYAGE DE LA BOULE DE NEIGE	
ÉCRIT SUR LA NEIGE	*J'ai lu* 916/3*
LE RHÔNE	
TIENNOT	*J'ai lu* 1099/2*
L'AMI PIERRE	
LA MAISON DU CANARD BLEU	
BONLIEU OU LE SILENCE DES NYMPHES	
LÉGENDES DES LACS ET DES RIVIÈRES	
LÉGENDES DE LA MER	
LÉGENDES DES MONTAGNES ET DES FORÊTS	
TERRES DE MÉMOIRE	*J'ai lu* 1729/2*
BERNARD CLAVEL, QUI ÊTES-VOUS ?	*J'ai lu* 1895/2*
LE GRAND VOYAGE DE QUICK BEAVER	

Bernard Clavel

La grande patience

4

Les fruits de l'hiver

Éditions J'ai lu

A la mémoire des mères et des pères que le travail, l'amour ou les guerres ont tués sans bruit et dont l'Histoire ne parle pas.

B. C.

... ce sont les mots qu'ils n'ont pas dits qui font si lourds les morts dans leurs cercueils.

H. de MONTHERLANT.

PREMIÈRE PARTIE

LA CHARRETTE

1

Le matin du 1er octobre 1943, le père Dubois s'éveilla bien avant l'aube. Il avait mal dormi. Une douleur sourde lui tenait la tête comme dans un cercle de fer qui se resserrait par moments. Il demeura quelques minutes l'oreille tendue, à écouter la nuit. Aucun bruit ne parvenait du dehors et le vent d'ouest, après avoir couru durant trois jours, semblait s'être arrêté sans apporter la pluie. Le père Dubois s'assit lentement sur son lit, se tourna sur le côté et posa les pieds sur le parquet froid à la recherche de ses pantoufles.

— Tu te lèves déjà? demanda sa femme.

— Je croyais que tu dormais.

— Non, il y a beau temps que je suis réveillée. Pourquoi tu te lèves si tôt? Il ne fait pas jour.

— J'ai mal à la tête.

— Reste là, je vais descendre te chercher un comprimé.

— Non. De toute façon, il faut que je me lève.

Elle soupira. Le père avait commencé d'enfiler ses habits, dans l'obscurité. La mère demanda :

— C'est cette histoire de bois, qui te tient en souci?

— Ça ne me tient pas en souci, mais il faut tout de même que je prépare la place. J'aurais dû le faire hier, mais j'avais peur qu'il se mette à pleuvoir, et je voulais finir ce qui pressait au jardin.

Il entendit grincer le sommier et comprit que sa femme se levait aussi.

— Tu n'es pas obligée de descendre tout de suite.

Elle ne répondit pas et le père gagna à tâtons la porte de la chambre. Dans le couloir, une faible lueur marquait l'emplacement de la lucarne ouvrant sur le toit et dont les contours restaient incertains. Le père ne l'avait pas aveuglée de papier noir comme les autres ouvertures. Elle donnait dans l'escalier où il n'y avait aucune lampe et qu'ils empruntaient seulement pour monter se coucher. Ce n'était pas la lueur d'une bougie durant quelques instants qui risquait d'attirer les avions. De plus, la lucarne n'était pas visible de la rue, et personne ne semblait se soucier beaucoup d'une maison isolée au fond d'un grand jardin. D'ailleurs, le père Dubois ne croyait guère à ces histoires de Défense Passive. Qu'est-ce que des avions pourraient bien trouver à bombarder à Lons-le-Saunier? Les Allemands qui occupaient la caserne Michel et l'Ecole Normale? Mais des Allemands, il y en avait partout. Dans le moindre village. Comment les Américains auraient-ils pu bombarder partout?

Arrivé à la cuisine, le père Dubois alluma une bougie. Dans une demi-heure le jour serait là, et ça n'était pas la peine d'allumer la lampe à pétrole. Comme la mère arrivait à son tour, il demanda :

— Est-ce qu'on éclaire la cuisinière?

— Je sais bien que ça ne vaut guère le coup, juste pour chauffer deux bols de café, mais je n'ai presque plus d'alcool à brûler, et ils n'en ont pas donné ce mois-ci.

— Misère, ils nous laisseront crever.

— Pour le café, il suffit de brûler quelques fannes de haricots.

— Je sais, mais ça n'arrange sûrement pas la cheminée.

— Ta cheminée, elle nous enterrera tous les deux.

— C'est tout ce que tu sais dire.

— Et c'est vrai.

La mère s'était mise en devoir de préparer le foyer. Elle avait gratté la grille pour faire tomber les cendres et récupérer deux morceaux de bûche à demi calcinés. Elle plaça ensuite la moitié d'une page de journal froissée sur le devant du foyer et brisa dans ses mains les tiges sèches où restaient accrochées quelques feuilles.

Tout en faisant fondre son comprimé d'aspirine dans un demi-verre d'eau, le père suivait chacun de ses gestes. Dire qu'on en arrivait là! Economiser un morceau de vieux journal, et se chauffer avec ce qu'on jetait autrefois au pourrissoir pour en faire du terreau. Bien sûr, que la cheminée et tout ce qu'il y avait dans cette maison durerait plus longtemps qu'eux! Surtout au train où allaient les choses. A soixante-dix ans, on ne peut pas travailler de l'aube au crépuscule en mangeant trois fois rien!

Le feu s'était mis à ronfler sous la petite casserole de fer, où, bientôt, le café commença de chanter doucement.

— Ne le laisse pas bouillir, dit le père.

— Mais je ne bouge pas. Je suis devant, il risque pas de se sauver, va!

— On ne peut rien te dire.

La mère se tenait devant la cuisinière, les épaules légèrement voûtées et le dos rond. Elle portait un grand châle de laine noire sur sa chemise de nuit blanche tombant jusque sur ses talons. Quand le café fut assez chaud, elle retira la casserole, remit la rondelle de fonte sur le foyer où il ne restait plus que quelques brindillons rouges. Le père alla s'asseoir à sa place, le dos à la fenêtre, tandis qu'elle posait sur la table deux bols, deux cuillères, un couteau et un morceau de pain gris et serré. Avant de s'asseoir, elle demanda :

— Tu crois qu'on ne pourrait pas ouvrir les volets? On doit y voir assez pour manger, ça économiserait la bougie.

— C'est vrai. On ne risque pas de mettre notre beurre à côté du pain.

Il se leva et ouvrit les volets tandis que sa femme soufflait la bougie. Une aube opaque montait derrière les toits et les arbres de l'Ecole Normale. Sur la droite, le coteau de Montaigu se devinait à peine. Le ciel était une seule pièce de coton gris tendue assez bas, d'un bord à l'autre de la terre. Le gris plus clair du levant ne dessinait aucune traînée de vraie lumière, aucune forme même imprécise.

Le père referma la fenêtre en disant :

— Le vent d'ouest s'est cassé le cou sans amener la pluie, mais elle peut encore venir... Elle n'est pas loin.

— Je sais, je le sens à mes reins et à mon dos.

Le père s'était mis à manger. Lui aussi éprouvait des douleurs. Surtout dans les poignets, les épaules et les chevilles. A certains moments, c'était à peine tolérable. De longues poussées comme si on lui eût enfoncé un fil de fer au cœur des os. Il n'en parla pas. Il se sentait usé. A quoi servait de le répéter toujours? Sa femme aussi était usée. Elle avait quatorze ans de moins que lui, mais le travail et les privations l'avaient marquée. Elle lui reprochait souvent d'être égoïste. C'était peut-être vrai, après tout, mais s'il se plaignait, s'il s'élevait contre la peine qu'ils avaient à vivre, c'était autant pour elle que pour lui. Elle n'avait tout de même que cinquante-six ans. Lui, à cet âge-là, il était autrement solide. N'avait-elle pas tendance à s'écouter un peu trop? Les femmes sont toujours douillettes, et c'est à force de parler de leurs maux qu'elles finissent par les croire réels. Bien sûr, le rhumatisme, chez elle, se voyait à la déformation de ses articulations, à ses doigts tordus qu'elle avait parfois de la peine à plier, mais tout de même, à cinquante-six ans, est-ce qu'on a le droit de se sentir vieux?

— Tu en veux encore une goutte? demanda la mère.

— Non. Il est vraiment trop mauvais. Tu n'y as donc mis que de l'orge?

— Evidemment, je n'ai encore rien touché pour le mois d'octobre.

— Ils nous feront crever, je te dis.

Il repoussa de la main, vers le centre de la table, ce qui restait de pain.

— Quand je pense au pain que je faisais autrefois!

— Tu le répètes tous les jours, et ça ne...

Il l'interrompit.

— Oui. Je le répète, et je le répèterai tant que je voudrai. Avoir fait pendant plus de quarante ans du pain qu'on venait chercher de plus de dix kilomètres, et arriver à mon âge pour être obligé de manger ce mastic, je ne...

Une quinte de toux l'interrompit. Il resta un moment cassé en avant, une main sur la poitrine, puis, s'étant levé pour cracher dans le foyer, il dit, la voix encore étranglée :

— Toute une vie à se crever pour en arriver là...

— Tu n'es pas le seul. Et ceux qui n'ont pas de jardin sont plus à plaindre que nous.

— Le jardin, il ne se fait pas en soufflant dessus.

Il vida son bol que la mère plaça dans le sien avec les cuillères. Ils se levèrent tous les deux.

Pendant qu'ils mangeaient, le jour avait coulé dans la pièce, et c'était à présent comme une eau trouble qui baignait tout, tirant péniblement de la nuit la cuisinière de fonte noire à barre de cuivre, l'escalier de bois donnant accès à l'étage supérieur et le petit meuble carré à quatre gros tiroirs superposés.

— Est-ce que tu as besoin de moi, pour faire cette place? demanda la mère.

— Non. Je ferai. J'espère seulement que ce Picaud ne nous fera pas faux bond.

— Puisqu'il t'a promis.

Le père eut un geste de lassitude :

— De nos jours, les promesses! Si c'était encore le père Picaud, bien sûr, il se souviendrait que j'ai été un de ses plus gros clients pendant que nous avions la boulangerie, mais le fils s'en moque pas mal. Il préfère livrer son bois à ceux qui ont du tabac ou du vin à lui donner.

— A propos de tabac, j'irai dans la matinée pour toucher la première décade.

Le père sortit en grommelant qu'il n'avait plus rien à fumer depuis trois jours.

2

Dès qu'il eut ouvert la porte de la grande remise qui se trouvait tout au fond du jardin, le père Dubois se retourna pour s'assurer que sa femme n'était pas sortie derrière lui. Puis, contournant l'établi, il poussa le volet d'une petite fenêtre qu'il avait ménagée afin de pouvoir bricoler tranquille, les jours de pluie. Etant revenu jusqu'à la porte pour regarder encore une fois en direction de la maison, il apporta une chaise de jardin entre l'établi et la fenêtre, monta sur la chaise, et prit une boîte à biscuits sur un rayon, au-dessus de la fenêtre. Il y avait là toute une série de boîtes alignées, où il rangeait les boulons, les crochets, les vis et les clous dont il n'avait pas souvent besoin. Il redescendit, essuya de la main une toile d'araignée accrochée à la boîte qu'il ouvrit en la serrant contre sa poitrine. La boîte contenait quatre paquets de tabac gris, plusieurs carnets de feuilles à cigarettes, des mèches à briquet ainsi que trois petits tubes de pierres, et une autre boîte plus petite en carton bleu. Le père ouvrit cette boîte et l'inclina vers la lumière pour examiner ce qu'elle contenait. Il lui restait là une cinquantaine de mégots. Il en prit trois qu'il posa sur le coin de l'établi et remit tout en place. Quand il eut emporté la chaise, il vint se planter face à l'entrée, près d'un pilier soutenant la charpente. De là, tout en étant dans la pénombre, il pouvait surveiller l'allée et la maison. Il défit ses mégots en prenant grand soin de ne pas perdre une miette de tabac, roula une cigarette mince mais bien droite qu'il se mit à fumer lentement, savourant chaque bouffée. Presque aussitôt, il lui parut que son mal de tête diminuait.

Il laissa deux fois sa cigarette s'éteindre pour le plaisir d'attendre un peu avant de la rallumer. Il pensait à ce tabac qu'il avait pu économiser. C'était une bonne petite réserve. Si sa femme la découvrait, elle lui dirait certainement qu'il devait accepter de rogner sur sa ration pour échanger un paquet contre des œufs ou du beurre. Mais il était tranquille, elle ne découvrirait pas sa cachette. Elle n'était jamais venue fouiller dans ce recoin où elle n'avait rien à faire. C'était son domaine à lui. Quand Julien était là, il y venait parfois pour réparer sa bicyclette, mais à présent, Julien était loin, et la bicyclette pendue au grenier ne servait plus à personne. Les pneus étaient encore bons, et le père connaissait des gens qui donnaient plusieurs rations de tabac pour une simple chambre à air. Il y avait pensé souvent, mais il ne se reconnaissait pas le droit de toucher au vélo de son garçon.

Pour éviter les disputes, la mère et lui s'efforçaient d'en parler le moins possible, de ce garçon. Ce matin, il y pensait à cause de l'échange possible du tabac et des pneumatiques de cette bicyclette inutile. Il y pensait, mais ça n'allait pas plus loin. Il avait d'ailleurs d'autres préoccupations. Et pour commencer, cette histoire de bois. Etre en octobre et attendre encore son bois pour l'hiver, c'était vraiment une situation qui dépassait tout ce qu'un homme sensé pouvait imaginer! Avant guerre, c'était avec un an de réserve qu'il abordait chaque hiver. Cette provision leur avait permis de tenir jusque-là sans trop se priver de feu, mais à présent, il restait à peine des bûches pour un mois, peut-être deux si l'hiver ne se montrait pas trop précoce.

Le père regardait, vers sa gauche, les bûches coupées à la longueur du foyer et empilées contre les planches à clairevoie du hangar. Deux piles. Deux piles entamées et qui ne montaient même plus jusqu'à hauteur d'homme. Autrefois, quand les piles arrivaient à ce niveau, il y avait, à côté, d'autres piles sur six épaisseurs et s'élevant à plus de deux mètres.

Et ce forestier qui avait promis de livrer en août! Deux mois de retard. Et ce bois, il faudrait le scier de longueur et le fendre! Et ce serait peut-être du bois de l'année, tout pissant de sève. De quoi esquinter la cheminée!

Depuis le mois d'août, cette question constituait le grand souci du père. Il n'en parlait pas, mais c'était là, tout remuant en lui, revenant à fleur de gorge dès qu'il prenait le temps de se détendre un peu.

Dire qu'il avait construit ce hangar en 1912. Il s'en souvenait très bien. Il avait pris quatre hommes pour lui donner la main. Des costauds de son espèce. Deux mois, ils avaient mis! Et lui, il n'y travaillait qu'après midi, une fois terminée sa besogne de boulanger qu'il commençait à 11 heures du soir. Ça représentait tout de même des journées de dix-huit heures. Quatre heures de sommeil, deux pour les repas, et la boucle était bouclée. Usé? Il y avait de quoi être usé! Avoir mené cette vie-là, avoir déjà vécu quatre années d'une autre guerre et se retrouver à espérer une corde de bois et à compter ses mégots!

Bon Dieu, les gens n'avaient plus de conscience, plus de mémoire que pour le mal! C'était uniquement pour le bois qu'il avait construit ce hangar. Le bois du fournil, évidemment, puisque, en ce temps là, il ne cuisait qu'au bois. Et pour le forestier, ça représentait quelques voitures chaque mois. C'était un forestier honnête comme le père Dubois était un boulanger honnête. Il n'y avait jamais eu entre eux le moindre accrochage. Près de quarante ans ainsi, ils étaient devenus des amis, forcément. Le fils, il l'avait connu pas plus haut que la roue du premier camion de son père. Mais se souvenait-il de tout ça? Rien du tout. Le profit. Il n'y avait plus que le profit. Le troc. Le marché noir. Enfin, quoi, le vice qui rongeait tout! L'égoïsme qui n'en finissait plus de dresser les hommes les uns contre les autres pour un bout de cette saloperie qu'on osait appeler du pain!

Le père Dubois soupirait de loin en loin. Il grognait, ébauchait des gestes qu'il retenait, des haussements d'épaules et des grimaces. Chaque fois qu'il pensait aux temps d'autrefois et regardait ce qu'il devait endurer depuis le début de cette guerre, c'était plus fort que lui : la colère finissait toujours par le gagner. Et c'était une mauvaise colère dont rien jamais ne pouvait le libérer. Elle demeurait en lui. Il devait la rentrer et la conserver ainsi, toujours prête à remonter, à le prendre au creux de l'estomac comme une crampe dont nul remède n'atténue les effets.

Pour en avoir vécu une autre, il avait redouté la guerre. Il l'avait redoutée comme tout le monde, mais il ne l'avait jamais imaginée ainsi. Elle était présente partout sans être vraiment là. Elle ne tuait pas comme avait tué celle de 14-18, elle écrasait l'existence, elle vous enfermait dans une espèce de nuit qui allait sans cesse en s'assombrissant. Chaque semaine, chaque journée apportait son lot de nouvelles auxquelles on ne comprenait pas grand-chose, mais qui n'étaient jamais de bonnes nouvelles.

Il se passait des choses dont on n'osait même plus parler, et le père Dubois tenait en lui quelques événements qui l'avaient touché douloureusement, mais qu'il évitait d'évoquer.

Souvent, sa femme lui reprochait son égoïsme. Elle s'étonnait de le voir s'intéresser surtout à ce qu'elle osait encore nommer son bien-être : la nourriture, le tabac, le vin, le chauffage, des nuits pas trop troublées et un jardin soigné. Il ne répliquait pas. Il laissait dire, mais le mal était en lui.

Cette disparition de son garçon ne l'avait pas laissé indifférent, seulement, il la voyait d'un autre œil que la mère. Et puis c'était vrai, après tout, qu'il pensait au jardin, aux lapins et à tout le reste. Mais quoi, c'était la vie. On ne pouvait pas se laisser crever parce que...

Il arrêta soudain sa pensée. Une forme noire venait de passer derrière le buis planté à l'angle de la maison. Le père avait fini sa cigarette depuis longtemps, mais ses doigts serraient toujours le mégot mouillé et émincé qui s'était éteint tout seul. Il en fit tomber la cendre, puis tordant le papier pour y enfermer ce qu'il contenait encore de tabac, il tira de la poche de son tablier une petite boîte de métal blanc poli par le frottement et y mit ce mégot. Dans l'allée, en face du portail grand ouvert, la mère approchait. Il se dirigea vers l'angle gauche de la bâtisse et se mit à rassembler des oignons qu'il avait étendus par terre sur une vieille bâche. Quand la mère entra, il se retourna en demandant :

— Tu pars déjà?

— Oui. Si je ne veux pas faire la queue trop longtemps, il faut que je sois sur place avant l'ouverture.

Il s'était avancé jusqu'au seuil et se trouvait à deux pas de sa femme. Elle s'approcha davantage, hésita un instant, fronça les sourcils et observa :

— Je croyais que tu n'avais plus de tabac.

— Non, je n'ai plus rien.

— Pourtant, tu as fumé.

— Eh bien oui, quoi, j'ai fumé un bout de mégot que j'ai retrouvé sur l'établi... Tiens, regarde si j'ai encore du tabac!

Il s'était emporté. Et lorsqu'il sortit de sa poche la petite boîte de métal, ses mains tremblaient. Il l'ouvrit et la tendit à sa femme.

— Tiens, regarde toi-même, puisqu'il faut que tu contrôles tout.

La mère eut un hochement de tête et soupira :

— Mon pauvre Gaston. Comme tu t'emballes pour rien. Je ne dis pas de mal. Je sens que tu as fumé, un point c'est tout. Si tu as encore du tabac, tant mieux pour toi.

— Non, je n'ai plus rien. Tu es contente?

Elle avait déjà fait demi-tour et s'éloignait, toute petite, comme recroquevillée dans ses vêtements sombres et sous ce chapeau noir, dont le bord cassé couvrait entièrement sa nuque.

Le père resta seul avec cette colère dont il gardait, dans la bouche, un goût d'amertume qui gâtait celui du tabac.

3

Resté seul dans la remise, le vieil homme revint à son travail. Il acheva de rassembler les oignons qu'il mit dans trois grands cageots et monta au grenier. Ce n'était pas facile. Entre chaque voyage, il s'arrêtait le temps de reprendre son souffle en regardant le jardin tout rouillé sous la grisaille. Au troisième voyage, il dut s'arrêter à moitié de l'échelle, les genoux contre un barreau. Cramponné d'une main au montant de bois, il appuya contre l'autre montant le devant du cageot posé sur son épaule. La charge avait failli l'entraîner en arrière. Il sentit venir la toux et fit un effort considérable pour la contenir.

— Bonsoir, gémit-il... Ça fait tout juste vingt kilos. Quand je pense que je montais les sacs de farine à la réserve... Des trente et quarante sacs à la file... Ce qu'on peut devenir!...

Il attendit, épiant les battements de son cœur et surveillant les points lumineux qui volaient comme des moucherons de feu enfermés sous ses paupières closes. Après un long moment, il sentit une crampe gagner son bras droit levé et sa main crispée sur le cageot qu'il eut peur de lâcher. Lentement, ménageant ses forces, il reprit son ascension. Une fois en haut, il eut du mal à poser le cageot doucement sur le plancher branlant. Quand ce fut fait, il se laissa tomber sur une grosse malle noire et ôta sa casquette. Il sentit l'air glacer soudain la sueur sur son crâne chauve et se hâta de l'essuyer avec son mouchoir qu'il passa ensuite sur le rebord intérieur de sa casquette. Son dos aussi était trempé et ses mains tremblaient. Il comprit que cette montée de transpiration était due à la peur qu'il avait eue de tomber, beaucoup plus qu'à l'effort. Un mauvais sourire crispa son visage, amincissant ses lèvres serrées sur ses mâchoires édentées. Sa moustache blanche en partie jaunie par la nicotine s'abaissa un instant vers son menton proéminent tout piqueté de poils gris. A moins de deux mètres du sol, il avait eu peur de tomber. Et dire qu'autrefois, quand il sortait de Joinville, il se lançait d'un trapèze à l'autre dans le gymnase dont le sol était simplement recouvert d'une mince couche de sciure. Sa vue se troubla de nouveau, mais cette fois, ce n'était plus ni la fatigue ni la peur. Comme au temps où il plongeait d'un pont dans l'eau glacée de la rivière d'Ain, il aspira une longue bouffée d'air et se leva presque brutalement. Son genou craqua comme une brindille brisée.

La carcasse, Bon Dieu, ça se dompte!

C'est un peu comme une bête rétive, il faut savoir lui montrer le fouet! Lui faire oublier l'attelage en la tenant en alerte! Il se pencha vers un des cageots et empoigna un gros oignon. Son pouce râpeux souleva les peaux rousses à moitié sèches. Il en compta quatre. L'hiver serait rude et risquait d'arriver plus vite qu'on ne le souhaitait. Cette constatation ramena l'idée du bois qu'il attendait. Il faudrait le scier et le fendre assez rapidement pour qu'il ait le temps, sinon de sécher, du moins de cracher un peu de son eau.

Avant la guerre, il faisait venir la scie à moteur, mais à présent, seuls pouvaient en user ceux qui parvenaient à se procurer de l'essence. Alors, il faudrait tout faire à bras. Sans pour autant délaisser le jardin où les semis devaient être terminés avant l'hiver.

Le père Dubois reposa l'oignon dans le cageot et descendit. Il lui restait à déblayer une pile de caisses vides qui feraient du bon bois d'allumage, et quelques paquets de rames de haricots qu'il pourrait utiliser encore une ou deux saisons. Il en avait également commandé à Picaud, des rames de pois et de haricots, mais pouvait-on compter sur ce garçon?

A plusieurs reprises, il interrompit sa besogne pour aller jusqu'en haut du chemin qui conduisait à la rue, entre la barrière noire de son jardin et le mur de clôture entourant le parc de l'Ecole Normale. Là, il fixait la rue en tendant l'oreille. Non, ce n'était pas le camion du forestier, mais des véhicules allemands manœuvrant dans la cour de l'école. Bien entendu, Picaud était en retard. En retard de deux mois, et, malgré sa promesse de venir ce matin...

Le père regagnait la remise lorsqu'il s'arrêta à hauteur de l'allée. Sa femme revenait. Elle avait à peine eu le temps de faire l'aller et le retour. Elle était donc arrivée la première? Ou bien alors, il n'y avait pas de tabac...

Il lui sembla qu'elle marchait plus vite que d'habitude. Peut-être avait-elle oublié les cartes? Le vieil homme eut envie de retourner à son travail, mais sa femme avait dû le voir. Il la laissa faire encore quelques pas, puis partit à sa rencontre.

A mesure qu'ils approchaient l'un de l'autre, le père découvrait mieux son visage sous le rebord du chapeau. Ce visage paraissait dur, tendu comme aux jours des mauvaises nouvelles. A hauteur de la maison, au lieu de continuer dans sa direction, elle obliqua sur sa droite et s'engagea dans la petite allée qui mène au pied de l'escalier. Le père hâta le pas, prit à son tour la petite allée et atteignit la première marche de pierre au moment où sa femme entrait dans la cuisine.

— Alors, demanda-t-il, qu'est-ce qu'il y a?
Elle se retourna sur le seuil pour lancer :
— Tu peux monter jusqu'ici, oui?
Au ton de cette question, le vieil homme comprit que quelque chose allait mal et qu'il se trouvait en cause. Il monta l'escalier sans se presser, quitta ses galoches sur le palier et entra.
Sa femme était assise sur la deuxième marche de l'escalier intérieur, les coudes posés sur ses genoux, le buste cassé en avant et la tête baissée. Elle n'avait même pas ôté son chapeau. Au mouvement de ses épaules, il comprit qu'elle était essoufflée et resta planté sans mot dire pendant quelques minutes. Il n'entendait rien que sa propre respiration sifflante. Il regardait sa femme et n'osait parler. Ce fut seulement lorsqu'elle se redressa légèrement pour porter sa main à plat sur sa poitrine qu'il demanda :
— Qu'est-ce que tu as?... Tu n'es pas bien?
Elle leva lentement la tête vers lui. Son visage était bouleversé. Son menton tremblait. Ses yeux étaient plus gris que bleus, avec un regard tout chargé de reproches. Il eut le sentiment que seule la colère l'empêchait de pleurer. Les mains ballantes, embarrassé de son corps, il fit un pas en avant et articula d'une voix mal assurée :
— Eh bien quoi, parle... J'ai peut-être le droit de savoir!
Un sourire douloureux creusa les rides de la mère, de chaque côté de sa bouche. Ses lèvres remuèrent plusieurs fois avant qu'elle ne se décide à dire :
— Laisse-moi me reprendre... Et puis, avec toi, on ne sait jamais comment tu vas réagir.
Le père souleva les bras et les laissa retomber, mains à plat sur son tablier.
— C'est ça, commence à t'en prendre à moi... Evidemment...
Elle l'interrompit :
— Tu vois, tu te montes déjà sans savoir.
Se contenant pour ne pas crier, il dit :

— Je ne me monte pas. Mais tu avoueras que tu es drôle, tout de même. Tu arrives, je ne sais pas ce que tu as, et voilà que tu me cherches sans raison.

— Sans raison...

Elle paraissait écrasée, incapable de continuer. Son corps parut se recroqueviller de nouveau, puis comme si elle eût soudain retrouvé toutes ses forces, elle se leva, enleva son chapeau d'un geste agacé, tirant d'une main sur l'élastique accroché à une épingle de son chignon.

— Ton tabac, lança-t-elle, tu iras le chercher si tu veux!

Elle posa le chapeau sur le pommeau de bois de la rampe d'escalier, et commença de déboutonner sa veste de laine. Le père allait l'interroger lorsqu'elle reprit :

— Ah, tu avais honte de te montrer en ville parce qu'on prétend que Julien est parti chez De Gaulle. Eh bien maintenant, tu peux y aller... La honte est lavée.

Elle avait appuyé sur les derniers mots, plantant son regard dans les yeux du père qui sentit sa gorge se serrer.

— Qu'est-ce que tu vas encore inventer? bredouilla-t-il.

Ce n'était pas vraiment une question, mais dès qu'il eut achevé, il comprit qu'il en avait tout de même trop dit.

— Inventer... Inventer... cria-t-elle. Ah, j'invente! Eh bien va jusqu'au bureau de tabac. Et tu le demanderas aux gens qui font la queue, si j'invente. Et si tu oses rester avec eux pour attendre ton tabac, c'est que vraiment l'envie de fumer te tient lieu d'amour-propre.

Cet accès de colère déclencha la fureur du père. Comme sa femme s'était approchée de la fenêtre, il s'avança aussi et frappa la table du plat de sa main sèche.

— Ça m'aurait étonné, cria-t-il, que tu n'en

viennes pas tout de suite à me reprocher le seul plaisir que j'ai. Ça m'aurait...

— Tais-toi donc. Il s'agit bien de ça!

Comme chaque fois qu'il s'emportait, le père se mit à tousser. A demi étouffé par les glaires, les yeux pleins de larmes, il fut un long moment à reprendre son souffle. La mère était allée dans la souillarde lui chercher un verre d'eau qu'il but lentement, assis sur sa chaise, un coude sur la table. Il n'avait pas provoqué cette quinte, mais il sentait qu'elle était arrivée à point pour lui venir en aide. Quand il fut en état d'écouter, il dit :

— Voilà. On se met en colère au lieu de parler calmement, et on se fait du mal.

Le regard au ras de la visière grise de sa casquette, il observait sa femme restée debout entre la table et la cuisinière.

— Veux-tu encore à boire? demanda-t-elle.

— Non... Ça va.

Il savait bien que cette interruption ne pouvait pas avoir mis un terme à la colère de sa femme. De toute manière, elle finirait par dire ce qu'elle avait sur le cœur. Pourtant, le temps gagné, cet instant de calme retrouvé... Il tendit l'oreille... Non, ce n'était pas un bruit de camion. Si Picaud avait pu arriver en ce moment...

Il s'efforça de retrouver un rythme de respiration plus régulier.

— Ces choses-là me tuent, murmura-t-il.

Sa femme tira une chaise et s'assit à son tour.

— Moi aussi, ces émotions me font du mal. Et la gifle que je viens de recevoir devant plus de vingt personnes, je te jure qu'elle m'a fait encore plus mal!

D'une voix qu'il eût voulue plus assurée mais qui avait grand-peine à pousser les mots jusqu'au bord de ses lèvres, le père demanda :

— Allons, quoi? Dis ce que tu as à dire, et que ce soit fini.

— Fini? Comme tu y vas. Ces malheurs-là ne finiront qu'avec la guerre... Ou avec nous.

Elle avait hésité sur les derniers mots, et le père en fut frappé. Il y avait là, dans sa voix aussi bien que dans le sens de sa phrase, une chose qui l'inquiétait malgré lui. Elle n'avait pas pour habitude de parler de la mort à la légère. Au contraire. Lorsqu'il arrivait au père de dire par exemple « mieux vaudrait être sous terre que de vivre en un monde pareil », c'était elle qui le rabrouait.

— Ce n'est peut-être pas si loin que ça, fit-il. Je ne me suis jamais senti aussi vide de forces.

A présent, il semblait que la mère hésitait. Qu'elle reculait devant les reproches qu'elle avait à formuler comme si la perspective du retour de sa propre colère l'eût effrayée. Le père était curieux de savoir ce qui lui était arrivé, et pourtant, il eut un instant l'espoir qu'elle se résignerait au silence.

— Quand je pense, finit-elle par dire, quand je pense à la vie que tu m'as faite le jour où les gendarmes sont venus.

Comme il voulait intervenir, elle éleva la voix et poursuivit :

— Et que tu recommences chaque fois qu'ils passent.

— Est-ce que ça t'amuse, toi, de les avoir à la maison tous les mois? Et les voisins qui posent des questions...

Elle eut un ricanement pour lancer :

— A présent, ils risquent de t'en poser qui te feront encore moins plaisir. Quand ils te demanderont si tu fais partie de la Milice, par exemple, je me demande ce que tu trouveras à dire.

— Je n'ai jamais fait de politique. Et ceux qui me connaissent le savent bien.

Il avait parlé haut, d'une voix ferme, mais sans crier.

— Ça n'empêche pas ton garçon d'en faire. Et de vendre en pleine rue des photographies de Darnand.

— Qu'est-ce que tu me chantes là?

Sa voix était déjà moins assurée. Il le sentit et chercha vainement autre chose à dire. La mère le devança :

— Parfaitement! Il était avec deux miliciens en tenue. Et c'était lui qui vendait les photos. Il en a proposé à tous ceux qui faisaient la queue. Et quand il est arrivé près de moi, il a osé me dire : « Et vous, la mère, vous n'en voulez pas une pour envoyer à votre communiste? » Voilà ce qu'il a osé me dire. Et moi... Et moi j'avais envie de lui cracher à la figure!

Elle s'était mise à trembler. Son visage s'était vidé de son sang, et, quand elle eut achevé, deux grosses larmes roulèrent sur ses joues creuses. Le père avait senti son front devenir brûlant. Il eut du mal à avaler sa salive, et ce fut seulement après un long silence qu'il parvint à dire :

— Est-ce qu'on sait seulement ce que c'est, la Milice?

— Si tu ne le sais pas, tu dois être le seul. Parce que tu fais tout pour vivre en dehors de la guerre. En dehors du monde.

— Je ne vis pas comme un ours, contrairement à ce que tu répètes à longueur de journée, mais je ne veux pas me mêler de politique. Tout ce que je vois, c'est que cette milice est une... une chose du gouvernement, et que moi, à soixante-dix ans, je ne suis jamais sorti une seule fois de la légalité.

A présent, c'était elle qui tentait de l'interrompre, mais il éleva la voix pour aller jusqu'au bout de sa pensée.

— Ce que mon garçon peut faire ne me regarde pas. Il a plus de quarante ans, et il est libre. Quant à toi, tu sais assez dire que ce n'est pas ton fils.

— Je n'en ai jamais été aussi heureuse qu'aujourd'hui.

Elle avait lancé cette phrase comme une flèche

qui surprit le père. Il y eut un silence très court, puis en même temps, ils crièrent :

Lui : — Tu ferais mieux de te soucier de ce que Julien est devenu depuis que les gendarmes le cherchent.

Elle : — Je préfère mourir de chagrin à me demander si Julien est encore vivant plutôt que de mourir de honte...

Le père s'était tu avant elle. C'est qu'elle avait crié plus fort que lui, en se levant d'un bloc, penchée vers lui, le souffle court et les mains toujours agitées de tremblements. Elle s'arrêta pourtant au milieu de sa phrase. La porte était restée entrouverte et quelqu'un venait d'appeler depuis le pied de l'escalier. Le père se leva tandis que sa femme se dirigeait déjà vers le seuil. Au moment où elle sortait, le père reconnut la voix du fils Picaud qui demandait :

— Alors, vous le voulez, ce bois, ou bien je le remonte à la coupe?

Le père s'aperçut que cette scène l'avait épuisé. Il vit sa femme disparaître sur le perron, et, avant de la suivre, il dut rester quelques instants immobile, appuyé d'une main contre le chambranle, retrouvant à peu près le vertige qu'il avait déjà éprouvé en montant au grenier.

4

Le fils Picaud était un grand gaillard à face rougeaude et au crâne piqué de poils gris clairsemés et coupés court. Il sentait fort le vin, la pipe, la sueur et cette odeur que traînent partout avec eux ceux qui passent le plus large de la vie dans les coupes de bois et les scieries. Le père serra la grosse main rêche qu'il lui tendait.

— Les vieux, c'est comme les amoureux, ça se chamaille à tout venant, dit le forestier.

Le père s'efforça de sourire.

— Où as-tu mis le camion? demanda-t-il.

— Dans la rue.

— Il fallait entrer directement. Tu connais le chemin.

— Cette année, c'est pas possible. Je suis avec le gros camion, ça passerait trop juste, et je risque de m'embourber.

Le père eut du mal à comprendre. Il se trouvait encore sous le coup de cette dispute. Comme il tardait à réagir, de sa voix rocailleuse, le forestier expliqua :

— J'ai plus d'essence. Et j'ai juste le gros camion qui marche au gazogène.

Le père ôta sa casquette et passa une main sur son front.

— Bonsoir... Va falloir que je trimballe deux cordes de bois jusque là-bas, comme ça, avec la charrette!

Picaud semblait hésiter entre le rire et autre chose d'indéfinissable qui lui tirait un peu les coins de la bouche. Mais sans doute parce qu'il avait un tempérament de bon vivant, il posa sa grosse patte sur l'épaule du vieil homme qu'il dominait de deux têtes, et, partant d'un gros rire, il expliqua :

— Alors, c'est une chance que je vous aie pas tout amené! Ça sera moins dur.

Ce fut la mère qui intervint :

— Pas tout? Qu'est-ce que vous dites?

— Ma pauvre dame, le bois, c'est comme le reste, on fait ce qu'on peut. Je vous ai mis six stères, et c'est bien parce que vous êtes des amis.

— Tu te fous de moi, cria le père!

— Allons, dit le forestier, il faut décharger, j'ai d'autres clients à livrer.

Il partit dans l'allée, allongeant le pas. Le père Dubois et sa femme le suivirent. Le père se lamentait. Mais l'autre, calmement, s'obstinait à répéter :

— C'est pas possible. Je peux pas vous donner plus. Mais avec ce que vous touchez de charbon, ça doit vous suffire.

— Le charbon, on ne peut pas le brûler, expliqua le vieil homme, notre cuisinière n'est pas faite pour ça, et elle est trop vieille pour être transformée... Bon Dieu de misère, si on ne peut pas se chauffer, c'est la fin de tout.

Lorsqu'ils eurent atteint la rue, le père, qui n'avait pas l'habitude de marcher aussi vite, était trop essoufflé pour continuer de parler. Il s'adossa contre la grille du jardin, et s'épongea le crâne en contemplant l'énorme camion chargé de bois. Déjà le forestier et son commis commençaient de lancer les rondins sur le trottoir. Le père regardait tomber chaque bûche. Il ne savait plus que dire. Il avait mal. C'était tout.

Quand le déchargement fut terminé, le père leva la main vers le bois qui restait sur le camion et demanda :

— Vraiment, tu ne peux pas m'en laisser un moule de plus?

L'homme sortit de sa poche une vessie de porc et, après avoir bourré une grosse pipe courte, il dit :

— Non. C'est pas possible.

Il était inutile d'insister. Le père baissa les yeux et suivit le geste de l'homme qui refermait sa blague. L'autre remarqua sans doute son regard. Il lui tendit le tabac en disant :

— Si vous voulez en rouler une.

Le père reçut la blague, sortit de sa poche sa petite boîte qu'il ouvrit pour y prendre son carnet de feuilles.

— Tu vois, c'est pas de refus. Je suis vraiment au bout de ma ration.

— Prenez-en de quoi passer la journée.

Le père hésitait.

— Allons, prenez, j'ai un copain douanier qui m'en apporte de Suisse.

Ils regagnèrent la maison où la mère compta l'argent du bois tandis que les trois hommes buvaient un verre de vin.

Le père ne pouvait plus réclamer davantage à cet homme qui venait de lui donner du tabac. Pourtant, sans se plaindre vraiment, mais d'une voix qui tremblait un peu, il se mit à parler de l'époque où les forestiers venaient pleurer auprès des boulangers pour se disputer leur clientèle.

— Jamais je n'ai acheté une bûche à un autre que ton père, conclut-il. Jamais!

— Ecoutez, dit Picaud, je vais vous faire une proposition. J'ai deux coupes au-dessus de Pannessières où les fagots n'ont pas été faits. Et c'est pas de la brindille, vous savez. C'est du bon branchage. Si vous voulez y monter, vous pouvez prendre ce que vous voudrez.

Le père se tourna vers sa femme qui se tenait debout, appuyée contre la barre de cuivre de la cuisinière. Ils se regardèrent un moment, puis ce fut elle qui demanda :

— Où ça se trouve, exactement?

L'homme donna des explications en dessinant sur la toile cirée avec le bout de son gros doigt tout couturé dont l'ongle ressemblait à un outil de corne mal taillée. Par les chemins de traverse, ça n'était pas très loin. Cinq ou six kilomètres tout au plus, mais bien sûr, la côte était assez raide.

— Et vous pourriez nous descendre les fagots? demanda la mère.

— Ah ça, c'est pas possible. Je descends toujours avec des camions pleins... Mais vous avez votre garçon, l'épicier, il a bien des camions qui doivent passer pas loin, de temps à autre.

Le père baissa la tête. Le silence s'épaississait. L'homme vida son verre et se leva.

— C'est à vous de voir, conclut-il.

Le commis se dirigeait vers la porte et Picaud allait le suivre quand la mère demanda :

— Avec la charrette à quatre roues, on peut y aller?

Le grand gaillard enveloppa les deux vieux d'un regard qui semblait évaluer leur force.

— On peut toujours, mais si vous n'avez personne pour vous aider à monter...

Il s'interrompit pour reprendre aussitôt d'une voix plus nette :

— Quand je remonte, moi, je suis à vide. Si ce soir vous n'avez plus besoin de votre charrette, on peut la mettre dans le camion, et je vous la laisse sur place en passant.

Ils discutèrent encore sur l'endroit précis et sur le fait de savoir si on ne risquait pas de voler la charrette.

Le père était un peu effrayé par la perspective d'un tel travail et d'une telle marche, mais il redoutait encore davantage le départ des deux hommes. Leur présence ici avait apporté une vie qui tenait à eux, qui avait empli toute cette partie de la matinée, mais dont le père sentait bien qu'elle s'en irait avec eux et laisserait un grand vide. De loin en loin, il lançait vers sa femme un regard rapide tout en s'efforçant de prolonger l'entretien. Pourtant, le forestier avait le reste de son bois à livrer. Il le répéta plusieurs fois en s'approchant de la porte.

— Et vous, fit-il, vous avez votre bois à rentrer. Si vous voulez que j'emmène votre charrette ce soir, faut pas trop traîner.

Il répéta encore qu'il laisserait la charrette près de la baraque des coupeurs, et qu'elle ne risquerait absolument rien. Il expliqua également où se trouvait la clef de la baraque et ajouta :

— Si vous voulez y coucher, c'est pas le confort moderne, mais ça peut vous rendre service.

Tandis qu'il s'éloignait derrière son commis, le père le suivit des yeux. Il sentait sa femme à côté de lui. Sans tourner la tête, il pouvait l'apercevoir au bord de son œil, plantée à sa droite, regardant aussi les forestiers qui avaient atteint le bout de la longue allée bordée d'arbres fruitiers.

A présent, les vieux demeuraient côte à côte, comme figés dans ce silence du matin où s'éleva bientôt le grognement sourd du camion. Ils restaient seuls, avec quelque chose qui les séparait, avec, aussi, une autre chose qui les soudait l'un à l'autre.

Quand le bruit du camion se fut éteint, le père se tourna vers sa femme en disant :

— Je crois que nous ne sommes pas au bout de nos peines.

— Non. Mais c'est à prendre ou à laisser. C'est ça ou bien courir le risque de se geler sans feu si l'hiver se prolonge un peu trop.

— Allons, je vais m'occuper de ce bois.

— Je vais t'aider.

— Ce n'est pas un travail pour toi. Avec tes hernies, tu ne peux pas porter des bûches si lourdes.

— Il n'y en a pas que des grosses. Et puis, à deux, on en mettra davantage à chaque voyage.

Le père le savait. Il savait aussi qu'elle l'aiderait comme elle faisait pour tout. Il éprouvait pourtant une espèce de joie mal définie à se défendre sans cesse, à prétendre qu'il pouvait accomplir seul une tâche dont il savait pourtant qu'elle risquait de l'épuiser. Il en allait toujours ainsi, mais ce matin beaucoup plus que d'habitude, tout en se dirigeant vers le hangar où se trouvait la charrette, il éprouvait le besoin de répéter :

— Ma pauvre femme, ce n'est pas une besogne pour toi. Tu te crèveras... C'est tout ce que tu feras.

La mère ne disait rien. Elle marcha à côté de lui jusqu'à la remise et, quand il baissa le timon de la charrette à quatre roues, elle se trouvait déjà derrière, les mains sur la traverse du plateau, prête à l'aider de toutes ses forces.

5

Ils besognèrent jusqu'à midi. Ce n'était pas un travail facile car l'allée était tout juste assez large pour permettre le passage de la charrette. Quand un caillou saillant faisait dévier une roue, le père se laissait parfois surprendre, déporté à droite ou à gauche par le timon qui lui secouait les bras et les épaules. Il arrivait alors que la roue heurtât l'angle de l'une des dalles bordant les carrés. Il se produisait des chocs assez rudes. Le père jurait, s'arrêtait, repartait en serrant ses lèvres entre ses mâchoires édentées.

Ils avaient tout d'abord essayé d'emprunter le chemin parallèle au jardin. Le passage y était moins étroit, mais le sol encore plus inégal. Par endroit, il y avait de la boue et les pas glissaient, les bandages de fer des roues enfonçaient.

A chaque voyage, ils mettaient une dizaine de bûches. Il n'était pas possible de charger davantage à cause de la petite montée qui se trouvait entre la maison et le hangar. Quand on passait sans charge, on s'apercevait à peine de cette déclivité du sol, mais avec la charrette, c'était autre chose. Avant d'attaquer cette côte, le père lançait :

— Allez!

Et c'était comme un arrachement venu du fond de

sa poitrine. Ils faisaient alors un grand effort, accéléraient l'allure, et s'accrochaient au sol comme deux bêtes fouettées. Si la roue passait sur une mauvaise bosse du sol, il leur arrivait de sentir l'élan pris à si grand-peine se briser d'un coup. Le père gémissait, fermait ses paupières sur ses yeux brûlés de sueur, grognait encore et jetait en avant tout le poids de son corps.

Cette petite côte était plus épuisante à elle seule que tout le reste du parcours qui mesurait pourtant une bonne centaine de mètres.

Avant midi, le mitron de la boulangerie sorti sur le pas de la porte pour prendre l'air, vint leur proposer un coup de main. C'était un gros garçon de la Bresse. Le père l'aimait bien parce qu'il savait l'écouter quand il lui parlait de son jeune temps.

— Tu pourrais seulement nous aider à faire un ou deux voyages, ça nous arrangerait.

Le mitron eut un bon sourire.

— On n'a plus besoin de votre dame, dit-il, qu'elle aille faire sa soupe.

La mère remercia, et le père la regarda s'éloigner en disant au mitron :

— Ce n'est pas du travail pour elle, je le sais bien, mais que veux-tu, elle est plus têtue que moi.

Le reste du bois fut transporté en deux voyages. Le mitron s'était attelé au timon de la voiture, et il allait si vite que le père dut renoncer à le suivre. Distancé par la charrette dont l'ossature couinait sous la charge, le père suivait en répétant :

— Pourvu qu'il ne cogne pas une dalle, il me casserait la charrette.

Dans la petite montée, le garçon se pencha davantage en avant, sa tête et son dos large disparurent derrière le chargement et la carriole sembla gravir seule et sans ralentir ce qui avait donné tant de mal aux deux vieux. Quand le père entra dans la remise, l'homme avait déjà commencé de lancer les bûches sur la pile.

— Laissez faire, cria-t-il dans un effort, ce sera vite bâclé!

— Il fait beau avoir vingt-cinq ans, dit le père.

Ce travail paraissait un jeu pour ce gaillard court sur pattes, aux bras enrobés d'une graisse qui cachait les muscles mais n'ôtait rien à leur force.

Si ce garçon avait pu monter avec eux dans la forêt, s'il avait disposé de quelques après-midi pour venir l'aider à fabriquer ce bois... A plusieurs reprises, le père eut envie de lui demander ce service. Il le payerait. Peut-être pas aussi cher qu'à la boulangerie, mais pour occuper ses loisirs, ce serait tout de même pour le garçon un moyen de se faire quelques sous. Le vieux n'osait pas. Et si l'autre s'avisait de lui parler de Julien, de lui demander ce qu'il était devenu, pourquoi il ne se trouvait pas là pour l'aider?

Quand la charrette fut déchargée, le père dit simplement :

— A présent, il va falloir que je débite tout ça. Et à la main, encore. Je n'ai pas fini de transpirer.

— C'est vrai que le bois nous chauffe toujours deux fois.

Le mitron se mit à rire. Le père insista :

— Je trouverais un homme costaud comme toi et qui veuille se faire quelques sous...

— J'aurais le temps, je viendrais bien. Mais c'est pas possible.

— Je sais. Chacun a ses occupations.

Le père avait dit cela sans tristesse. Il s'était laissé aller quelques minutes à imaginer ce garçon sciant ses bûches tandis qu'il fendrait lui-même et que la mère monterait les piles. Dans sa tête, il avait vu le travail terminé en quelques jours et la place libérée pour accueillir un gros chargement de bons fagots descendus de la forêt. Il éprouva une vague douleur de poitrine en se disant que rien n'était fait. Il allait rester seul avec la tâche qu'il faudrait mener à bien avant les premiers froids.

— Allons, soupira-t-il, viens qu'on te règle ce qu'on te doit.

— Vous rigolez.

— Mais non, je n'ai jamais fait travailler les gens sans les payer.

Il allait parler du temps où il employait lui-même des mitrons, mais le garçon l'interrompit.

— Je me sauve, dit-il. Le patron va se demander où je suis passé.

— Viens au moins boire un coup!

Le gros garçon avait déjà relevé sur le côté son long tablier blanc dont il passa l'angle dans sa ceinture. Sans se retourner il cria :

— Une autre fois!

Et il se mit à courir en direction de la rue.

Resté seul, le père s'assit sur une caisse vide, sortit la boîte qu'il avait remplie avec le tabac du forestier et roula lentement une cigarette. Il avait travaillé toute la matinée en refusant de prêter attention à son corps. Il avait fait la sourde oreille aux plaintes de son dos et de ses membres. Mais à présent qu'il se tenait tranquille, de longues douleurs se frayaient un chemin en lui. Elles partaient de chaque articulation pour suinter comme une eau acide entre les os et les muscles qu'elles transperçaient parfois lorsqu'elles trouvaient une faille. C'était comme une source multiple et intarissable. Et cette source se nourrissait des mille éléments impalpables que le temps avait accumulés dans tout son être. Le moindre mouvement les aiguillonnait, leur donnait une vigueur nouvelle qui leur permettait de pousser leur avance, d'élargir le chemin déjà parcouru.

Les coudes sur les genoux, la tête inclinée et le regard perdu aux limites de l'herbe du dehors et de la poussière grise recouvrant le sol de la remise, le père pensait à lui. Il tirait de sa cigarette de petites bouffées qu'il conservait longtemps dans ses poumons. Ce tabac du forestier était fort, agréable de goût et de parfum, bien supérieur à celui que l'Etat distribuait avec tant de parcimonie.

Le père pensait à lui, à ce qu'il avait été autrefois, et à ce qu'il était devenu après tant de peines accumulées et de privations endurées.

6

Un long moment s'écoula. Sans s'atténuer, la fatigue du père s'engourdissait. Elle était comme une eau que le gel immobilise. Çà et là, un remous la secouait encore, mais les grands courants n'avaient plus la même vigueur. A présent, c'était autre chose qui occupait son esprit. Dans un moment, sa femme descendrait jusqu'au pied de l'escalier et l'appellerait pour le repas. Ils se mettraient à table, ils mangeraient certainement la soupe sans rien évoquer d'autre que la peine qu'ils avaient eue et l'aide apportée par le mitron, mais fatalement, on finirait par revenir à la conversation interrompue par l'arrivée de Picaud. La mère ne s'en tiendrait pas là. C'était certain. Et il faudrait encore recommencer, recommencer toujours la colère épuisante ou le combat non moins épuisant pour la refouler en soi. A quoi servaient toutes ces disputes quand on éprouvait déjà tant de peine à vivre; à se maintenir en état de poursuivre cette existence toute consacrée à ce travail qui permettait tout juste de manger sans être contraint de vendre les quelques biens qu'on avait au soleil? Cette guerre avait tué l'argent. Tout au moins l'argent des petits épargnants. Les quelques titres dont la mère allait chaque semestre toucher les coupons ne représentaient plus rien. Ils les avaient pourtant achetés en francs-or, ces titres-là. Des francs économisés à force de nuits passées devant le pétrin et la gueule du four. Chaque centime représentait peut-être une fournée entière de bon pain blanc. Aujourd'hui, quand le père en parlait aux gens bien informés, ils souriaient. La peine de toute une vie n'était plus que quelques feuilles de papier que personne n'eût accepté d'échanger contre une motte de beurre ou une corde de bois. Mais les gouvernants responsables de ce désastre s'en foutaient! Ils devaient avoir de l'or en Suisse ou des actions dans des usines de guerre. Ceux-là, on ne leur faisait jamais rien. Ils vivaient grassement sur le dos du petit épargnant.

Le père laissait cheminer sa pensée tout au long d'une route sinueuse, creusée d'ornières où l'eau était amère. Par moments, il serrait les poings. On lui volait tout. On lui arrachait le droit si durement gagné de finir ses jours sans soucis, et il n'y pouvait rien.

Non seulement il devait se démener et trimer pour un morceau de mauvais pain, mais encore la guerre venait semer la zizanie jusque chez lui. L'autre guerre lui avait valu bien des malheurs. Deux années de campagnes, le reste dans les annexes militaires à faire le pain pour les combattants. En 1915 sa première femme était morte et il avait fallu boucler la boulangerie. En 19, il s'était remarié, il avait rouvert son commerce et repris le collier. Des années encore à trimer pour mettre de côté de quoi se retirer et vivre de son jardin et des loyers de la maison où se trouvait la boulangerie. Ce n'était pas le paradis, mais une demi-tranquillité avec un travail au grand air dont son mal de poitrine s'accommodait mieux que de la poussière du fournil. Il n'aurait d'ailleurs pas su vivre sans rien faire. Il n'avait jamais refusé d'aller au bout de sa peine. Mais depuis le début de cette nouvelle guerre, les limites n'étaient plus visibles. Plus on s'épuisait, plus il fallait en faire et moins on possédait.

Il en revenait toujours là. Il se sentait tout occupé de ce souci, et de la crainte du moment où sa femme l'appellerait à table. Sur ce point, il n'avait pas de mal à imaginer ce qu'elle lui dirait. Il préparait ses réponses, mais il savait bien que, au dernier moment, ce ne seraient pas ces mots-là qui lui viendraient à l'esprit.

Il venait de ranger son mégot éteint dans sa boîte à tabac, quand un pas racla le sol à l'entrée de la remise. Le père leva la tête. C'était M. Robin, un des locataires de la maison qui se trouve derrière la remise.

— J'allais chez vous, et je vous ai entendu tousser, dit M. Robin.

Le père se leva. M. Robin était un homme d'une trentaine d'années, blond et frisé avec un visage de bébé un peu trop pâle.

— On a voulu rentrer le bois, dit le père, et nous ne sommes pas en avance pour manger.

— Je vous apporte le journal, mais vous savez, ils ne disent pas grand-chose. Par contre, j'ai pris la Suisse à la radio, les Alliés sont à Naples.

Au début de septembre quand les Américains avaient débarqué en Italie, M. Robin était arrivé en disant : « Cette fois, les Boches sont foutus. » Le père avait eu un grand espoir, mais depuis, il avait compris que la guerre pouvait s'éterniser. On ne battrait pas les Allemands si facilement. Et, ce qu'il redoutait le plus, c'était de voir un jour le front se rapprocher. La débâcle de 40 avait épargné sa maison, mais rien ne permettait de dire que la guerre s'achèverait sans que le Jura fût touché. Pour le moment, le père Dubois pensait davantage au danger qui le menaçait directement, et il vit dans l'arrivée du voisin un nouveau moyen d'en reculer l'échéance.

— Venez jusqu'à la maison, dit-il.

— Si vous n'avez pas encore mangé, je ne veux pas vous déranger.

Le père insista et M. Robin le suivit.

La mère Dubois avait déjà dressé le couvert et trempé la soupe.

— J'allais t'appeler, fit-elle après avoir répondu au salut de M. Robin.

Le père prit place en disant :

— Asseyez-vous une minute, vous avez bien le temps.

Le voisin s'assit et, tandis que les deux vieux commençaient leur repas, il expliqua ce qu'il avait appris par la radio.

— Les Russes aussi ont encore avancé, dit-il. Et il paraît que les maquis du Haut-Jura ont reçu des armes.

— Je m'en doutais, fit la mère, j'ai entendu des avions, il y a deux nuits.

— Moi, je n'ai rien entendu, dit le père. Mais si ça remue là-haut, il y aura encore des fusillés, comme à Besançon le mois dernier.

— A présent, dit M. Robin, on sait combien ils en ont fusillés. Il y en avait seize. C'est le 26 septembre qu'ils les ont exécutés. Il y avait un jeune de vingt et un ans qui était du pays de ma femme. Nous avons vu sa mère, je ne sais pas comment cette pauvre femme n'est pas morte de chagrin.

Il y eut un long silence. Seul le père continuait de manger. Sa femme fixait M. Robin dont le visage un peu crispé exprimait à la fois le chagrin et la colère.

— Ils avaient quel âge? finit par demander la mère.

— Je crois que le plus jeune avait dix-sept ans, et le plus vieux vingt-neuf ans.

M. Robin se tut de nouveau. Il y avait entre eux comme une gêne, et le père se demanda si M. Robin n'avait pas, lui aussi, vu son fils en compagnie des miliciens. Il chercha un moment ce qu'il pourrait dire pour rompre le silence. Mais M. Robin parla le premier :

— Un jour, il faudra bien leur faire payer tout ça.

— En 14, soupira le père, on disait déjà la même chose, et ils n'ont rien payé du tout.

— Ne parle donc pas toujours du passé, dit la mère, nous avons assez à faire avec ce qui se passe en ce moment.

Elle avait parlé d'une voix ferme, presque dure, et le père redouta qu'elle ne lui reproche l'attitude de son garçon. Il regretta un instant d'avoir amené M. Robin jusqu'ici, mais il se reprit très vite. Non. Ce n'était pas possible. Sa femme ne parlerait pas de ces choses en présence d'un étranger. Il ne pouvait pas l'imaginer capable d'une telle action. Malgré tout, le père se sentit presque soulagé quand M. Robin se leva. La mère se leva aussi pour l'accompagner sur le seuil en disant :

— Ce soir, je n'irai pas écouter Londres. Il faut qu'on se lève très tôt demain matin pour... (elle hésita) pour un travail que nous avons à finir.

— S'il y a des nouvelles importantes, je vous tiendrai au courant, promit M. Robin.

La mère ferma la porte, prit l'assiette où se trouvait un morceau de fromage sec et gris comme du vieux plâtre, et la posa sur la table. Le père se servit en disant, comme il faisait à chaque repas :

— Dire qu'on appelle ça du fromage!

La mère laissa couler quelques secondes avant de répondre :

— Oui, mais *ton* épicier, il doit manger du bon gruyère, lui.

Le père n'avait pas prévu qu'elle entamerait la discussion par ce biais. Il réagit plus violemment qu'il ne l'eût voulu :

— Quoi, cria-t-il. Tu ne vas pas recommencer avec ça. Ce qui se passe chez Paul ne nous regarde pas. Et d'ailleurs, c'est toi qui le dis, mais...

Il se tut. Il faisait fausse route. Il le sentit, et la réplique de sa femme lui fit plus mal qu'un coup de pistolet.

— Jusqu'à présent, il était permis de douter. Mais maintenant qu'il a les miliciens dans sa manche, il va pouvoir faire du marché noir en toute tranquillité. Personne n'ira lui demander des comptes... Il ne manquera pas d'essence pour ses camions. Et il se moque pas mal que son père soit obligé de se crever à traîner des fagots sur une charrette!

Elle avait parlé de plus en plus haut, et sa dernière phrase s'était brisée net. Le père se sentit blémir. Une envie de vomir lui retournait l'estomac et il dut faire un effort pour ne pas sortir en claquant la porte. Il pensa que ce serait une réaction stupide. Sa femme le suivrait peut-être, et, s'ils se querellaient dans le jardin, les voisins les entendraient. Il avait mal. Et ce n'était pas seulement à cause de ses cris, mais surtout parce qu'il lui semblait injuste qu'on accusât son garçon de la sorte. Après tout, il n'était pas le seul à se tourner du côté du gouvernement de Vichy. Pouvait-on seulement affirmer que ceux qui agissaient ainsi avaient tort? Le père avait trop souffert de la guerre pour ne pas détester les Allemands, mais que dire des Anglais qui bombardaient les villes françaises? Depuis longtemps il avait renoncé à prendre parti. Il n'y voyait pas assez clair dans cette situation trop complexe, et il avait d'autres chats à fouetter.

— Je t'ai déjà dit que je veux plus entendre parler de ça, dit-il d'un ton ferme.

— Oh, n'exagère pas, hein! Je crois que j'ai assez entendu rabâcher que Julien a déserté. Tu es mal placé pour me demander de me taire.

Le père soupira :

— Dans tous les ménages où il y a des enfants de deux lits, c'est toujours la guerre. Et on voudrait que les nations puissent s'entendre!

— Ne cherche pas à me détourner de ce que j'ai à dire.

Il sentit soudain sa colère diminuer. Elle cédait le pas à une immense lassitude qui n'était pas liée aux douleurs provoquées par les efforts qu'il avait dû fournir le matin.

— Je ne cherche rien, murmura-t-il. Je sais que tu finis toujours par avoir le dernier mot.

Sa voix était faible. La mère dut avoir pitié de lui, car elle parut retenir une phrase qu'elle avait sur les lèvres. Elle toussa, hésita un moment, puis s'accoudant à la table, elle eut un hochement de tête et une moue douloureuse pour répondre :

— Tu as raison, ce n'est pas la peine de remuer tant de saleté. Seulement, reconnais au moins que ce n'est pas drôle pour moi, ce qui s'est passé ce matin.

Il ne put que soulever ses mains et les laisser retomber sur la toile cirée en soufflant :

— Ma pauvre femme. Qu'est-ce que tu veux que j'y fasse?

— Rien. Il n'y a rien à faire qu'à boire notre honte en espérant que ça n'ira pas trop loin.

— Où veux-tu que ça aille?

Elle plongea dans le sien un regard où la colère semblait se rallumer un peu, et il regretta sa question. Pourtant, ce fut sans élever la voix que sa femme expliqua :

— Tout à l'heure, quand M. Robin était là, quand il nous parlait des fusillés de Besançon, tu n'as pas remarqué qu'il semblait se retenir pour ne pas en dire plus?

— Je ne comprends pas, avoua le père.

— Sais-tu par qui ces pauvres gens ont été arrêtés?

— Comment veux-tu que je sache?

— Eh bien, ce ne sont pas des Allemands, qui les ont pris. Ce sont des Français... Des miliciens...

Au mouvement de ses lèvres, le père comprit qu'elle s'était arrêtée au milieu d'une phrase. Sans doute s'était-elle retenue d'ajouter : « Comme ceux qui étaient avec Paul ce matin. » Il lui sut gré d'avoir pu se contenir. C'était vrai qu'elle ne l'avait jamais blessé par plaisir. Si elle s'était emportée, sans doute était-ce parce que cette scène du bureau de tabac l'avait bouleversée. Mais aussi, de quoi Paul allait-il se mêler? La politique, quand on est dans le commerce, ce n'est pas une chose à faire. Et pourquoi s'en prendre à la mère? Etait-ce bien vrai qu'il lui avait parlé ainsi? Le père eut envie de demander à sa femme ce que Paul avait dit lorsqu'elle était partie sans acheter de photographie, mais il eut peur de provoquer un nouvel éclat. Il dit simplement :

— Il n'aurait pas dû faire ça. Mais toi, tu ne devrais pas t'en prendre à moi.

— Ça m'a fait un tel coup.

Le père pensa qu'elle allait se mettre à pleurer, et il redouta ses larmes autant qu'il avait craint sa colère.

— Tu t'es trop fatiguée avec ce bois, dit-il. Et moi aussi, je suis épuisé. Si nous voulons aller à cette coupe demain, il faut se reposer un peu.

— Monte. Moi, tu sais bien que je ne peux pas dormir l'après-midi.

Le père avait souhaité cet instant où il pourrait enfin se retirer sans avoir l'air de fuir, et, à présent que le moment était venu, il ne trouvait plus en lui la force de quitter sa chaise. Il regardait sa femme. Elle était là, tout près de lui, aussi fatiguée que lui et sans doute aussi douloureuse. A quoi pensait-elle? D'habitude, dès qu'ils avaient fini leur repas, elle se levait pour débarrasser la table et laver sa vaisselle. Et aujourd'hui, elle demeurait immobile, comme écrasée par ce silence qui se coagulait autour d'eux, emplissant la pièce et passant les murs pour envelopper la maison et déborder sur la ville. Allaient-ils demeurer ainsi, paralysés par le fardeau de leur peine plus lourde à porter que le poids du travail qui les attendait?

Le père respira profondément, repoussa sa chaise en se levant lentement.

— Si des fois je ne me réveillais pas, appelle-moi vers 4 heures, il faut que je graisse la charrette avant qu'ils viennent la chercher. Et ensuite, je préparerai des liens à fagots, et j'aiguiserai ma serpe.

— Mon pauvre Gaston, je me demande si nous avons eu raison d'accepter, ce n'est plus un travail pour toi.

Le père se sentit soudain soulagé. Le travail reprenait sa place de premier plan. Il serait toujours moins pénible que le reste.

— Bah, fit-il, le peu que nous ferons, ce sera toujours ça.

Il se dirigea vers l'escalier. Comme il allait poser la main sur la rampe de bois, il vit le chapeau de sa femme resté suspendu au pommeau.

— Tu veux que je monte ton chapeau dans la chambre? demanda-t-il.

— Non, dit-elle. Laisse-le là. Vers 6 heures j'irai te chercher ton tabac. Les plus pressés seront servis. Il y aura moins de monde que ce matin.

7

Le père Dubois avait gardé de son métier de boulanger cette habitude de se coucher après le repas de midi. Il le faisait durant toute la belle saison, préférant se lever à l'aube et pousser ses journées jusqu'à la tombée de nuit. Cet après-midi-là, il ne parvint pas à trouver le sommeil. A plusieurs reprises il s'assoupit quelques instants, pour se réveiller aussitôt avec la désagréable sensation de remonter brusquement du fond d'un puits étroit et sombre. Les volets étaient à demi fermés, et le jour toujours triste entrait dans la chambre, marquant d'un long reflet vert la barre métallique du lit. Les yeux mi-clos, la tête enfoncée dans ses deux oreillers, le père fixait ce reflet qui devenait plus flou à mesure que ses paupières se rapprochaient l'une de l'autre. Sa fatigue n'était plus qu'une eau apaisée, mais il savait que le seul fait de se lever la remuerait jusqu'à la vase.

Sa femme devait être dans le jardin. Sans doute achevait-elle de nettoyer les carrés qu'il s'était promis de bêcher et d'ensemencer avant l'hiver. Elle devait penser à Paul et à cet incident stupide du matin. Elle n'avait jamais beaucoup aimé ce garçon qui, lui non plus, ne l'aimait pas. C'était vrai. Mais il n'avait jamais été bien méchant avec elle.

Il vivait sa vie, quoi! Bien sûr qu'à sa table on devait se priver un peu moins qu'à celle du père. Mais après tout, c'était normal. Il avait réussi dans son commerce. Il avait su se débrouiller. Est-ce qu'on pouvait lui en vouloir pour ça? Il n'aidait pas son père. Mais Julien, pensait-il parfois à eux? Avait-il jamais fait un geste pour leur venir en aide? A vingt ans, on est pourtant un homme. La mère le défendait. Elle l'aimait mal. Elle l'avait toujours trop gâté. C'était vrai qu'elle était trop bonne. Peut-être trop bonne avec tout le monde, mais son amour pour ce garçon l'aveuglait parfois et la rendait injuste. Quand la colère lui venait, c'était toujours à son homme qu'elle s'en prenait. Qu'avait-il fait, lui, dans tout cela? Rien! Il travaillait sans rien demander à personne. Il usait sa vie au fil du travail comme il usait sa bêche au fil des saisons à retourner toujours la même terre. Depuis l'âge de douze ans, il était une bête de somme. Rien de plus qu'une bête qui travaille pour sa nourriture. Il avait commencé avec son père, et depuis, il n'avait jamais lâché le collier. Dans toute sa vie, il n'avait eu de bon que ses deux années de service militaire. Classe 93, il avait encore eu la chance de tirer au sort et de sortir un bon numéro. Deux ans seulement. 44e Régiment d'Infanterie, mais parce qu'il était le plus fort gymnaste du régiment, on l'avait envoyé à Joinville. Il aurait pu rengager. Faire sa carrière comme moniteur. Un travail qui ne vous détériore pas la santé et qui vous mène tranquillement à une retraite assurée. Il y avait pensé, mais la mort de son père ne lui avait pas laissé le champ libre. Sa mère était seule. Aussitôt libéré, il avait pris en main le fournil et les tournées... Le bagne, quoi! A partir de là, il n'avait plus connu de loisirs. Il n'avait jamais conduit sa vie, c'était toujours le travail qui avait ordonné pour lui. L'une poussant l'autre, et chacune avec sa tâche bien chevillée au corps, les années avaient passé sans apporter jamais que des surprises désagréables. Et pourtant, il avait su trouver son plaisir dans son travail. S'il regrettait quelque chose de son jeune temps, c'était bien tout d'abord ces longues nuits au fournil à mettre en forme et à cuire ce pain qu'on venait chercher de si loin. Et les brioches du dimanche! Il lui sembla soudain que la chambre s'emplissait de l'odeur chaude et moelleuse qui ruisselle de la gueule du four au moment où l'on en sort les couronnes dorées, cuites sur ce gros papier que les femmes décollent en se brûlant les doigts. Sa bouche s'était emplie de salive. Il n'avait jamais été gourmand, mais la seule pensée de ce pain et de ces brioches d'autrefois le remuait tout entier. En ce temps-là, qui eût osé lui dire qu'on cuirait un jour dans son four du pain fait de son et de sciure de bois? Aujourd'hui, il se réjouissait de n'être plus boulanger. Dans son jardin, au moins, il faisait pousser de vrais légumes et cueillait des fruits sains. Mais travailler ce mastic gris et oser le vendre pour du pain, il en serait mort de honte.

Ce mot qui lui vint raviva en lui le souvenir de ce qu'avait dit sa femme à propos de Paul.

Attachait-il donc davantage d'importance à son travail qu'à ce que pouvait faire son fils? Il se sentit habité par une onde de colère dont il se demanda si elle n'était pas surtout tournée contre lui. Eh bien oui, quoi! Quel mal y avait-il à aimer son métier? Il avait toujours exercé le sien en y mettant tout ce qu'il y avait de meilleur en lui. Personne jamais n'avait trouvé le moindre reproche à lui adresser. Combien de boulangers pouvaient en dire autant?

Lui, il avait connu des mitrons qui venaient d'autres maisons et lui riaient au nez parce qu'il refusait tous les procédés un peu douteux. Avec ceux-là, ça ne traînait pas. Il n'y a pas deux façons d'être honnête!

Bien sûr, d'autres s'étaient enrichis à tricher sur tout, à rouler le monde. Aujourd'hui, c'était sur l'or, qu'ils roulaient, ceux-là, et sans souci ni de la guerre ni de l'hiver. L'honnêteté, ça ne vous tient lieu ni de pain ni de feu, mais il est tout de même important de pouvoir se dire qu'on a su amener sa carcasse jusqu'à soixante-dix ans sans devoir un centime à personne. Au contraire, si tous ceux qui lui devaient encore un pain étaient venus le payer, il se serait trouvé avec une belle cohue dans son jardin. Ceux-là, il lui arrivait encore d'en croiser dans la rue. Il en connaissait même qui étaient plus souvent fourrés à l'église qu'au café et que l'on aimait à citer comme des modèles de vertu. Quant à lui, il n'avait jamais eu besoin de religion pour mener sa vie toute droite, sans jamais dérailler. Il l'avait fait tout naturellement, parce que jamais l'idée ne l'avait effleuré d'agir autrement.

Et aujourd'hui il était là, roué de fatigue et empli de peine. Il était là, à chercher vainement le sommeil où son corps usé retrouverait la force qu'il lui faudrait encore pour mener un peu plus loin son existence toute rectiligne; pour la mener seul, comme il avait toujours fait, et sans attendre de personne une aide qu'il ne lui était jamais arrivé d'espérer vraiment.

8

Il était 6 heures du soir quand le camion du forestier revint s'arrêter devant le jardin. Dès qu'il fut reparti emportant la charrette vers la coupe où elle allait passer la nuit sans surveillance, le père Dubois se sentit envahi par l'inquiétude. Il dit à sa femme :

— Nous n'avons pas réfléchi, mais j'aurais pu monter avec eux, puisqu'il y a une baraque où on peut dormir.

— Non, dit-elle, tu aurais pris froid. Ça doit être une mauvaise baraque à courant d'air.

— Tout de même, laisser une charrette comme ça, au milieu des bois.

— Mon pauvre Gaston, tu ne vas pas te faire du souci pour une charrette, mais qui veux-tu qui aille s'embarrasser de cette antiquité...

Elle avait déjà mis son chapeau et pris son cabas.

— Je vais chercher le tabac, dit-elle, et je ferai une ou deux autres courses.

— C'est bon. Moi je vais m'occuper des lapins.

Il la regarda s'éloigner. Elle était bizarre, tout de même. Elle se faisait du souci pour des bricoles, et quand il s'agissait d'une chose sérieuse, elle n'était même pas inquiète. Il le savait bien que sa charrette n'était pas neuve. Elle avait presque le même âge que lui. Mais elle roulait encore. Elle était solide, pas trop lourde, et, quand on lui mettait ses ridelles elle permettait tout de même de transporter un bon chargement de foin ou de fagots. La mère avait sûrement tort de croire qu'une pareille charrette ne courait aucun risque à passer la nuit dans une coupe à plus de cinq kilomètres de la ville. Elle pouvait aussi bien tenter un paysan qu'un bûcheron. Et puis, il y avait la corde de serrage. Une bonne corde de sept mètres. Souple et solide. Une corde comme personne n'en vendait plus aujourd'hui. Non, décidément, il avait eu tort de laisser partir cette charrette. Il eût au moins dû enlever la corde. On ne réfléchit jamais assez. Le père sentait qu'il ne dormirait pas tranquille. Il n'avait déjà pas dormi cet après-midi à cause de cette histoire de milice, et cette nuit, alors qu'il devait se lever très tôt le lendemain, il allait encore se retourner sur son lit en cherchant le sommeil. Il y aurait donc toujours quelque chose pour lui gâcher sa vie!

Il prit un sac plié sur une des cages à lapins alignées sous le petit auvent fiché au flanc de la maison, et se dirigea vers la remise pour y faire provision de foin. Dans la remise, il regarda la place laissée vide par sa charrette. C'était la première fois que cet emplacement lui paraissait aussi vide. Il n'avait pas l'habitude de le voir ainsi. Comme il était seul à utiliser cette carriole, quand elle n'était pas là, il n'était pas là non plus. Depuis des années, il en était ainsi. L'un tirant l'autre, ils avaient fait un sacré bout de route. Les légumes qu'ils portaient au marché, l'herbe verte ou le foin qu'ils montaient chercher à mi-côte de Montciel. Les voyages de fagots, de pommes de terre, sans compter les transports quotidiens de bois de la remise au fournil lorsqu'il était encore boulanger. Jamais, jusqu'à ce soir, il n'avait autant pensé à cette charrette. Elle occupait vraiment beaucoup de place dans son existence. À bien réfléchir, elle avait presque autant fait de travail que lui. Et comme lui, sans jamais se plaindre. Il avait passé un demi-siècle à la traîner partout, à la graisser, à la repeindre pour lui éviter l'usure, et, aujourd'hui, sans réfléchir, il l'avait laissée partir sur un camion pour passer une nuit aux quatre vents dans la forêt. C'était vraiment se conduire comme un gamin.

Plus il y pensait, plus l'idée se précisait en lui qu'il ne reverrait jamais cette charrette. Demain matin, ils allaient monter à la coupe. Ils constateraient sa disparition, ils la chercheraient partout, et ils n'auraient plus qu'à redescendre. Pas la peine de fagoter puisqu'ils n'auraient plus rien pour transporter leurs fagots. Et la mère dirait certainement : « Tu vois, si ton garçon nous avait fait le transport avec un camion, ça ne serait pas arrivé. Tu aurais toujours ta charrette. » Ce serait son triomphe, à la mère. Et au fond, elle aurait raison. Il le sentait bien. Mais pouvait-on demander à un épicier en gros de faire perdre du temps à un chauffeur et de risquer d'esquinter un camion dans une coupe pour quelques fagots? S'il était allé lui demander une chose pareille, Paul aurait probablement répondu : « Mes chauffeurs ont autre chose à foutre. Vous n'avez qu'à faire comme les autres, brûler du charbon. » Pouvait-il comprendre ce qu'était leur vie? Pouvait-il admettre qu'ils reculaient devant la dépense que représentait la transformation de la cuisinière?

Le père avait descendu son sac de foin et soigné ses lapins. A présent, dans le soir qui montait lentement de la terre, il était debout à l'angle de la maison, tout occupé par cette idée de charrette. Le camion devait être arrivé à la coupe. Tout à l'heure, pour hisser la charrette sur le plateau, ils avaient appelé le mitron. A quatre, en prenant chacun une roue, ils avaient eu du mal car le camion était haut. Une bonne charrette c'est léger quand ça roule, mais lorsqu'il faut la lever en force, c'est autre chose. Pour la descendre, Picaud serait seul avec son commis. Ils avaient bien promis de prendre la corde pour la retenir et de faire très attention, mais ils étaient jeunes tous les deux. Pour des gens comme eux, une charrette ne représentait pas grand-chose. Elle était solide, bien que la mère la considérât comme une antiquité, mais à tomber en porte-à-faux sur une roue, elle se briserait sans doute. Bien entendu, avec une roue cassée, personne ne se risquerait à la voler, mais que ferait-il lui, demain matin, avec une charrette cassée? Sans compter qu'en voyant une charrette cassée en pleine forêt, des gens pourraient la croire abandonnée et emporter une roue, ou la mécanique ou les ridelles, ou seulement cette bonne corde de sept mètres.

Dire qu'il avait eu toute sa journée pour réfléchir, et qu'il évaluait seulement à présent tous ces risques. Et il était trop tard. La charrette était sans doute déjà seule dans la forêt, peut-être avec une roue cassée ou le timon démoli. Il n'était plus très solide, ce timon. Les boulons qui le fixaient avaient un peu mangé le bois. Il y avait du jeu, et les chevilles que le père avait enfoncées à force ne tenaient guère. Si ce timon les lâchait avec un chargement de fagots, ils seraient propres!

Décidément, cette aventure n'était plus ni de leur âge ni de leur force. Ils n'avaient pas assez réfléchi avant de s'y lancer. Voilà qui risquait de leur coûter plus cher que l'achat du charbon et la transformation de la cuisinière.

Le père Dubois marcha lentement jusqu'à l'angle des deux allées et tira de sa poche la boîte où se trouvait le tabac que lui avait laissé le fils Picaud. Il roula une cigarette qu'il garda un moment entre ses lèvres avant de l'allumer.

Le soir avançait. L'ombre coulait sur la terre noire des carrés nus, évitant dans sa progression les tas de feuilles rousses que le vent des jours précédents avait poussés le long des dalles. Ils demeuraient comme des îlots de lumière oubliés sur la terre. Les pêchers encore jaunes conservaient eux aussi plus de clarté que le ciel toujours chargé. Le père se tourna vers le couchant.

Derrière la colline de Montciel, le ciel moins opaque se colorait de rose. Il n'y avait toujours pas le moindre souffle de vent, mais peut-être un espoir que se lève un peu de bise qui nettoierait le temps durant la nuit.

9

La nuit était presque tombée lorsque la mère rentra.

— Nous serons obligés d'allumer pour manger, dit le père.

— Que veux-tu, je n'ai pas pu faire plus vite. J'ai voulu trouver de quoi emporter demain pour manger là-haut.

— Et tu as trouvé?

— Oui, j'ai pu avoir un peu de pâté et du fromage de tête. Nous emporterons des œufs durs et des fruits.

— Pour ce soir, tu devrais juste faire chauffer un restant de soupe. Je ne veux pas me charger l'estomac, j'aimerais bien me coucher tôt.

— Si tu veux, mais alors, il faudra manger un peu plus demain matin, avant de partir.

Ils étaient entrés dans la cuisine, et, tandis que la mère descendait la suspension pour allumer la lampe à pétrole, le père tira les volets puis ferma la fenêtre. Quand la mèche fut réglée et la lampe remontée, la mère alluma le feu et mit chauffer la soupe.

— Tu as pu avoir le tabac? demanda le père.

— Oui, j'ai eu deux paquets de ta ration et deux de la mienne. Si on pouvait en mettre un de côté, j'essaierais d'avoir un peu de beurre.

Le père ne répondit pas. Il n'avait rien à dire. Sa

femme avait bien le droit de disposer de ce tabac qui faisait partie de son attribution. Elle n'avait jamais fumé, mais il connaissait d'autres femmes qui fumaient autant qu'un homme. Le mois dernier, M. Robin lui avait donné un paquet de cigarettes, peut-être lui en donnerait-il un autre ce mois-ci. Avec ce qu'il avait dans sa réserve...

La soupe commençait à chanter sur le feu, et la mère posa deux assiettes et deux cuillères sur la table, ainsi que ce pain gris qui soulevait le cœur rien qu'à le regarder.

— Est-ce que tu as pensé au pain, pour demain? demanda le père.

— Oui, il est dans mon sac. Je préparerai tout ça ce soir.

— Il faudra prendre la grande musette, j y mettrai aussi ma serpe.

— Ça fera peut-être trop lourd, tout ensemble.

— Non, toi, tu porteras le rouleau de liens.

Le père pensait toujours à sa charrette et à cette aventure qui lui semblait de plus en plus insensée. Pourtant, il n'osait rien dire de peur que sa femme n'en revînt à parler des camions de Paul.

Elle servit la soupe, et ils se mirent à manger en silence. Entre deux cuillerées, le père s'arrêtait parfois de mâcher pour écouter la nuit. Si la bise se levait, le risque de pluie serait écarté.

Ils avaient presque vidé leurs assiettes, quand la mère posa sa cuillère et se dressa sur sa chaise.

— Qu'est-ce qu'il y a? demanda le père.

— Tu n'as rien entendu?

— Non. C'est le vent qui se lève. Alors nous aurons...

Elle l'interrompit :

— Mais non, ce n'est pas le vent, c'est quelqu'un qui vient.

— Pourtant, j'ai fermé la grille.

— Ça doit être un voisin qui vient par-derrière.

— On ne sera jamais tranquille, grogna le père.

Il commença d'entendre le pas au moment où le

visiteur tournait l'angle de la maison pour atteindre l'escalier.

— Ce n'est pas M. Robin, dit la mère... Ni M. Durelet.

Elle se leva et marcha jusqu'à la porte. Le pas montait l'escalier.

— C'est tout de même quelqu'un qui connaît, dit encore le père.

Il était soudain inquiet. Une visite à pareille heure ne pouvait rien amener de bon. Il pensa très vite que le camion du forestier avait peut-être versé dans un ravin et qu'on venait lui dire que sa charrette était en miettes.

La mère ouvrit la porte au moment où le visiteur atteignait le palier. Le père qui la regardait comprit à son visage que cette visite ne lui plaisait pas. Sans dire un mot, les sourcils froncés et l'œil dur, elle s'effaça pour laisser entrer Paul qui lança :

— Bonsoir! Je vous dérange?

— Ah, c'est toi, fit le père. Tu as passé par-derrière?

— Bien obligé, vous vous enfermez tellement tôt.

Au timbre de sa voix et à son regard trop brillant, le père comprit que son fils avait bu. Il savait que cela lui arrivait de plus en plus fréquemment et il en souffrait. Plusieurs amis lui avaient dit : « Ton garçon ne crache pas sur la bouteille, dis donc. » Ils le disaient en riant, mais le père qui n'avait pas une seule fois de sa vie bu plus que de raison, n'avait jamais admis d'ivrognes dans son entourage. Seulement, les racontars, il s'efforçait de ne pas y prêter attention.

Dès que son garçon avait passé le seuil, il avait éprouvé un serrement de cœur en se disant que la guerre avec la mère allait recommencer; à présent, il n'y pensait plus. Il fixait son garçon en se répétant : « Il a bu. C'est bien vrai. Mon garçon qui se serait mis à boire. Bon Dieu de Bon Dieu. »

Paul qui avait tiré une chaise s'assit en disant :

— Finissez votre soupe, elle sera froide.

Le père avala une cuillerée de bouillon. La mère regagnait sa place lorsque Paul demanda :

— Tenez, la mère, avant de vous asseoir, vous ne me donneriez pas un canon?

Elle s'arrêta et s'apprêtait à contourner la table lorsque le père cria :

— Non! Tu as assez bu comme ça!

Paul parut décontenancé. Son visage maigre se crispa en une grimace qui accentua le rouge irrégulier de ses pommettes saillantes. Le père le regarda plus attentivement et constata qu'il avait le blanc des yeux injecté de sang. C'était donc qu'il buvait vraiment.

La mère, toujours debout, semblait attendre, ne sachant plus que faire. Le père la regarda. Il avait parlé vite et fort, sous le coup de la colère. A présent, il se demandait s'il n'avait pas eu tort. Si ce n'était pas, par avance, donner raison à sa femme contre ce garçon qu'elle détestait déjà. Paul avait rejeté en arrière son petit chapeau brun à bord relevé, découvrant ainsi une partie de son crâne déjà dégarni.

— Bonsoir, soupira-t-il, si mon père me refuse un verre de vin, on aura tout vu.

— Je ne te refuse rien, dit le père, mais tu as déjà trop bu, et ça se voit.

— Si j'ai bu, c'est parce que nous avons rencontré toute la journée des gens qui nous ont invités à trinquer. (Il regarda la mère.) Des gens qui ne sont pas tout à fait de votre avis. Qui ne sont pas pour vendre la France aux Anglais!

Il a parlé en haussant progressivement le ton. La mère qui se tient toujours debout se tourne vers son homme. Dans ses yeux, la colère a disparu pour faire place à une lueur de détresse qui bouleverse le père.

— Tais-toi, Paul, crie-t-il. Si tu es venu ici pour faire de la politique, tu ferais mieux d'aller te coucher!

La voix du père tremble, et il s'en rend compte. Il

lutte contre ce bouillonnement qui est en lui. Il regarde tour à tour sa femme et Paul, puis il leur crie :

— Vous ne me laisserez donc jamais tranquille. Je passe mes journées à me crever à la tâche, et il faut qu'on vienne encore me gâcher les quelques heures de repos que je peux avoir!

Comme s'il était rassuré de constater que son père ne s'en prend plus uniquement à lui, Paul semble se détendre. Il se tasse sur sa chaise. Il repousse encore un peu son chapeau qui fait comme une auréole sombre autour de son visage, et sort de sa poche un paquet de cigarettes et un briquet. Il prend une cigarette, la tape sur le bord de la table, l'allume, puis, lançant en direction de son père le paquet qui glisse sur la toile cirée, il dit :

— Si j'avais l'intention de vous emmerder, je ne serais pas ici. Je suis venu pour vous rendre service, et vous me recevez comme tu reçois les chiens dans tes semis.

Le père regarde le paquet de cigarettes. Il lutte contre sa main qui voudrait avancer et le prendre. Son regard vole en triangle de ce paquet bleu au visage de son fils puis à celui de sa femme. Paul demande :

— Tu ne fumes plus?

— Si, mais le soir, tu sais.

— Prends toujours.

Le père se sert comme à regret. Il sort son carnet de feuilles, casse la cigarette en deux et en ouvre une moitié en disant :

— Je les roule, le papier est moins mauvais.

La mère qui ne s'est pas assise emporte les assiettes sans avoir achevé sa soupe. Quand elle revient, elle pose sur la table une bouteille de vin à moitié pleine et deux verres. Le père l'observe. Est-ce qu'elle serait plus indulgente que lui? Agit-elle ainsi parce que Paul vient de dire qu'il veut leur rendre service? Qu'est-ce qu'il veut dire par là, lui? A-t-il entendu parler de cette histoire de fagots et va-t-il leur offrir d'aller les chercher avec un camion? S'il en est ainsi, la mère ne pourra plus dire qu'ils vivent en égoïstes, Micheline et lui.

Le père a fini de rouler sa cigarette qu'il allume. Il tire une bouffée. Aujourd'hui il n'a pratiquement rien fumé sur sa ration.

La mère verse le vin. Elle a empli à moitié le verre de Paul, et le père dit :

— Juste une goutte, pour moi. Tu sais bien que je ne bois jamais sans manger, surtout le soir.

— Tu as tort, dit Paul. Certains jours, si on n'avait pas le vin pour se soutenir...

— Tu sais que tu me fais de la peine, en parlant de ça, dit le père. Qu'est-ce que tu es venu nous dire?

La mère vient d'apporter sur la table un petit cendrier de cuivre que le père a façonné, en 1916, dans une douille d'obus. Elle reprend sa place, mais elle semble à demi assise, comme si sa chaise risquait de se briser sous son poids. Paul boit la moitié de son vin puis, soufflant sur la table une longue bouffée de fumée, il dit :

— Je suis venu à propos de ce qui s'est passé ce matin...

— Ecoutez...

La mère veut l'interrompre, mais le père intervient.

— Laisse-le parler, tranche-t-il.

Il voit que sa femme fait un effort pour se taire et demeurer à sa place.

— Oui, reprend Paul. J'ai raconté ça à Micheline à midi. Elle m'a engueulé. Elle m'a dit : « Je connais assez la mère pour savoir qu'elle doit en être la première embêtée. Ce n'est pas parce que Julien a fait des conneries qu'il faut s'en prendre à elle. »

Cette fois, la mère se soulève davantage sur sa chaise. Elle se dresse de toute sa taille et le père comprend qu'il ne l'empêchera pas de parler.

— Julien n'a pas fait de bêtises, lance-t-elle. Il s'était engagé dans l'armée d'armistice parce qu'il pensait que c'était bien de le faire. Le jour où les Allemands ont envahi la zone libre, quand il a vu qu'on allait sans doute les ramasser ou les mettre au service des Allemands, il est parti. Un point c'est tout.

Dès qu'elle s'arrête, Paul se met à rire.

— Parti, dit-il. Vous avez de ces mots! Il a déserté, c'est autre chose. Et déserté pour passer en Angleterre, probablement, comme un tas d'imbéciles qui ne savent pas ce qui les attend.

— Si vous savez où il est, crie la mère, vous avez bien de la chance. Moi qui suis sa maman, je voudrais bien le savoir!

Sa voix s'est brisée. Elle ne pleure pas, mais sa gorge doit être serrée et ses yeux sont embués de larmes. Il y a un silence très court. Paul doit chercher ses mots dans les vapeurs de l'alcool, et le père en profite pour placer :

— Je croyais que tu étais venu pour nous rendre service.

— Justement. C'est de lui qu'il s'agit. S'il est encore en France, mieux vaudrait qu'il se montre plutôt que d'attendre que la police lui mette la main dessus. Ce serait préférable, aussi bien pour lui que pour vous.

La mère se lève. Tout son corps se met à trembler et ses mains posées sur la table sont comme deux bêtes prêtes à bondir. Le père a peur. Il n'a pas le temps de placer un mot.

— Si vous êtes venu me demander de livrer mon fils à la Milice, crie-t-elle, vous pouvez me faire arrêter, vous pouvez me faire fusiller, vous ne tirerez jamais rien de moi!

Cette fois, elle a ravalé ses larmes. Seule une grande colère se lit sur son visage. Elle se tourne vers le père pour continuer :

— Et tu le laisses dire des choses pareilles sous

ton toit! Tu le laisses nous menacer sans rien faire pour l'arrêter!

Le père se sent petit. Perdu. Malade et sans force. Il voudrait être loin, de l'autre côté de la terre ou même sous la terre où l'on trouve enfin la paix. Que faut-il faire? Que faut-il dire?

La mère retombe sur sa chaise. Elle paraît épuisée, mais ses mains posées sur ses genoux tremblent toujours et son regard s'est soudain vidé de toute expression.

— Vous ne m'avez pas compris, dit Paul d'une voix calme, presque douce. Vous savez très bien que Julien est recherché et que personne n'est pour rien là-dedans. Vous êtes bien libre de croire que je le déteste. Vous êtes trop têtue pour que j'essaie de vous persuader du contraire, mais croyez-vous que ça me ferait plaisir de le voir arrêté? Croyez-vous que ça nous arrangerait, aussi bien vous que moi?

— Autrement dit, soupire la mère, c'est à vous que vous pensez.

— Tu es injuste, dit doucement le père.

Paul l'arrête d'un geste.

— En admettant même que je pense uniquement à mon père et à moi, s'il est encore possible de sauver Julien de la prison, il ne faut pas attendre qu'il soit arrêté. Il faut que ce soit lui qui vienne et qui dise : J'ai fait une blague, je le reconnais, on m'a entraîné... Enfin, je ne sais pas, moi, mais on trouvera moyen de le tirer de ce mauvais pas.

Le père regarde sa femme qui s'est tournée vers lui. On dirait qu'elle ne sait plus où elle en est. Paul a dû mesurer son avantage. Il reprend :

— Sans faire de politique, est-ce que vous ne croyez pas qu'il vaut mieux rester dans la légalité?

Les deux vieux se regardaient toujours. Paul laissa passer quelques instants avant de conclure :

— Croyez-moi, mieux vaudrait lui dire de revenir pendant qu'il en est encore temps.

— Mais enfin, dit la mère, puisque je vous assure qu'on ne sait pas où il est.

— Vous n'allez pas me dire que vous n'avez jamais eu de ses nouvelles?

Le père eut un mot sur la langue pour expliquer qu'ils avaient simplement, au mois d'août, reçu une carte qui venait de Toulon, sans aucune adresse et qui disait seulement : « Tout va bien. » Depuis, c'était le silence. Un interminable silence qui les rongeait l'un et l'autre. Il se retint de parler. Le regard que sa femme venait de lui lancer ne lui permettait plus d'articuler un mot.

— Enfin, soupira Paul, vous êtes seuls juges.

— Mais puisqu'on te dit que nous n'avons pas de nouvelles, fit le père. Est-ce que tu crois que ça nous amuse, de ne même pas savoir où il se trouve?

Paul eut un sourire incrédule. Levant la main pour leur imposer silence, il dit, avec un air supérieur qui agaça le père :

— Moi, je fais mon devoir. Je vous mets en garde. Parce que je ne veux pas qu'on puisse me reprocher de m'être désintéressé de Julien. Ce n'est que mon demi-frère, mais ce n'est pas une raison pour le laisser tomber.

Il se leva, ramassa sur la table son paquet de cigarettes et son briquet, remit son chapeau en bonne place et dit encore :

— Voilà, c'est tout ce que j'avais à vous dire.

Il se dirigeait déjà vers la porte, lorsque le père se leva en disant :

— Attends, je prends la clef du jardin et je t'accompagne, ce sera plus facile que de passer par-derrière.

La mère avait déjà ouvert la porte. Leurs regards se croisèrent, et le père comprit qu'elle n'était pas tranquille. Comme Paul se trouvait déjà sur le palier, le père dit assez fort pour qu'il puisse l'entendre :

— Tu vois, tout le monde se figure que nous avons des nouvelles. Mais rien, jamais rien. Si seulement on savait où il se trouve!

10

La nuit était épaisse. Une fois la porte refermée, le père chercha de la main la rampe de fer. Il entendit le pas de Paul hésiter sur les marches.

— Méfie-toi, dit-il. On n'y voit rien.

— Je ne viens pas souvent, mais je me souviens tout de même du chemin.

Au pied de l'escalier, le père heurta son fils de l'épaule. Il sentit au passage son haleine chargée d'odeur d'alcool. Ils firent quelques pas sans mot dire, puis après avoir beaucoup hésité, le père demanda :

— Pourquoi te laisses-tu aller à boire de la sorte? Tu vas te détruire la santé.

— Ça ne m'arrive pas souvent, mais aujourd'hui, nous avons couru la ville toute la journée pour placer ces photos.

— Justement, je voulais t'en parler. Est-ce que tu crois que c'est bien ta place?

Il sentit que son garçon s'arrêtait. Il s'arrêta également. A présent que ses yeux s'étaient accoutumés à l'obscurité, il commençait à distinguer la tache claire de son visage sous le chapeau sombre.

— Comment? demanda Paul. Tu ne vas pas me dire que tu es pour de Gaulle et la révolution?

— Je ne suis pour rien. Je suis pour essayer de vivre et qu'on me foute la paix.

Ils parlaient sur un ton dur, mais sans trop élever la voix.

— Justement, vivre en paix, c'est vivre avec ceux qui sont les plus forts.

— Et crois-tu qu'ils seront toujours les plus forts? Regarde ce qui se passe en Italie.

— En Italie? Mais ça ne veut rien dire. Tu te souviens bien comment les Ritals, en 1917, ont foutu le camp à Caporetto! Hitler a eu tort de leur faire confiance. Ils se sont écroulés au premier coup un peu sérieux, mais les SS auront vite fait de refouler les Américains à la mer.

— En 17, observa le père, il y en a aussi qui ne voulaient pas croire à l'aide américaine. Et pourtant...

Paul l'interrompit.

— Tu ne crois tout de même pas que Staline peut s'entendre avec Roosevelt et Churchill? Tôt ou tard ils se boufferont le nez, et c'est Hitler qui mettra de l'ordre dans tout ça. Et c'est une chance, sinon, nous ne tarderions pas à avoir les communistes sur le dos. Et alors tu verrais ce que deviendraient tes baraques et les quatre sous que tu as de côté.

Le père avait toujours été sensible à la menace du communisme. Au temps du Front populaire, il avait tremblé pour ses quelques biens, et ce que son garçon venait de dire réveillait en lui cette vieille crainte.

— Tu sais, hasarda-t-il, je ne suis pas un gros capitaliste.

Paul eut un ricanement qui ressemblait à un grincement et que le père n'aimait pas.

— Gros ou petit, tu es bon pour tout donner et finir à l'asile des vieillards.

— Il y a des jours où je me demande si ceux qui y sont ne vivent pas plus heureux que moi. Ils ont au moins la soupe assurée et ils n'ont pas à se crever comme je fais en me privant de tout.

Paul sortit son paquet de cigarettes. Le père devina son geste.

— Tiens, fit-il, rien que pour le tabac...

— Prends, dit Paul en lui tendant le paquet. Ça va, garde tout.

Le père remercia. Paul n'était pas aussi égoïste que le prétendait la mère. Il eut envie de lui parler des fagots, mais il n'osa pas. Il se contenta de dire en tirant une cigarette du paquet :

— Tu sais, pour des vieux comme nous, ce n'est pas facile tous les jours. L'argent ne vaut plus rien.

Il se pencha vers le briquet que Paul venait d'allumer. Un moment, leurs deux visages furent tout proches l'un de l'autre, comme enfermés sous le toit du rebord de chapeau et de la visière de casquette qui se touchaient presque, et comme séparés de la nuit par leurs mains levées de chaque côté de la flamme. Quand le briquet s'éteignit, ce fut de nouveau le vide noir avec, durant quelques instants, le souvenir de cette clarté trop vive.

— Si tu as besoin d'argent, dit le fils, vends une maison.

— Que je vende?

— Pour le peu que te rapportent les loyers, vends donc, et tu mangeras au bout.

Le père était atterré. C'était un peu comme si son garçon lui eût porté un coup violent au creux de l'estomac.

— Bon Dieu, soupira-t-il. Et c'est toi qui me donnes un conseil pareil! Mais alors, si je comprends bien, tu te moques pas mal que tout s'en aille à des étrangers?

— Pas du tout. Mais si vous n'avez plus rien.

Le père toussa, reprit son souffle, et, lentement, en détachant bien ses mots, il finit par dire :

— Je n'ai pas grand-chose. Mais j'ai encore deux bras. Voilà soixante ans qu'ils me nourrissent. Ils me nourriront bien jusqu'au bout.

Ils se remirent à marcher, et quand ils eurent fait une dizaine de pas en silence, le fils dit d'un ton détaché :

— Tu sais bien que si vous veniez à manquer, on ne vous laisserait pas sans rien. Mais si un jour tu voulais vendre une maison, on pourrait peut-être s'arranger pour que ça ne sorte pas de la famille.

Le père ne répondit pas. Il avait très bien compris ce que Paul voulait dire, mais cette proposition le prenait trop au dépourvu. Même à un fils, on ne se décide pas si aisément à vendre ce qu'on a mis toute une vie à bâtir ou à consolider. Et puis, il y avait la mère, et il y avait Julien.

Ils avaient atteint la grille, et le père tâtonnait pour trouver la serrure. Il ouvrit et s'effaça pour laisser passer Paul qui sortit en disant :

— En tout cas, je maintiens ce que j'ai dit à propos de Julien. Si vous pouvez le joindre, faites en sorte qu'il rentre le plus vite possible.

— Bien sûr, si nous avions des nouvelles...

Paul l'interrompit.

— Je n'ai pas de raison de mettre ta parole en doute, mais tu avoueras que ça peut paraître bizarre à tout le monde, cette disparition. Et tu sais, si la police se met en tête de le retrouver...

Il n'acheva pas. Le père sentit qu'il s'éloignait. Il fit en effet deux pas sur le trottoir, puis, se retournant, il ajouta :

— D'ailleurs, si vous aviez des nouvelles, la police le saurait. Votre courrier est certainement surveillé.

11

Quand le père regagna la cuisine après avoir éteint entre ses doigts et rangé à tâtons dans sa boîte sa cigarette à demi consumée, la mère avait déjà préparé la musette pour le lendemain.

— Il ne restera plus qu'à mettre les œufs durs, dit-elle. Et les fruits aussi. Tu m'y feras penser, mieux vaut les laisser à la cave pour la nuit.

— La serpe, demanda le père, tu l'as enveloppée dans du journal?

— Bien sûr. Qu'est-ce que tu veux mettre à tes pieds?

— Mes gros souliers.

— Il y a longtemps que tu ne les as pas portés. Es-tu certain qu'ils ne te feront pas mal?

— Mais non, je les mettais avec deux paires de chaussettes.

— Oui, mais c'était en hiver. Quand il fait plus chaud, les pieds gonflent.

— Et toi, qu'est-ce que tu veux mettre, avec tes cors?

— Je n'ai pas le choix, en dehors des sabots et de mes souliers pour sortir, je n'ai qu'une paire assez solide.

— Ils ne te blesseront pas?

— J'espère.

Le père chercha quelque chose à dire. Il était heureux de cette conversation engagée sur cette expédition du lendemain et qui le préservait d'un autre sujet. Comme il ne trouvait rien de plus à demander, il se hâta de dire :

— Il faut monter sans trop tarder.

— Monte, je me déshabille et je te suis.

Il fut surpris qu'elle n'ait pas tenté de dire au moins un mot du comportement de Paul. Il se dépêcha de prendre son vase de nuit dans la souillarde qui se trouvait sous l'escalier, puis il monta en disant :

— Nous serons certainement réveillés assez tôt, mais tu devrais tout de même prendre le réveil, on ne sait jamais.

La mère acquiesça et le père continua l'escalier qui, en tournant, s'enfonçait dans la pénombre. Une fois dans la chambre, il glissa le vase sous le lit, toujours à la même place près du pied gauche, et se déshabilla dans l'obscurité après avoir tiré les volets. Si sa femme n'avait rien dit en bas, c'est peut-être qu'elle avait l'intention de parler une fois couchée. Il le redoutait. Il eût aimé s'endormir très vite, mais il savait que ce n'était pas possible. Il s'était passé trop de choses au cours de cette journée. Tout cela était en lui comme une mer que remuait une interminable tempête. Il pensait à son bois rentré et qui ne les mènerait certainement pas au terme de l'hiver; il pensait à sa charrette enlevée par le camion; à cette visite de son garçon; à son autre garçon absent et dont il eût aimé au moins savoir s'il était mort ou vivant. Tout se mêlait, s'ajoutait à la fatigue de sa journée trop dure pour alourdir sa tête. Il se sentait épuisé, et pourtant, rien en lui n'annonçait la venue rapide du sommeil qui le délivrerait.

La mère monta et se coucha sans rien dire. Il y eut un long moment de silence meublé seulement par le bruit de leur respiration et les craquements du sommier quand l'un d'eux remuait, cherchant une position meilleure pour son corps douloureux.

Le père s'efforçait à rester immobile. S'il ne bougeait pas, peut-être le sommeil viendrait-il plus vite, peut-être tout au moins la mère le croirait-elle endormi. Il fallait éviter à tout prix d'engager la conversation. Il savait qu'elle s'éterniserait ou tournerait à l'aigre. Il voulait dormir. Se reposer, échapper à tout ce qui n'était pas sa vie, à tout ce qui ne tenait pas à son travail. Un long moment, il retourna dans sa tête cette phrase de Paul : « Vends donc une maison, et tu mangeras au bout! » Bonsoir! A soixante-dix ans vendre son bien pour vivre! Et c'était son fils qui lui parlait ainsi! Paul avait-il vraiment l'idée de lui acheter l'une des maisons? Et pour quoi faire? Placer de l'argent? Alors c'était donc vrai qu'il en gagnait à la pelle. C'était la mère qui avait raison. Eh bien, s'il gagnait gros, tant mieux pour lui. Il n'y avait pas lieu d'en rougir, surtout s'il menait sa barque honnêtement. Il avait eu la chance de connaître des temps assez favorables au commerce, pouvait-on lui en faire grief? Certes, non. A présent, les temps étaient plus durs, il essayait de s'accrocher et il avait raison.

On l'accusait de faire du marché noir. Mais qui pouvait se vanter de n'en avoir jamais fait? Qui pouvait lui jeter la pierre en ces temps où tout un chacun s'efforçait de surnager. Les mauvaises langues racontaient qu'il vendait aux Allemands. Et alors? Pouvait-on refuser de leur céder de la marchandise qu'ils payaient? L'an dernier, quand il y avait eu tous ces morts parmi les blessés soignés à l'Ecole Normale, des Allemands étaient bien venus commander des fleurs ici. La mère avait dû faire des gerbes toute une journée. Eût-il été possible de refuser? Et cette milice, M. Robin en disait beaucoup de mal, mais M. Robin disait du mal de tout ce qui venait du gouvernement. Après tout, ce n'était qu'une nouvelle police. On lui attribuait peut-être beaucoup plus de méfaits qu'elle n'en pouvait commettre. Il était certain qu'à Lons, elle n'avait pas rassemblé le dessus du panier. On y trouvait de tout.

Mais M. Robin savait-il ce qu'on trouvait dans la Résistance? Qui n'écoute qu'une cloche n'entend qu'un son. D'ailleurs, Paul ne faisait pas partie de la Milice. Si les miliciens lui avaient demandé de les accompagner pour vendre des photographies de ce Darnand, peut-être n'avait-il pas pu refuser davantage que la mère n'avait pu refuser des fleurs aux Allemands. Non, tout cela n'était pas bien grave. Paul n'était pas un mauvais sujet. Et pas aussi égoïste que le prétendait la mère. A preuve, le paquet de cigarettes presque plein qu'il lui avait donné. Et ce n'était pas pour épater la mère, puisqu'il ne l'avait pas fait devant elle.

Plus le père réfléchissait, plus il regrettait de n'avoir pas entretenu son fils de cette affaire de fagots. A coup sûr il aurait proposé un camion. Et si le père n'avait rien demandé, en fin de compte, c'était à cause de sa femme. Elle affirmait toujours sans rien savoir. C'était une sale manie qu'elle avait. Et, à présent, à cause d'elle, la charrette était peut-être déjà volée. Ou brisée ou abandonnée dans les bois. Dans ces bois-là d'ailleurs, on affirmait que se cachaient des jeunes réfractaires au Sercice du travail obligatoire, c'était peut-être eux qui allaient emmener la charrette. Et sûrement pas pour s'en servir, mais plutôt pour la vendre à des paysans et acheter de quoi boire.

La mère se souleva sur son lit pour changer de position. Le père, à force de se contraindre à l'immobilité, sentait les fourmis gagner sa jambe droite. Il bougea lui aussi et la mère demanda :

— Tu ne dors pas?

— Pas encore, non.

— Essaie de dormir, dit-elle, sinon demain tu seras trop fatigué pour monter là-haut.

Le père soupira. Elle ne chercherait plus à parler. Il remua encore pour caler convenablement sa tête sur ses oreillers et, plus détendu, il se laissa enfin aller vers le sommeil.

12

Aussitôt éveillé, le père avait cherché son briquet qu'il posait toujours sur une chaise, à côté de son lit. A peine l'avait-il allumé que la mère disait :

— Tu regardes l'heure? 4 heures viennent juste de sonner.

Elle avait de la chance, de pouvoir entendre de son lit l'horloge placée en bas, dans la salle à manger.

Ils s'étaient levés en même temps, et le père s'était hâté de sortir pour interroger le temps. Le ciel était clair et constellé d'étoiles. Une bonne bise chantait dans les feuilles.

Le père regagna la cuisine qu'emplissait déjà l'odeur du café.

— J'en avais encore un peu du vrai, dit la mère, je l'ai fait. Ce que nous ne boirons pas, je l'emporterai dans la bouteille thermos.

Le père frotta l'une contre l'autre ses mains rêches que l'immobilité de la nuit avait engourdies.

— Tu as bien fait. Nous aurons plaisir à le boire après un repas froid.

Ce matin, il se sentait moins tendu, presque heureux de cette journée qui s'annonçait belle et qui les conduirait vers une forêt où il n'était plus allé depuis bien des années. Avant cette guerre, il lui arrivait quelquefois de monter aux champignons jusque sur le premier plateau, et, voyant la musette sur la table et sa canne accrochée à la main courante de l'escalier intérieur, il eut un instant l'impression d'être plus jeune et prêt à revivre une heure qui avait marqué sa vie d'agréable façon. Il n'avait jamais eu de vacances, jamais de grands loisirs, mais quelques joies simples comme une promenade d'un dimanche après-midi à Montciel. Une fête des écoles. Ou encore ces cueillettes de champignons en compagnie de quelques camarades. Leur grand luxe était alors de s'arrêter une heure ou deux dans une auberge de village, d'y manger une omelette qu'on leur préparait pendant qu'ils renversaient quelques quilles sur la place. Ce n'était pas grand-chose, mais quand ces souvenirs-là lui remontaient d'un coup, comme ça, à cause d'une musette, d'une canne et d'une paire de brodequins, c'était un peu de chaleur et de force qui se répandait en lui.

Le temps de manger et de boire le café, de donner aux lapins une bonne provision de foin et de s'assurer que les portes de la cave, de la remise et les volets de la maison étaient bien fermés, les Dubois se mirent en route. En tournant dans la serrure la clef de la grille, le père remarqua :

— Voilà bien des années que nous n'avons pas laissé la maison seule pour toute une journée.

— Que veux-tu qu'il lui arrive, à la maison?

— Rien, mais enfin...

— J'ai dit à Mlle Marthe que nous partions pour la journée. Elle jettera un coup d'œil de temps en temps.

Le père regarda les volets encore clos, au premier étage de la maison qui se trouvait en face du jardin. Mlle Marthe passait chaque jour de longues heures derrière cette fenêtre, à regarder la rue et le jardin. Le père ne l'aimait guère à cause de cette immobilité. Il ne comprenait pas qu'une femme, même âgée, pût demeurer ainsi désœuvrée. Pour lui, une vie sans ouvrage était dépourvue de sens. Il n'aimait pas ce regard qui le suivait parfois dans ses allées et venues et qui semblait dire : « Tout ce travail que vous faites me fatigue, monsieur Dubois! » Pourtant, ce matin-là, il se sentit rassuré à l'idée que personne ne pourrait entrer chez lui sans que Mlle Marthe en fût informée.

Marchant du même pas, les deux vieux montèrent la rue des Ecoles. La canne ferrée du père et ses brodequins cloutés crissaient sur le goudron. L'aube pointait à peine. La rue était vide et ils passèrent sans tourner la tête devant le portail de l'Ecole Normale où un soldat allemand montait la garde dans une guérite.

Le père sentait la musette lui battre les fesses à chaque pas. Sa canne était légère dans sa main, et, lorsqu'ils eurent traversé la ville et le parc des Bains, il fut surpris de constater qu'il ne se sentait pas essoufflé. Ils avaient marché d'un pas régulier, sans parler et sans quitter le milieu de la chaussée. Ce n'était pas désagréable du tout, cette promenade avant le lever du soleil. L'air vif était bon à respirer, et, en s'engageant sur la route de Pannessières, le père Dubois entendit chanter en lui le vieux refrain du régiment de Sambre-et-Meuse. Sans même s'en rendre compte, il allongea le pas, lançant sa canne un peu plus haut à chaque enjambée.

— Tu vas trop vite, dit la mère.

— Tu es déjà fatiguée?

— Non, mais à ce train-là, tu vas t'essouffler et nous serons obligés de nous arrêter.

Il ralentit et la regarda. Elle avait déjà les traits tendus. Sa main gauche se crispait sur les liens de fil de fer dont elle avait passé le rouleau à son épaule. Sa main droite se portait de temps à autre à son ventre pour remonter d'un geste rapide son bandage herniaire.

— Tu devrais t'arrêter un moment, proposa-t-il. Tu connais le chemin. Pourvu que tu sois là-haut vers midi, tu peux monter tranquillement, en te promenant.

Elle fit non de la tête.

— Donne-moi les liens, dit-il.
— Non, ce n'est pas lourd.
Ils commencèrent à monter, suivant la route dont les premiers lacets se déroulaient lentement. Le père observait le ciel parfaitement lisse et qui s'éclairait en face d'eux, découpant la crête boisée où la dentelle des feuillages remuait au vent. Bientôt, ils dominèrent la ville, derrière eux. Sur leur gauche, des villages apparurent en contrebas. Le père s'efforçait de ne rien dire. A présent, il lui semblait que sa respiration était moins facile. Il maintenait pourtant la cadence, mais, de plus en plus fréquemment, il se tournait vers sa femme pour guetter sur son visage les signes de la fatigue.
Quand ils eurent passé le village de Pannessières et atteint le grand tournant d'où l'on domine la plaine, ils reçurent en plein visage une gifle de lumière. Le soleil venait d'émerger de la forêt. Le père baissa sur son front la visière de sa casquette, découvrant ainsi le derrière de son crâne. Ce fut comme un linge humide et glacé qui tomba sur sa nuque. Il ne s'était même pas aperçu qu'il transpirait.
— Si tu veux qu'on s'arrête une minute, dit-il.
Sa femme le regarda. Elle eut une hésitation avant de dire :
— Comme tu veux.
— De toute façon, il faut que je pisse un coup.
Il n'en avait pas vraiment envie, mais c'était une manière de ne pas s'avouer qu'il avait besoin d'une pause. Tandis qu'il se tournait vers le bois, la mère s'assit sur une roche, en bordure de la route. Quand il revint à elle, il expliqua :
— Au 44, quand on partait en manœuvre sur le plateau, c'était toujours ici qu'on faisait la première halte. Ensuite, on montait jusqu'à Vevy. Et puis après, il nous arrivait...
Elle l'interrompit :
— Ne parle pas tant. Reprends ton souffle. Et éponge-toi un peu, tu es tout trempé.

Il ôta sa casquette et s'essuya le crâne avec son mouchoir.

— J'aurais bien dû te donner une flanelle, dit la mère. En arrivant, tu te serais changé.

— Ne t'inquiète pas. A l'intérieur du bois, nous ne risquons pas d'avoir froid.

En effet, dès qu'ils eurent quitté la grand-route pour le chemin forestier, l'air se fit moins vif. Lorsqu'ils longeaient une coupe récente, le soleil leur cuisait déjà la peau comme en un jour de plein été. Le sol était irrégulier. Tantôt c'était la roche inégale et usée par les charrois, tantôt la terre creusée d'ornières, tantôt de gros cailloux rapportés et qui roulaient sous le pas. Le chemin montait, redescendait, hésitait sur un replat ou dans un bas-fond pour descendre et remonter encore. La marche devenait pénible et le père dut s'arrêter à plusieurs reprises pour tousser et cracher.

— Tu vois, observa la mère, nous avons marché trop vite, tu es épuisé.

— Mais non, c'est le changement d'air.

— Nous aurions mieux fait de suivre la route. C'est plus long, mais on marche mieux.

— Non. Par ici, on gagne au moins deux kilomètres. Mais pour redescendre, nous passerons par la route. J'ai peur qu'ici la charrette nous lâche.

Ils reprirent leur marche, plus lentement, avec des arrêts fréquents. A cause du chemin qui se rétrécissait par endroits, le père allait devant. Il avait changé sa musette d'épaule mais refusa de la donner à la mère qui portait toujours le rouleau de liens. Dans les broussailles, le long du chemin, tout un peuple de lézards souvent invisibles fuyaient sous les feuilles mortes. Au cours d'une halte, la mère demanda :

— Est-ce qu'il y a beaucoup de vipères, dans ce coin-là?

— Tu parles, ce n'est pas ce qui manque!

— Il faudra te méfier, en fagotant, c'est souvent qu'elles se cachent sous les aglons.

— Ne t'inquiète pas. Je suis peut-être dur d'oreille, mais je vois clair.

La bise soufflait toujours, mais elle semblait redouter l'intérieur du bois, se bornant à peigner au passage la cime des arbres d'où elle arrachait de larges brassées des feuilles rousses que le soleil faisait scintiller tout au long de leur chute.

Comme le chemin se séparait en deux, le père s'arrêta.

— Tiens, fit-il, ce n'était pas comme ça autrefois.

— Nous sommes égarés?

— Bien sûr que non... Mais ce chemin de gauche m'a bien l'air de retourner en arrière après ce tournant qu'on voit d'ici.

Il se tut. Il essayait de rassembler ses souvenirs. Mais voilà qu'il n'était plus certain de rien. La mère le regardait, inquiète, le visage tout froncé de rides sous ce vieux chapeau de paille tressée qu'elle mettait pour jardiner. Son front piqueté de minuscules taches de soleil luisait. Elle passa le revers de sa main sur ses sourcils où des gouttes de sueur restaient accrochées.

— Tu as chaud, dit le père. Je savais bien que ce n'était pas un travail pour toi.

— Ne t'inquiète pas de moi, cherche plutôt quel chemin nous devons prendre.

Comme elle répétait qu'il eût mieux valu suivre la route, le père haussa les épaules et s'engagea dans le chemin de droite sans être bien sûr de ne pas se tromper.

— Tu es certain que c'est par là? demanda-t-elle.

— Oui, ne t'inquiète pas. Je ne vais pas me perdre dans une forêt que je connais depuis cinquante ans.

Malgré tout, sans ralentir l'allure, il essayait de voir entre les troncs d'arbres quelle direction prenait le chemin qu'ils avaient laissé sur leur gauche, mais le taillis était touffu, et il le perdit bientôt de vue. Le père essayait de calculer depuis combien de temps ils avaient quitté la route, mais ce n'était pas facile. Ils n'avaient pas marché régulièrement, ils avaient fait de nombreuses haltes, on ne pouvait rien évaluer ainsi. D'après l'explication que le forestier lui avait donnée, il avait fort bien compris où se trouvait la coupe par rapport à la grand-route, mais d'ici, ce n'était pas aussi facile. Dans son souvenir, tout lui avait paru plus simple, mais cette forêt lui semblait de plus en plus étrangère. Il l'avait vue beaucoup plus plate. Et les heures passaient, et le soleil montait, cognant de plus en plus.

Le père hésita longtemps avant de s'arrêter pour quitter sa veste qu'il refusa de donner à sa femme. Il la suspendit à cheval sur sa musette et changea d'épaule la courroie qui le blessait un peu.

A chaque halte, la mère demandait :

— Tu es certain qu'on ne s'est pas trompés?

Le père n'était sûr de rien, mais il s'obstinait. Ils étaient trop engagés pour faire demi-tour, et il espérait que le chemin finirait par enjamber une crête déboisée d'où il pourrait au moins découvrir un bout de route et s'orienter. Il se demandait à présent s'ils n'étaient pas en train de filer en direction de Briod. S'il se fiait à la position du soleil, c'était cela. Cette idée s'ancra peu à peu en lui, mais il espérait toujours cette découverte d'où il pourrait repérer la route. Il avait trop assuré la mère qu'il ne pouvait se perdre ici, pour rebrousser chemin délibérément, comme ça, en disant tout bonnement : « Je me suis trompé. »

A mesure que le temps coulait, la fatigue lui grimpait aux jambes et serrait sa poitrine. Sa main se crispait sur le bois dur de sa grosse canne, la musette se faisait lourde et l'air s'épaississait, devenant presque irrespirable.

Près d'un rocher, il s'arrêta, s'assit et dit :

— Nous allons boire une goutte de vin, ça nous redonnera des jambes.

Il commençait d'ouvrir la musette, quand la mère leva la main en disant :

— Tu n'entends rien?

— Non. Le vent, c'est tout.

Il entendait surtout les battements de son cœur et le sifflement de ses bronches.

— Il y a des bûcherons sur notre droite, pas très loin d'ici.

Le père tendit l'oreille, mais il ne perçut que le grognement du vent et le craquement des branches.

— Je suis sûre, dit la mère. Je vais aller voir.

Le père se leva.

— Non, tu te perdrais vite, en t'éloignant du chemin, je vais y aller.

Il avait dit cela, mais cette pente à gravir sur le sol mauvais l'effrayait.

— Je ne peux pas me perdre, observa la mère, ça monte, au retour, je n'aurai qu'à descendre, je trouverai forcément le chemin.

Le père essaya encore mollement de la retenir, mais sa fatigue lui ôtait toute volonté. Assis sur son rocher, il la regarda s'éloigner d'un pas incertain, s'appuyant aux troncs, levant les pieds pour enjamber les broussailles. Quand elle eut disparu, le père se sentit seul, vraiment seul dans ce bois, et se reprocha de n'avoir pas eu assez de volonté pour la retenir.

Depuis le départ, il n'avait pas un instant retrouvé ses pensées tristes de la veille. Il avait marché avec plaisir, puis avec peine, mais toujours avec la seule idée de marcher. Et voilà qu'il recommençait à se sentir un peu perdu. Pas du tout à cause de la forêt, il la connaissait tout de même assez pour ne rien redouter de ce côté-là. Mais à cause de ce qui recommençait à remuer en lui.

Jamais il ne viendrait à bout de cette histoire de fagots. Tout débutait trop mal pour qu'il n'y eût pas encore de mauvaises surprises. En arrivant, il allait certainement constater qu'on lui avait cassé sa charrette ou qu'elle avait disparu. Et puis, des fagots, ça ne se fait pas tout seul. Si le bois était abattu depuis plusieurs mois, il devait être à moitié sec et ne serait pas facile à couper. Il n'avait plus vingt ans et la mère non plus. Qu'est-ce qu'ils pouvaient faire, dans une journée? Dix, quinze fagots tout au plus. C'était bien de la peine pour pas grand-chose. Il ne s'agirait pas de partir trop tard. De se trouver de nuit sur la route. Et comment était le chemin, pour aller de la coupe à cette route? Picaud avait dit qu'il était praticable, mais lui, il avait des bœufs pour sortir son bois.

Il quitta son rocher pour aller s'asseoir sur un autre qui se trouvait au soleil. Le vent ne soufflait pas vraiment dans ce bas-fond, mais il descendait pourtant de loin en loin de longues caresses froides qui lui glaçaient le dos. Les quelques pas qu'il fit lui prouvèrent que sa fatigue était plus sérieuse qu'il n'avait cru en s'arrêtant. Elle lui brûlait l'intérieur des genoux, et quelques élancements partis de sa nuque vinrent lui cogner le front. Il s'imposa un rythme plus lent de respiration. Ce n'était pas le moment de se trouver mal. La mère s'affolerait. Ce serait du propre.

Et que faisait-elle? Elle avait cru entendre des bûcherons, elle s'était engagée trop avant et sans doute allait-elle se perdre, tomber sur un replat où elle tournerait en rond pour finir par descendre une autre pente.

Le père oublia sa fatigue. A présent, c'était l'angoisse qui le tenaillait. Il lui semblait qu'une éternité s'était écoulée depuis le départ de sa femme. A chercher ainsi, elle leur faisait perdre un temps précieux. Elle voulait toujours suivre son idée et ne faisait que des blagues. Depuis plus de vingt ans il en était ainsi. Pour Julien comme pour tout le reste, elle n'en faisait qu'à sa tête. Il avait eu tort de la laisser s'éloigner seule du chemin et courir après ce bruit de hache qu'elle avait probablement imaginé. C'est qu'elle ne connaissait pas ce bois. On peut se perdre dans tous les bois, quand on manque d'habitude. Elle avait pu tomber dans un trou, mettre le pied sur une vipère. Bon Dieu que c'était stupide, cet entêtement.

Le père lutta longtemps contre son angoisse. Il tira la bouteille de vin et d'eau de sa musette et but une gorgée. Puis il roula une cigarette qu'il alluma et se mit à fumer en savourant chaque bouffée, en s'astreignant à ne penser qu'au bien-être que lui procurait le tabac. C'était vraiment son seul plaisir. Un plaisir qui maigrissait de jour en jour avec le rationnement et la nécessité de prélever un peu de la ration pour le troc.

Comme il sentait l'engourdissement le gagner peu à peu, il se leva et fit quelques pas sous le couvert, dans la direction où sa femme avait disparu. L'ombre toute peuplée de vent était sans cesse en mouvement. Des taches de lumière couraient sur le sol ou s'étiraient sur les troncs. Le père avait beau tendre l'oreille, il ne percevait aucun bruit que la musique interminable du vent.

— Ce vent me saoule, grogna-t-il. Elle appellerait, je ne l'entendrais même pas.

Il envisagea un moment de monter à sa recherche, mais il se dit qu'à dix mètres près, aux passages les plus touffus, ils pouvaient se croiser sans se voir. Si elle revenait pour ne retrouver que la musette et la veste abandonnées sur le rocher, elle pourrait prendre peur, remonter dans les taillis, et ils risqueraient ainsi de perdre des heures.

Il resta un long moment adossé à un gros foyard, le regard fatigué à force de chercher sa femme dans ce grouillement d'ombre et de lumière. Puis, presque malgré lui, mettant ses mains en porte-voix, il se mit à crier :

— Héo! Héo! Fernande!... Fernande!...

Il appela ainsi dans plusieurs directions, mais il eut le sentiment que sa voix ne portait pas plus loin que son regard. Alors il se tut, et il revint s'asseoir sur son rocher.

Il était sans force. Ces cris répétés avaient achevé de vider sa tête, ils n'avaient réveillé que le mal qui sommeillait au fond de sa poitrine, et il dut se lever pour tousser, mains sur sa poitrine, le buste cassé, la gorge envahie de glaires et le regard brouillé par les larmes.

13

— Bonsoir, que tu as été longue! soupira le père en voyant sa femme déboucher d'entre les arbres.

— C'était plus loin que je ne pensais, dit-elle en s'asseyant à côté de lui. Les bruits de la forêt, ça trompe.

Il y eut un grand moment de silence. A peine sorti de sa toux, le père avait du mal à se reprendre, mais il observait pourtant la mère qui paraissait exténuée. Son visage ruisselait, sa poitrine se soulevait à un rythme accéléré et son dos était ployé comme si tout le poids de la forêt eût reposé sur ses épaules maigres.

— Et alors, tu as vu quelqu'un?

— Oui, fit-elle... Nous nous sommes trompés de chemin.

Le père l'avait deviné, mais sa fatigue était telle que cette nouvelle ne pouvait rien y ajouter. Il laissa encore passer de longues minutes avant de demander :

— Et c'est loin?

— Il faut retourner à l'embranchement, prendre par l'autre côté, et marcher un bon bout.

Il eut envie de dire : « C'est trop loin. Rentrons. » Mais il y avait la charrette. Il n'y avait plus que cette pensée pour lui donner la force de repartir.

— Tu n'en peux plus, dit-il.
— Mais non. Viens.

Il se leva et se mit à marcher derrière elle. Il allait, le regard fixé sur les jambes maigres de la mère et sur le bas de sa jupe de toile grise. Il fallait donc refaire ce chemin, et puis encore un autre après.

Depuis la pique du jour ils marchaient. Ils avaient marché pour rien, parce qu'il s'était entêté dans cette voie même après qu'il eut senti qu'elle ne pouvait pas être la bonne. Sa femme l'avait suivi. Elle avait encore marché longtemps, très longtemps en dehors de tout sentier pendant qu'il se reposait, puis, de retour, elle avait dit : « Nous nous sommes trompés de chemin. » Elle n'avait pas dit : « Tu t'es trompé. » Elle n'avait pas eu un mot, pas un regard de reproche, et voilà qu'elle allait devant, sans se plaindre, sans même souffler mot de sa propre fatigue. Elle était plus jeune que lui, bien sûr, elle ne souffrait pas de ce mal de poitrine qui le serrait pour l'empêcher de respirer librement, mais elle avait ses hernies qui devaient lui tirer le ventre vers le bas à chaque pas.

Le père marchait, ivre de fatigue, gagné peu à peu par une demi-somnolence qui n'habitait que sa tête et laissait vivre le reste de son corps comme une mécanique un peu usée mais qui fonctionne par la force de l'habitude. De temps à autre, il se réveillait assez pour se dire : « Tu devrais aller devant, c'est ta place. Elle a déjà fait plus que toi. » Mais il ne disait rien. Il lui semblait que sa marche était plus facile, que s'il changeait quoi que ce fût, que s'il sortait de son silence et brisait un instant la cadence il ne pourrait plus repartir.

Parvenue au croisement, la mère marqua un temps et le père faillit buter dans son dos.

— Je vais passer devant, dit-il, d'une voix à peine perceptible.

Elle se retourna, le regarda et parut effrayée.

— Tu ne tiens plus debout, fit-elle. Il faut s'arrêter.

— Si nous nous arrêtons encore, c'est foutu.

Il avait parlé d'une voix brisée, et un accès de toux suivit qui arriva surtout parce qu'il avait fait un effort considérable pour refouler en lui une espèce de sanglot. Bon Dieu, il n'allait tout de même pas se mettre à pleurer, non! Ou bien alors, c'est qu'il était vraiment devenu peu de chose. Même pas l'ombre de ce qu'il était jadis.

La mère le contraignit à s'asseoir sur une souche, à quelques pas du chemin.

— Nous allons manger, dit-elle. Je suis sûre qu'il est plus de 10 heures. Ça nous fera du bien. Moi je sens un peu ma tête qui tourne.

Il devina qu'elle mentait. C'était pour lui qu'elle agissait ainsi. Il le sentait mais il se tut. Il était sans ressort, sans force pour lutter. La pensée du temps qui passait, des fagots à faire, de la charrette toute seule dans le bois subsistait bien en lui, mais très loin, immobile, lourde comme une pierre au fond d'un trou; une pierre qui s'enfonce insensiblement dans le limon. Bientôt elle serait recouverte, il n'y aurait plus alors que la terre compacte de la fatigue.

La mère ouvrit la musette et sortit le repas. Tout d'abord, le père éprouva du mal à manger. Sa langue était à demi paralysée dans sa bouche où la salive s'était raréfiée. Il dut se forcer pour avaler, et réprimer un dégoût qu'il avait rarement connu. Puis, quand il eut absorbé les premières bouchées et bu une demi-timbale, il admit que sa femme avait eu raison. Elle avait deviné que sa fatigue venait surtout du fait qu'il avait très peu déjeuné avant de partir. Sans doute n'était-il pas aussi faible, pas aussi épuisé qu'il l'avait cru lui-même tout à l'heure. Quand on a été le meilleur gymnaste de son régiment, quand on a passé la moitié de sa vie à se battre avec des sacs de cent kilos, on n'est pas jeté à terre par quelques kilomètres parcourus un peu vite en portant une malheureuse musette. Bien sûr, on ne peut pas être à soixante-dix ans ce qu'on a été à vingt ans, mais de là à s'effondrer comme une femmelette, il y a tout de même de la marge.

Le travail, il n'en abattrait sans doute plus autant qu'il en avait abattu dans sa jeunesse, mais il pouvait encore fabriquer du branchage. Il le prouverait dès qu'ils auraient atteint la coupe. Il regardait sa serpe. Elle était là, à ses pieds, avec sa lame usée à force d'avoir taillé le bois et frotté sur la meule de grès. Le manche, il l'avait fait lui-même, et sa main l'avait si bien poli que lorsqu'il l'empoignait, il lui semblait que ses doigts et sa paume y trouvaient une place moulée exprès pour eux. Cette vieille serpe le servirait encore. Il l'aimait bien parce qu'elle était équilibrée, pas trop lourde, mais assez pour ajouter par son poids à la force de l'homme qui la maniait. C'était une vraie serpe de fagotage. Et des fagots, ils en feraient encore, tous les deux. De bons fagots réguliers et propres comme peu de jeunes seraient capables d'en faire. Il avait perdu plus d'une heure, sans doute, en se trompant de chemin, mais cette heure-là, il saurait bien la rattraper.

Le café encore bien chaud acheva de lui redonner son élan. A présent, restait à découvrir cette coupe en espérant que la charrette s'y trouvait toujours, avec ses quatre roues intactes, prête à tenir la charge comme il se sentait prêt lui-même à entamer son aglon de branchage.

Dès que la mère eut tout rassemblé, il reprit sa musette, empoigna son bâton et s'engagea dans le chemin. Il allait d'un pas ferme. Un pas qui n'était plus celui d'un vieil homme épuisé.

14

Sans doute parce qu'il était certain de marcher dans la bonne direction, le père ne trouva pas trop long le chemin qui les conduisit à la coupe. Dès qu'il aperçut, entre les fûts des frênes et des chênes, le toit noir de la baraque, il accéléra le pas.

— Tu vas trop vite, haleta la mère.

— Mais nous sommes arrivés.

Il sentait battre son cœur. Pour un peu, il se serait mis à courir. Il voyait le toit de papier goudronné, les murs de rondins et de planches, des piles de gros bois, d'énormes troncs couchés entre les branchages, mais toujours pas de charrette. Son cœur battait fort, et ce n'était pas seulement à cause de cette longue marche.

— La charrette. Bon Dieu de Bon Dieu, la charrette!

— Qu'est-ce que tu dis?

Le père venait de parler tout haut sans même s'en rendre compte.

— Rien, rien, fit-il en allongeant encore le pas.

Voilà que toute sa fatigue est oubliée. Tout ce chemin parcouru cesse de lui peser dans les jambes. Une seule idée l'occupe : la charrette. Il quitte le chemin dès qu'ils ont atteint la clairière et pique tout droit en direction de la baraque. Il enjambe les souches, trébuche, s'accroche dans les branches, peste contre ces bûcherons qui ont si mal nettoyé la coupe. Il voudrait bondir par-dessus les piles de bûches comme il eût fait autrefois. Il les contourne. Sa peur le talonne et le retient. A mesure qu'il approche, sa conviction se renforce que sa charrette lui a été volée. Il serre plus fort sa grosse canne, son autre main se crispe sur la courroie de la musette. Bon Dieu, tenir ceux qui ont fait le coup. Ah, les salauds! Osera-t-il aller jusqu'au bout? Faire le tour de cette baraque adossée à la forêt?

— Tu es fou! crie la mère dont la voix est déjà lointaine. Pas si vite!

Il ne l'écoute pas. Au contraire, il se hâte davantage. Et voilà qu'il ne reste plus entre la baraque et lui qu'une dernière pile de bois qu'il dépasse. Rien. Devant la baraque, le sol est plus propre que dans le reste de la coupe. Ici, on a beaucoup piétiné. Le père marque un temps, mais aussitôt sa colère le fouaille pour le faire repartir. Il longe la baraque, déborde l'angle. Et là, il lui semble que tout l'air du plateau et de la montagne entre en lui d'un seul coup.

Il s'arrête.

Elle est là. Elle est là, devant lui, à quelques pas de lui. Il n'ose plus faire un geste. Son regard a le temps de voler très vite d'un bord à l'autre du plancher, d'une roue à l'autre, le temps de grimper comme une bête agile le long du timon qui est dressé telle une croix de lumière sur l'ombre du sous-bois.

Elle est là, et on ne l'a pas abîmée.

Son regard a tout juste le temps de passer cette revue rapide avant d'être brouillé par les larmes.

Le père sort son large mouchoir à carreaux et s'essuie les yeux. La mère est derrière lui. Il la devine plus qu'il ne l'entend.

— Tu as couru comme un dératé, dit-elle après un moment. Qu'est-ce que tu as?

Le père pense qu'elle veut parler surtout de ses yeux qu'il essuie.

— C'est la sueur, dit-il. Ça me brûle les yeux.

Il fait trois pas, ôte la musette, ramasse sa casquette qu'il a fait tomber en passant la courroie pardessus sa tête, et fait lentement le tour de sa charrette. Sa main droite ne quitte pas le bord du plateau. Son buste s'incline devant chaque roue comme s'il s'agissait d'un rite vieux de dix mille ans. Son regard interroge les moyeux où la graisse rose luit sous le soleil. Il se moque pas mal que la mère l'observe. Il a retrouvé sa vieille charrette après avoir tant tremblé pour elle. Il voudrait lui demander si elle a fait bon voyage, si les forestiers ne l'ont pas trop malmenée, si elle n'a pas eu trop froid durant la nuit.

Sa tête est partagée en deux. Il y a une moitié qui ne cesse de répéter : « Gaston Dubois, tu es stupide. Tu as soixante-dix ans et tu parles à une charrette exactement comme un gosse de quatre ans parlerait à son train mécanique. » Et l'autre moitié de sa tête n'entend rien. Elle se soucie uniquement de la charrette.

Après cet examen de détail, le père prend du champ pour l'embrasser encore d'un seul regard, puis il se tourne vers sa femme. Elle s'est assise sur un tronc, elle ne regarde même pas la charrette. Elle lui tourne le dos. Elle ne s'en soucie pas plus que s'ils l'avaient amenée avec eux. Et le père trouve cette indifférence absolument monstrueuse. Décidément, cette femme ne comprendra jamais rien à rien. Pour elle, une charrette, c'est une vieillerie sans intérêt. Si elle a mal dormi cette nuit, ce n'est certainement pas à cause de cette carriole toute seule dans la forêt.

La mère se lève. D'abord ses jambes se déplient et haussent son corps qui semble vouloir conserver la position assise exactement comme si ses reins étaient bloqués. Mais ce doit être son ventre qui la tire en avant, car elle y porte ses deux mains. Lentement, elle se redresse puis se retourne. Sur son visage, une grimace de douleur s'efface lentement pour faire place à un sourire qui a du mal à trouver place parmi les rides.

— Alors, dit-elle, nous y voilà... Tu vois, ils ont mis ta charrette derrière pour qu'elle ne soit pas visible depuis le chemin.

Le père prend un petit air détaché pour répondre :

— Tu sais, de nos jours, les gens sont trop fainéants pour venir chercher une charrette jusqu'ici.

Le sourire de la mère s'accentue. Est-ce qu'elle se moquerait de lui, par hasard?

Il a un haussement d'épaules puis, tirant sa serpe de la musette suspendue au timon, il s'avance vers la coupe en disant :

— C'est pas tout, mais à présent, il faut se mettre à l'ouvrage.

La mère décroche la musette qu'elle va porter à l'ombre de la baraque, enlève sa veste de laine et ramasse son rouleau de fil de fer. Déjà le père s'est arrêté devant un long tas de branchages. Il crache dans ses mains, les frotte un peu l'une contre l'autre et, décrochant sa serpe de sa ceinture, il attaque une première branche.

15

Ils besognèrent longtemps sans parler. Le père se sentait à l'aise. Solide sur ses jambes, il tirait une à une de l'aglon les branches que sa serpe coupait net, d'un ou deux coups bien ajustés aux jointures, toujours dans le sens du fil, toujours au ras de l'écorce pour donner un travail propre. Ce qu'il leur fallait, c'était davantage de la charbonnette que des brindilles. Le bois d'allumage, ils en avaient assez avec ce qu'il taillait aux arbres fruitiers du jardin. Il s'efforçait donc à faire de bons fagots où les branches aussi grosses que le bras étaient plus abondantes que le reste. Il avait dans l'œil la largeur de sa charrette et c'était la mesure qu'il prenait pour la longueur de ses fagots. Il ébranchait, coupait, et lançait. La mère ramassait à mesure et confectionnait les fagots.

— Pas trop gros, disait le père. Qu'on n'ait pas trop de mal à les charger.

Lorsque son fagot était terminé, elle fermait les liens de fil de fer qu'elle accrochait sommairement.

— Je les resserrerai après, avait dit le père. Toi, tu n'aurais pas la force.

Lorsqu'elle en eut préparé une demi-douzaine, le père suspendit sa serpe à sa ceinture, prit les pinces, et vint serrer les liens. Il posait son gros soulier sur le fagot, la pointe au ras de la boucle de fil de fer où le reste du lien coulissait. Il tirait alors de toutes ses forces, secouant le fagot lorsqu'une branche avait du mal à trouver sa place entre les autres. Avant de se remettre à couper, il sortit sa boîte à tabac et roula tranquillement une cigarette.

— A ce train-là, dit-il, nous aurons vite notre chargement.

— Veux-tu boire un peu?

— Non, ça va très bien. Nous boirons tout à l'heure.

Il alluma sa cigarette, puis il dit :

— Ce que tu devrais faire, en te promenant, c'est voir dans quel état se trouve le bout du chemin pour gagner la route.

Elle eut un pauvre sourire pour remarquer :

— Me promener, tu sais, je me suis déjà bien promenée ce matin.

— Tu n'es pas obligée de courir. Tu as le temps. Mais j'aime mieux savoir, pour qu'on ne s'embarque pas avec un chargement et risquer de rester pris dans une fondrière.

La mère laissa les liens sur un fagot terminé, ramassa une branche de la longueur d'une canne, et s'éloigna. Le père s'assit un moment pour finir sa cigarette, et regarda sa femme s'en aller. Elle semblait peiner comme si elle eût marché dans une terre meuble et lourde alors que le sol de la coupe était sec. Décidément elle avait beau être plus jeune, elle n'était pas aussi solide que lui. Il le constatait avec une espèce de fierté qui l'empêchait de penser à la peine que sa femme pouvait éprouver. Il éteignit et rangea son mégot, puis il reprit sa besogne.

La mère resta absente un long moment et revint en disant :

— Tu sais, ça doit bien faire un bon kilomètre, pour atteindre la route. Et le chemin est plus mauvais que celui que nous avons suivi pour venir. Les bœufs ont dû passer avec des gros chars pour tirer les troncs. Il y a des ornières de trente centimètres et, dans un bas-fond, il y a encore de la boue.

— Il faudra tout de même bien passer.

— Je me demande si nous ne ferions pas mieux de partir par où nous sommes venus.

— Avec la charrette chargée? Mais tu ne te rends pas compte!

Elle eut un geste d'impuissance. Le père se dit qu'elle devait exagérer. La fatigue troublait son jugement.

— Cette fondrière, demanda-t-il, on ne peut pas l'éviter?

— Mais non. Il n'y a d'abattu que la coupe où nous sommes, le reste c'est la forêt. Tu ne peux pas passer à côté du chemin. Et, à cet endroit-là, c'est très feuillu et la terre garde son humidité.

— Si ce n'est qu'un passage, conclut-il, on y jettera quelques branches et nous passerons dessus.

— Moi, je crois que tu devrais aller voir.

Le père se sentait si bien à fagoter, il y avait tant de vigueur dans son bras heureux de manier la serpe, qu'il ne répondit même pas. Il n'était pas venu là pour se promener, mais pour faire des fagots, et il faisait des fagots. Sa charrette et lui, ils en avaient vu d'autres. Le principal était d'avoir un bon chargement bien arrimé, et de ne pas s'être déplacé pour rien. Il s'en voulait déjà bien assez d'avoir perdu du temps en montant. Il devait s'astreindre à le regagner. Il se reprochait aussi ce moment de faiblesse qu'il avait éprouvé, et il s'était mis en tête de travailler assez pour l'oublier. Les femmes se font toujours du souci à l'avance. Si on les écoutait, on n'entreprendrait jamais rien de sérieux. De plus, la sienne ignorait tout de la forêt. Elle ne savait rien évaluer. Ni la valeur d'une bonne charrette ni la force de son homme qu'elle prenait pour un vieillard archiusé. A voir ce qu'il avait préparé de bois durant son absence, elle devait pourtant bien se rendre compte de ce qu'il était capable d'abattre comme besogne.

— Allons, lança-t-il, commence à faire des tas, je mettrai les liens.

Il avait pris une bonne cadence de travail. Il allait régulièrement, ajustant chaque coup, évaluant d'un regard ce qu'il devait faire tomber et ce qui méritait d'être conservé. Il imaginait ce que représenterait de chauffage chaque branche débitée. La bonne charbonnette, ça vous donne une chaleur vive et ça laisse dans le foyer un joli fond de braise où l'on pose une bûche qui se consume lentement, tirage fermé. Voilà qui allongerait bigrement le bois livré par le fils Picaud. Il avait eu une riche idée, ce gaillard, avec ces fagots!

Le soleil donnait fort dans cette clairière abritée du vent qui continuait sa danse d'automne et sa musique parmi les hautes branches. C'était bien le temps rêvé pour un pareil travail. Ils avaient la chance avec eux, il fallait en profiter.

Le père se retourna. Une bonne douzaine de fagots s'alignaient déjà.

— Tu vois, lança-t-il. Ça ne traînasse pas.

— Nous devrions peut-être déjà charger ça, proposa la mère, nous verrions ce que ça donne.

Il se mit à rire.

— Ne t'inquiète pas pour la charrette, elle en portera le double.

— Elle, peut-être, mais nous?

— Tu ne penses tout de même pas qu'on va s'en aller avec la moitié d'un chargement?

— Comme tu veux.

La mère ne souriait pas. Elle lui reprochait toujours d'être trop triste, et, aujourd'hui, c'était elle qui faisait la moue alors que lui se sentait plus gai, plus vivant qu'il ne l'avait été depuis bien longtemps.

Il se remit à la tâche. Il allait un peu moins vite à cause d'une douleur qui venait de se réveiller dans son poignet. Ce n'était pas grave, mais c'était tout de même un frein à son ardeur. Il lui arrivait de donner deux ou trois coups de serpe pour venir à bout d'une branche qu'il eût coupée d'une seule taille un quart d'heure plus tôt. Peut-être le bois était-il un peu plus sec? Il s'arrêta un moment et pivota sur place en examinant les autres aglons. Là-bas, les branches paraissaient plus feuillues. Elles devaient provenir d'abattages plus récents.

— Tu changes de place? demanda la mère.

— Oui, le bois me paraît meilleur par là-bas.

— Ça fera plus long pour porter les fagots.

— Nous ne sommes pas à vingt mètres près... Apporte-nous donc un coup à boire, et, en même temps, tu prendras la pierre qui est dans la musette, je vais donner un coup à ma serpe.

En attendant le retour de sa femme, il s'assit sur une souche, posa son outil à ses pieds et, serrant très fort son poignet droit dans sa main gauche, il se mit à plier et déplier ses doigts. Il sentait les ligaments courir dans leur gaine. La douleur s'atténua un peu, se diffusant dans tout l'avant-bras pour finir par se perdre.

— Tu as mal au poignet?

Il n'avait pas entendu arriver sa femme.

— Non non, mais je me dégourdis un peu les doigts.

— Tu t'es écorché la main gauche, remarqua-t-elle.

— Bah, c'est rien.

Il se frotta contre son pantalon.

— Tu vas t'infecter.

— Ça ne craint rien. Dans une forêt, tout est sain.

Ils burent chacun une timbale de leur vin coupé d'eau qui avait tiédi un peu.

— Le soleil a tourné, dit la mère, la musette n'était plus à l'ombre.

Le père regarda le ciel. Sa femme dut deviner sa pensée car elle dit :

— Tu aurais tout de même bien dû prendre ta montre, on ne sait pas au juste...

— Il n'est sûrement pas beaucoup plus de

3 heures. Je vais faire ce qui reste à faire, et nous chargerons.

Lorsqu'il se leva, il dut serrer les lèvres pour étouffer un gémissement. Une lame venait de lui scier les reins. Il se crispa, et la lame poussa son tranchant tout au long de son dos. Elle allait ainsi à la rencontre d'une autre douleur partie de ses mains et qui montait au cœur des os pour finir sur sa nuque. Là, les trois élancements se rejoignirent, se nouèrent comme des lanières par lesquelles une force terrible le tirait pour lui casser l'échine.

— Bon Dieu, grogna-t-il. Je me suis démis quelque chose.

Il osait à peine respirer. Cette pause avait refroidi son corps. En voulant le remettre en mouvement, il réveillait toute sa fatigue. Il fit un effort de volonté, serra encore son poignet dans sa main dure et cracha sur sa pierre pour aiguiser sa serpe.

— Faudrait jamais s'arrêter... Jamais...

Il posa la meule et attaqua une branche. A chaque geste, il se sentait lardé de ronces, fouetté d'orties. Cela faisait en lui un fourmillement de douleurs qui se combattaient l'une l'autre, se disputant chacun de ses muscles. En même temps qu'il bataillait contre son bois, il devait lutter aussi contre ce harcèlement continu.

Il comprit bientôt que le bois n'était pas plus facile à couper ici qu'ailleurs et que le fait d'avoir affûté son outil ne lui redonnait pas une bien grande facilité. Il se raidit pourtant, s'accrochant à l'idée qu'il ne s'était pas donné la peine de monter jusque-là pour s'en retourner avec la moitié d'un chargement. Il avait dit à la mère qu'ils emmèneraient deux douzaines de fagots, c'était dit, on ne reviendrait pas là-dessus. Cependant, il se retournait de plus en plus souvent pour compter les tas que sa femme alignait derrière lui. Il venait d'en compter dix-huit lorsqu'elle lui demanda :

— Est-ce que ça ne commence pas à faire?

— J'ai dit deux douzaines, grogna-t-il ouvrant à peine les lèvres.

Son visage et son corps étaient couverts de sueur. Il posa sa serpe, ôta sa casquette et quitta sa chemise.

— Ne te déshabille pas, lança la mère, tu vas prendre froid.

— Non, au contraire. Je vais ôter ma flanelle pour la faire sécher, et je la remettrai pour descendre.

La mère prit la flanelle trempée et l'étendit au soleil sur une pile de bois en disant :

— Mon pauvre homme, tu devrais t'arrêter.

Il remit sa chemise et reprit sa tâche. Quand il se retourna de nouveau, il constata que sa femme faisait des fagots beaucoup plus petits. Il eut envie de lui crier que c'était gaspiller du fil de fer, mais il ne dit rien. Il pensa faire deux fagots de plus, uniquement pour lui montrer qu'il n'était pas dupe, et pourtant, lorsqu'elle vint l'arrêter en lui disant qu'ils avaient leur compte, il poussa un long soupir et planta son outil dans une bûche, à côté de sa flanelle.

— Est-ce qu'on ne pourrait pas en faire deux ou trois de plus?

Il dit cela, mais cette question n'appelait pas de réponse. Il savait aussi ce que dirait sa femme, et elle le dit, exactement :

— Chargeons toujours ce qui est fait. Nous verrons ensuite.

Le père serra les liens. Et ce fut encore un travail pénible parce qu'il réveillait, par des gestes un moment oubliés, des muscles engourdis, des muscles qui avaient sommeillé tout enveloppés de douleurs éteintes. Et ces douleurs se ravivaient à la manière d'un grand feu affamé. Elles revenaient, plus aiguës à chaque mouvement. Le père les sentait venir. Il devinait leur progression, guettant le moment culminant. C'était entre elles et lui une espèce de jeu, mais la partie n'était pas égale. Toutes les règles étaient truquées. Il avait beau dire : « Cette fois, tu ne m'auras pas », l'une après l'autre elles mordaient sa chair qui refusait de se dérober. Il n'avait pourtant jamais cessé de travailler. Il n'était pas de ceux que la fatigue surprend parce qu'ils ont un corps habitué au repos. Mais les tâches qu'il accomplissait quotidiennement dans son jardin étaient différentes de ce travail de bûcheron. Il y avait eu la marche interminable du matin, et puis cette besogne entreprise trop vite. Il avait voulu retrouver le rythme d'autrefois. Mais autrefois, il avait beaucoup moins d'années sur les épaules et lorsqu'il partait en forêt, ce n'était que pour y faire des fagots de rames ou des piquets pour sa barrière. Il s'était lancé comme une brute pour se prouver à soi-même qu'il était encore jeune. La mécanique de son corps l'avait trahi. Bien échauffée, elle avait fonctionné en accumulant la fatigue sans qu'il y parût. Mais, une fois le plein fait, voilà que tout débordait d'un coup. Voilà qu'à sa fatigue s'ajoutait sa crainte du retour. Ce que la mère avait dit du chemin qui les séparait de la route lui revenait. Avait-elle vraiment exagéré? Pourraient-ils, à eux deux, sortir de cette clairière une charrette aussi chargée?

Les fagots terminés ils les traînèrent au bord du chemin et partirent chercher la charrette.

Le début du chargement fut presque un repos. C'était réconfortant de lever ces fagots bien fermes et sanglés dans leurs liens. Le père éprouvait du plaisir à les recompter, à constater que pas un ne débordait de la charrette. Ce serait un beau chargement. Les vieux qui les verraient traverser la ville se diraient certainement : « Le père Dubois est encore capable de faire de beaux fagots. Il a l'œil. Et sa charrette est rudement bien chargée. »

A mesure que la pile montait, l'effort qu'il devait faire augmentait, étirant les muscles de ses bras et de son dos. Comme il venait de lancer le quinzième, il se mit à tousser et dut s'arrêter. La mère se précipita pour lui donner à boire, mais il fut long à retrouver sa respiration.

— Nous avons vu trop grand, dit-elle, nous en avons beaucoup trop.

Il comprit qu'elle avait raison, mais il ne voulut rien entendre.

— Nous allons mettre la charrette le long de cette pile de bois, dit-il. Je monterai dessus, et tu n'auras qu'à dresser les fagots contre le bois, je les chargerai de là-haut.

— Tu vas te casser une jambe.

— Ne t'inquiète pas.

Il lui était aussi pénible de parler que de travailler, et il redoutait une nouvelle quinte. La mère dut l'aider à conduire la charrette qui était déjà lourde. Il mit un pied sur un moyeu et grimpa sur le bois. Les bûches étaient grosses et le père put aisément y trouver son aplomb. Il fut heureux de voir que les fagots montaient jusqu'en haut des ridelles. Il aurait un vrai chargement. Il avait calculé juste. Il descendit, lança la corde d'un geste précis, et serra jusqu'à faire couiner le bois de la charrette.

— Nous serrerons un peu plus en arrivant sur la route. Ça se sera tassé et mis en place.

La mère montra le ciel en disant :

— Nous ne devons pas traîner. La nuit sera vite là.

C'était vrai. Le soleil avait décliné et l'ombre envahissait la clairière.

— Je remettrai ma flanelle une fois sur la route.

Ils accrochèrent la musette à une ridelle, le père se mit au timon et la mère derrière.

— Allez, cria-t-il, allons-y!

Il se cassa en avant, tirant de toutes ses forces et insultant les douleurs qui recommençaient à le mordre tout au long du dos et des bras. Une fois ébranlée, la charrette se mit à rouler en cahotant sur le sol desséché du chemin. Il y avait une légère pente, et il suffisait d'éviter les ornières et les racines les plus saillantes pour que tout marchât sans trop de peine.

Lorsqu'ils entrèrent sous le couvert, l'ombre s'y glissait déjà. L'air y était moins vif et le père éprouva du mal à respirer. Il eut envie de s'arrêter un instant pour se reprendre, mais il s'aperçut que la déclivité du sol avait changé de sens. Ils abordaient une petite montée, et mieux valait profiter de l'élan donné à la charge pour en atteindre le sommet. Ce n'était pas une pente très accentuée, mais l'allure se ralentit pourtant et le père cria :

— Hue!

Peut-être la mère poussait-elle moins qu'au début. Ce n'était pas le moment de s'arrêter pour aller voir. Il tira plus fort, mais le chemin était étroit et il devenait malaisé d'éviter les obstacles. Sur une grosse racine à demi rongée par le passage des charrois, les roues de devant butèrent si fort que le père eut un instant l'impression que les attaches de ses bras allaient craquer. Le train avant franchit pourtant l'obstacle, mais l'allure se ralentit à tel point que les roues arrière ne purent atteindre le sommet. La charge hésita, le père banda son corps dans un effort où il jeta toute sa volonté, mais le poids inerte des fagots fut le maître. Il y eut un léger recul et le père cria :

— Tiens bon!

Ils laissèrent reculer la charrette jusqu'à caler les roues de devant contre la racine, puis le père lança :

— Serre la mécanique, je tiens.

La mère tourna la petite manivelle et quand les patins de fer furent bloqués, le père lâcha le timon.

— Saloperie de racine, grogna-t-il.

La mère se tenait d'une main à la ridelle, portant l'autre à son ventre qu'elle semblait vouloir pétrir et écraser. Elle était rouge et son visage luisait malgré l'ombre du chapeau. Il y eut un long silence meublé seulement, pour chacun d'eux, par la tempête de leur corps.

— Nous ne passerons jamais, souffla-t-elle.

Le père qu'effrayait un peu l'approche du soir s'entêta.

— Il faudra bien, sacrebleu!

Il regarda autour de lui et s'éloigna de quelques pas pour ramasser une branche. Il en cassa le bout le moins solide, et la glissa entre la ridelle arrière et les fagots.

— Si on s'arrête encore dans une montée, dit-il, tu caleras avec, c'est plus vite fait que la mécanique. Allons, on va repartir.

Il se cramponna tandis que la mère desserrait, puis, dès qu'elle eut annoncé qu'elle se tenait prête, il cria :

— Allez, hue!

Dans un grand effort bien conjugué, ils passèrent l'obstacle et atteignirent le haut de la côte sans s'arrêter. Malgré la pénombre, le père devina une dénivellation plus accentuée, mais la montée, de l'autre côté, ne paraissait pas trop rude. Il suffisait donc de prendre un bon élan et tout irait bien. Poussé par sa charge, il se mit à courir. La charrette cahotait, le timon lui secouait les bras, mais il savait que tout tenait bon, la charrette comme sa propre carcasse.

Parvenu à quelques mètres du bas-fond, le père comprit que ce devait être l'endroit où la mère avait repéré une terre molle, mais il était trop lancé pour tenter de s'arrêter. Il fallait profiter de l'élan pour passer.

— Hue! cria-t-il encore.

Il lui semblait que la mère ne poussait pas du tout. Aussitôt sur la partie horizontale du sol, la charrette parut chargée de plomb. Elle ralentit, ralentit et s'arrêta malgré les efforts du vieil homme qui sentait pourtant un sol à peu près ferme sous ses brodequins.

— Tonnerre, rugit-il, c'est pas Dieu possible!

Il lâcha le timon et se retourna pour constater que

les quatre roues s'étaient enlisées dans les bas-côtés où la terre était beaucoup plus meuble qu'au milieu.

Un flot de colère envahit le père qui se mit à crier :

— Nous voilà propres! Tu ne pouvais pas me dire que c'était là qu'on risquait de rester pris! Je serais venu voir, et j'aurais mis des branches sur ce merdier!

Sa toux le reprit et il dut s'interrompre. Quand il fut en mesure d'écouter, la mère expliqua :

— C'est pas là le plus mauvais, c'est beaucoup plus loin.

Le père leva les bras.

— Mais alors, c'est un marécage. Tu aurais pu le dire...

— Mais je te l'ai dit.

— Tu ne m'as rien dit du tout. Tu voulais que je vienne voir. Comme si j'avais du temps à perdre. Mais si j'avais voulu venir, ça n'était pas la peine qu'on soit deux à perdre notre temps... Ce n'est pas toi qui voulais faire des fagots! Eh bien, ma pauvre femme, tu nous as foutus dans un joli pétrin... Et ce n'est pas toi qui nous en sortiras.

A mesure qu'il parlait, il se rendait compte qu'il était injuste. Il avait eu tort de ne pas l'écouter, mais cela faisait deux fois dans la même journée qu'elle avait raison, et c'était trop. Surtout dans un domaine qu'il connaissait mieux qu'elle. Il avait conscience de l'injustice qu'il commettait en s'en prenant à sa femme, mais sa colère le dominait. Il n'avait plus d'énergie en lui que pour nourrir cette colère. Elle achevait de le ruiner, mais il eût fallu, pour l'arrêter, une force supérieure à celle que son flot emportait.

La mère ne disait rien. Comme toujours, elle attendait, le regard fixé sur son homme. Et ce regard n'exprimait qu'une soumission totale. Elle acceptait tout. Elle semblait seulement dire : « Mais tais-toi donc. Si tu veux qu'il en soit ainsi, eh bien, c'est entendu, c'est moi qui ai fait tout ce gâchis. Mais ne te fatigue pas à crier, tu vas encore te faire tousser. » Le père savait aussi que sa colère se terminerait ainsi, mais, sans se l'avouer vraiment, il comptait sur cette toux pour le préserver d'une réponse désobligeante.

Cette fois, la quinte se prolongea si longtemps qu'il dut s'asseoir sur le bas-côté du chemin pour reprendre haleine.

Quand il leva la tête, l'ombre avait envahi le chemin. Le ciel paraissait encore clair entre les branches, mais plusieurs étoiles clignotaient déjà. Le père murmura :

— Qu'est-ce que nous allons faire?

La mère fit plusieurs fois le tour de la charrette.

— Tu crois qu'en mettant des branches...

— Des branches, il aurait fallu les mettre avant. A présent que nous sommes dans le bourbier, nous y sommes bien. On ne peut pas avancer, et encore moins reculer.

— Alors?

— Eh bien, ma foi...

Il se tut. Tout l'écrasait. Sa fatigue, ce vide qu'avait laissé derrière elle la colère, la nuit approchant à grands pas et ce froid aussi qui lui saisissait les épaules et collait à sa peau le tissu trempé de sa chemise.

— On devrait rentrer, proposa la mère, et remonter demain matin.

A la seule pensée de tout ce chemin à faire deux fois, le père se révolta. Il se remit à crier, mais cette fois, la peur de se déchirer encore la poitrine l'arrêta.

— Bon Dieu de Bon Dieu, soupira-t-il, j'aimerais mieux crever ici... Me coucher là et crever comme une bête... A nos âges, être obligés de mener une vie pareille, ça ne devrait pas être permis... Mais qu'est-ce qu'on a donc fait au Bon Dieu, pour mériter ça!

Il retint un sanglot, mais son corps fut secoué d'un

frisson et il se leva. En plus du froid du soir, celui de la terre où il s'était assis l'envahissait. Il redoutait trop le mal pour se laisser aller ainsi et s'offrir à son emprise.

L'idée de cette baraque toute proche et dont le fils Picaud avait indiqué où se trouvait la clef, venait de se glisser en lui. Il n'osait pas la formuler, mais il dit :

— Je ne me sens plus la force de redescendre. Et toi, tu ne tiens plus sur tes jambes.

— Alors, proposa la mère, il faut aller voir pendant qu'il fait encore jour, si on peut vraiment coucher là-bas.

Le père fut visité par la pensée de sa maison qui serait vide pour la nuit, de ses lapins qu'on pouvait venir lui voler, mais il avait atteint à un tel degré d'épuisement, qu'il repoussa cette idée.

— Pour sortir de là, dit-il. Faudra décharger les fagots... C'est le seul moyen.

La mère décrocha la musette, prit les vêtements et se mit en marche.

— Donne-moi ma veste, dit le père, je n'ai pas chaud.

Elle se retourna et lui posa sa veste sur les épaules. Puis, péniblement, ils regagnèrent la clairière où les attendait encore un reste de jour.

16

La baraque des bûcherons était une pièce unique, assez vaste, où se trouvait une longue table formée par un assemblage de mauvaises planches posées sur six piquets fichés en terre, deux bancs mal équarris, et une espèce de bat-flanc recouvert de paille. Tenant son briquet à bout de bras, le père entreprit le tour de la pièce, faisant tomber de sa main libre les fils tendus çà et là par les araignées. Une odeur de bois pourri montait du sol.

— C'est très humide, dit la mère, et nous n'avons même pas une couverture.

A présent, le père pensait à sa maison et à son lit où il eût aimé allonger son corps fourbu.

— Tu veux qu'on essaie de rentrer chez nous? demanda-t-il.

— Non, dit la mère. Il est trop tard. Nous n'irions pas au bout.

Le père découvrit un vieux fourneau de tôle, dans un angle de la pièce. Le tuyau montait droit vers le toit où avait été ménagé un trou deux fois trop large par où entrait un peu de lumière.

— Faudrait faire du feu.

Ils commencèrent par brûler une poignée de paille pour s'assurer que le poêle fonctionnait. Un bon tirage s'établit presque instantanément. La lueur de la paille enflammée leur permit de découvrir un tas d'écorces et d'éclapes que les bûcherons avaient laissé là.

— Un air de feu, dit le père, ça nous fera du bien.

— Mon pauvre Gaston, nous nous conduisons comme des enfants. Nous restons là, nous n'avons pas de couvertures et plus rien à manger que ce quignon de pain.

— Je n'ai pas faim.

— Mange tout de même.

Elle lui tendit les trois quarts du pain.

— Et toi? murmura-t-il.

— J'ai assez.

Ils étaient avares de mots. Ils regardaient ce feu, lui tendaient leurs mains malades de travail, leurs membres perclus et leurs visages où la sueur avait tracé des sillons dans la poussière collée.

— Nous ne sommes pas beaux à voir, fit le père.

Longtemps, ils restèrent ainsi, peu à peu engourdis par la chaleur. Le père s'était assis sur un billot qu'il avait roulé près du fourneau, la mère sur une caisse branlante. Le père ne pensait à rien. Sa fatigue l'habitait, elle était la seule vie de son corps et de son cerveau. Il finit par porter à sa bouche le pain qu'il avait tenu longtemps dans sa main si éprouvée qu'elle était complètement insensible. Il se mit à mâcher lentement, et, comme si elle eût attendu ce signal, la mère commença aussi de manger. Ils n'avaient plus de café, mais il leur restait un fond de bouteille de leur mélange de vin et d'eau. La mère le versa dans une timbale qu'elle tendit à son homme.

— Et toi? fit-il.

— Je n'ai pas soif.

Elle mentait certainement, mais le père n'eut pas le courage d'insister. Il but lentement. En rendant la timbale, il soupira :

— A présent, nous n'avons plus rien.

La mère secoua la tête. Le feu crépitait. De longues flammes partaient du foyer et montaient en grognant dans le tuyau percé d'une multitude de petits trous.

— Avec ce cornet tout crevé, dit la mère, on risque de s'asphyxier.

— Tant que ça flambe, on ne craint rien, c'est seulement après, quand il ne restera que des braises.

Il ébaucha un geste vague et ses mains retombèrent sur ses genoux. S'ils pouvaient mourir là, tous les deux, ils seraient libérés de tout. On les retrouverait dans quelques jours. On dirait sans doute : « C'est le manque d'argent qui est cause de ce drame. » On dirait aussi : « Ils avaient pourtant un peu de bien. Et des enfants. Ils étaient là, comme des miséreux, sans même une goutte d'eau. »

Le père tira sa boîte à tabac.

— Si tu fumes, observa sa femme, tu auras soif.

— Non, une cigarette me délassera.

Elle eut un ricanement amer.

— Alors moi, il faudrait que j'en fume un paquet.

— Ma pauvre femme! Quand je pense que nous devrions être bien tranquilles chez nous, avec une bonne soupe et un bon lit... Bon Dieu de Bon Dieu! Avoir trimé comme des bagnards et en arriver là. S'être crevés à élever des gosses et se sentir tout seuls!

— Si tu t'énerves, observa calmement la mère, tu vas tousser. Et tu n'auras même pas une goutte d'eau à boire.

Le père refoula sa colère. Ils étaient l'un en face de l'autre avec ce feu qui les éclairait à moitié et leur brûlait le visage. Ils étaient là, et entre eux, il y avait quelque chose de plus brûlant, de plus vivant que ce feu. Ils se regardaient. Le père savait que sa femme pensait à Paul et à ses camions. Et lui, il pensait à Julien qui était jeune et fort, Julien qui était capable de sortir la charrette de la boue et de la tirer jusqu'à la route. C'était vrai. Ils avaient raison l'un et l'autre. Paul était dur, égoïste, et Julien se foutait pas mal de ce que pouvaient faire les vieux. Il n'était jamais là, celui-là. Il ne rentrait que pour apporter du linge à laver et à raccommoder. Et Paul s'en allait faire de la politique.

Ces enfants-là, c'était un mal plus grand que la fatigue et la misère. Plus grand que les privations. Et ce mal était entre sa femme et lui, vivant comme ce feu d'éclapes qu'ils alimentaient sans cesse. Mais il n'avait même pas le droit d'en parler. S'il en parlait, sa colère déborderait, et ce mal en déclencherait un autre. Alors, ils allaient rester face à face, sans rien se dire d'autre que ce qui passait par leurs regards. Ils resteraient à couver leur fatigue et leur détresse en attendant une aube qui ne leur apporterait rien qu'un travail au-dessus de leurs forces.

Est-ce qu'ils étaient vraiment venus ici pour y mourir sans même pouvoir se dire ce qu'ils avaient sur le cœur?

Comme le feu faiblissait, la mère se leva et mit sur les braises deux ou trois écorces. Il faisait à présent, dans la baraque, une bonne chaleur.

— Tu devrais t'allonger un moment, dit la mère. même si tu n'arrives pas à dormir, tu te reposeras toujours.

Il regarda le bat-flanc. Soixante-dix ans et venir échouer sur une poignée de paille déjà toute pilée par d'autres dormeurs. Pire que le temps du régiment, pire que les cantonnements de 14 où on arrivait au moins à trouver de l'eau et de la paille fraîche. Où l'on avait des couvertures et une capote à rouler sous sa tête.

Comme si elle eût deviné sa pensée, la mère prit la musette qu'elle vida sur la table. Puis, allant jusqu'au bat-flanc, elle bourra la musette de paille.

— Tiens, dit-elle, ça te fera un bon oreiller.

— Et toi?

— Moi, je ne veux pas me coucher pour le moment. Je resterai près du feu.

Le père se leva. Il fut assailli aussitôt par l'essaim de ses douleurs. Il se dirigea vers la porte, l'ouvrit et sortit.

Le ciel était toujours clair et les étoiles clignotaient comme par les temps de grand gel. Il faisait froid. Le père alla se soulager à quelques pas de la baraque et se hâta de rentrer. Le froid l'avait enveloppé et de longs frissons se succédaient, lui coupant le souffle. Il pensa que s'ils s'endormaient tous les deux, le feu s'éteindrait, et la baraque se refroidirait aussitôt. Il quitta ses chaussures et s'allongea sur la paille que la mère avait rassemblée au bout du bat-flanc. Quand il fut couché, elle lui remonta son col de veste qu'elle ferma sous le menton avec une épingle de nourrice. Déjà baigné dans ses douleurs diluées et mêlées en une immense fatigue, le père se laissait faire. Il se contenta de dire :

— Quand tu voudras te coucher, réveille-moi, que j'entretienne le feu.

— Bien sûr, dit-elle, ne t'inquiète pas.

La tête sur sa musette, le père se mit à fixer le feu. Il cessa de penser, et, bientôt, il s'endormit.

17

Au cours de la nuit, le père avait émergé plusieurs fois de son sommeil et chaque fois il avait vu sa femme soit assise près du feu, soit en train de recharger le poêle. Il avait ouvert les yeux, il avait cherché en lui la force de se lever et de dire : « Viens te coucher à ma place, je surveillerai le feu. » Mais il n'avait pas bougé. Et chaque fois sa fatigue l'avait cloué sur place, incapable d'un geste, à la merci du sommeil où il basculait sans résister.

Il se leva pourtant une bonne heure avant l'aube, après avoir contenu longtemps une terrible envie d'uriner. La mère qui était adossée à la paroi de la baraque leva la tête.

— Tu ne t'es pas couchée? demanda le père.

— Mais si, ne t'inquiète pas pour moi.

Elle avait une voix enrouée et faible.

— Couche-toi à ma place, je ne veux pas me recoucher.

Elle se leva et alla jusqu'au bat-flanc où elle s'étendit sans un mot. Le père sortit. Il n'y avait plus d'étoiles et le vent soufflait moins fort. Le ciel devait être couvert mais il faisait toujours très froid. En rentrant, le père dit :

— S'il se met à pleuvoir, nous sommes foutus.

La mère devait être à l'extrême limite de ses forces.

Elle entrouvrit à peine les paupières. Le père eut peur. Elle avait le visage d'une morte. Il la regarda un moment puis revint près du feu où il jeta quelques écorces. Elle avait dû veiller toute la nuit et lui, il avait dormi. Il ne restait presque plus de bois à brûler. Il avait dormi pendant qu'elle entretenait le feu. Il se sentait coupable, mais il se disait qu'elle était plus jeune et n'avait pas peiné autant que lui. Il avait soif. Sa langue était pâteuse. Il hésita un long moment, mais il finit pourtant par rouler une cigarette. Les premières bouffées lui parurent mauvaises, mais, bientôt, il sentit que la fumée achevait de le réveiller. Ses douleurs n'avaient pas complètement disparu, mais il avait tout de même repris des forces. Tout en continuant d'alimenter le feu, il se levait de temps à autre pour ouvrir la porte et interroger le ciel. Dès qu'il le vit pâlir au ras des arbres, il revint près du bat-flanc. La mère ouvrit les yeux.

— Tu ne dormais pas?

— Je me suis assoupie un peu.

— Le jour n'est pas loin.

Elle eut seulement un gros soupir qui souleva ses mains croisées sur son ventre, elle se tourna sur le côté et s'assit sur le bord de la couchette. Quand elle eut enfilé ses souliers, elle se leva en murmurant :

— Allons.

Elle vida la paille de la musette où elle remit la serpe, la pierre à aiguiser, la thermos et le litre vide. Le père s'assura que le feu était bien mort, ferma soigneusement la porte du poêle et sortit le premier.

— Dire que nous n'avons même pas une goutte de café, fit la mère.

Le père se reprochait de l'avoir laissé veiller toute la nuit. Désormais, il devait faire en sorte que tout se passât bien et qu'elle n'eût pas trop à peiner. Quand ils eurent rejoint la charrette enlisée, on voyait à peine clair sous l'épaisseur du bois. Le père empoignait déjà la corde pour desserrer le chargement lorsque la mère proposa :

— Et si j'allais jusqu'à Pannessières pour voir si un homme ne viendrait pas nous tirer avec un cheval?

— S'il faut payer les heures d'un homme et d'un cheval, les fagots nous coûteront cher. Laisse-moi faire. Nous avons la journée devant nous. Il faut seulement espérer que nous n'aurons pas de pluie.

Il se sentait fort. Non pas que sa fatigue se fût évanouie avec la nuit, mais simplement parce qu'il avait cessé de réfléchir vraiment. Il s'enfermait dans la tête une seule idée : en sortir sans aucune aide. Tout le monde l'abandonnait. Même ses enfants voulaient le voir crever. Eh bien, il ne crèverait pas! Il sortirait ses fagots du bois, et il les sortirait seul. La mère avait perdu ses forces et son courage, il lui montrerait ce qu'un homme de soixante-dix ans était capable de faire. Il avait son idée. Quand on n'a pas assez de force, on peut se sortir d'un mauvais pas avec une bonne idée.

Il dénoua la corde et grimpa à la ridelle. Il avait fait de bons fagots solides, c'était une chance. Il pouvait au moins les lancer par terre sans risque de voir les liens se défaire.

— Ote-toi de là! cria-t-il.

La mère s'éloigna. Il avait là vingt-quatre fagots, il en compta seize qu'il lança sur le bord du chemin. Quand il n'en resta que huit sur le plateau, il descendit de la charrette en disant :

— Ce qui reste, on doit pouvoir le tirer. Allez.

— Et tu veux abandonner le reste?

— Ne t'inquiète pas. Tu verras. Nous allons tirer, et tu me préviendras seulement avant qu'on arrive au bourbier dont tu m'as parlé.

Il reprit le timon, chercha un bon appui pour ses pieds et cria :

— Allez, hue!

La mère était vide. Il le savait. C'était sa tête à lui qui devait tout mener. Sa femme n'était plus qu'un tout petit peu de force qui s'ajouterait à la sienne.

Il tira, tourna le timon à droite, puis à gauche, mais la charrette ne fit qu'osciller imperceptiblement. Il se redressa en criant :

— Holà, ne te crève pas!

— Il faut en enlever encore.

— Non. Elle a bougé, elle sortira. Tu vas venir à ma place. Tu t'occuperas seulement de guider en tirant un peu. Moi, j'aurai plus de force derrière.

La mère obéit. Il se rendait compte qu'elle n'était plus qu'un animal sans volonté, et c'en était assez pour l'inciter à ne plus l'écouter. Cette faiblesse de sa femme lui redonnait des forces.

Quand elle eut pris place au timon, il s'arc-bouta derrière la charrette, les jambes fléchies, l'épaule contre la traverse du plancher, comme s'il eût voulu soulever vraiment le chargement.

— Allez! cria-t-il.

Les yeux fermés, les mâchoires serrées, il banda son corps et commença de pousser sur ses jambes. Il sentit que la charrette se soulevait lentement, que les roues s'arrachaient à cette glu du chemin. Du fond de sa poitrine, un cri sortit qui ressemblait à un râle de bête.

— Hue!

La charrette se décolla d'un coup, fit un demi-mètre au moins puis s'arrêta tandis que la mère criait :

— Arrête!

Le père se redressa et courut vers l'avant en lançant :

— Nom de Dieu! N'arrête pas! On est sortis...

La mère était à genoux, les mains sur le sol. Elle avait du mal à se relever et il dut l'aider.

— Quand c'est parti, haleta-t-elle, j'ai glissé.

Il eut envie de l'insulter, mais la vue de son visage ravagé l'arrêta.

— Tu t'es fait mal?

— Non, ça va aller... Mon pauvre homme, je ne suis plus bonne qu'à t'embêter.

Ce mot lui fit du bien. Il eut envie de la prendre dans ses bras, mais il y avait trop longtemps qu'il avait oublié ce geste. Il se contenta de dire :

— A présent qu'elle est décollée, ça ira. Mais je vais reprendre le timon. C'est trop dangereux pour toi. Quand une roue bute, ça vous foutrait par terre comme rien, ces machins-là.

La mère retourna derrière, et ils purent repartir.

Le chemin n'était pas facile, mais ils atteignirent le passage boueux sans trop de difficultés. Le père arrêta la charrette avant la petite descente qui y conduisait.

— Je pense qu'on passerait, dit-il, mais ce sera moins dur en mettant des branchages.

Il prit sa serpe et se mit à couper les branches basses des arbres voisins. La mère les traînait jusqu'au passage boueux et les couchait en travers du chemin. Quand la boue fut recouverte d'un bon tapis, ils s'attelèrent de nouveau et purent traverser sans encombre. Le reste du chemin jusqu'à la route était meilleur, et ils en vinrent à bout avec deux pauses.

— Et maintenant, dit le père, il ne reste plus que deux voyages à faire.

Sa femme avait sans doute deviné son intention, car elle ne manifesta aucune surprise. Elle se contenta de regarder le ciel où couraient de gros nuages, puis elle soupira :

— Pourvu qu'il ne pleuve pas.

— Viens toujours. Une fois que tout sera sorti du bois, nous serons sauvés.

Le père se sentait de la force pour deux. Puisqu'ils avaient pu tirer ce premier voyage, ils tireraient bien les autres. Et en effet, ils y parvinrent. Ce n'était pas une besogne de tout repos, bien sûr, mais la charrette roulait bien, et le vieil homme se sentait à l'aise. Il lui semblait que s'il avait eu de quoi manger et boire, il aurait fait volontiers quelques fagots de plus. Mais la faim et la soif lui tiraillaient la gorge et l'estomac.

Quand il eut remonté et arrimé son chargement complet, il demanda :

— As-tu pris de l'argent?

— Mais non. Pour risquer de le perdre dans le bois, ce n'était pas la peine.

— C'est idiot, nous aurions pu boire un coup à Pannessières.

— Je sais, mais je ne pouvais pas prévoir.

Pour le retour, la route descendait jusqu'à l'entrée de la ville. Il suffisait de guider la voiture et de régler la mécanique selon l'inclinaison de la pente. Le père marchait, appuyé à la barre du timon qui lui battait les reins. La mère se tenait à côté de la voiture, prête à serrer ou desserrer le frein. A Pannessières, ils s'arrêtèrent pour boire à la fontaine. L'eau était fraîche et ils se mouillèrent le visage.

— Tu as chaud, dit la mère, ne bois pas trop.

Le père reprit sa place; la mère tourna la manivelle et ils repartirent. Au début, le père s'était retourné plusieurs fois pour regarder son chargement. A présent, ce n'était plus la peine. Tout allait bien. Il le savait. Il avait derrière lui, qui le poussait aux reins, sa charrette retrouvée et les deux douzaines de bons fagots qu'il avait fabriqués de ses mains, avec sa vieille serpe.

Et c'était de la belle besogne. De l'ouvrage bien fait, par un homme qui n'avait jamais rien su faire à moitié. Le pain, la terre, le bois, tout cela se travaillait de la même façon : avec le cœur autant que les bras. Aujourd'hui, les gens l'avaient un peu oublié, mais lui, il n'avait aucune raison de se plier à cette mode de la paresse et du laisser-aller. Il avait sa conscience pour lui. Jamais il n'avait accepté de tricher, ce n'était pas pour commencer à le faire après soixante années de labeur. Ce que faisaient les jeunes ne le concernait pas. Ils étaient seuls, la mère et lui? Eh bien, soit; ils sauraient bien s'en sortir seuls. Ils n'avaient besoin ni de la jeunesse de Julien ni de l'argent de Paul. Demander l'aumône, ce n'était pas dans son caractère. Il avait eu raison de résister à sa femme. S'il était allé demander l'aide de Paul, il aurait risqué un refus qui l'eût blessé. Si Paul avait accepté, le travail aurait été plus facile et ils auraient sans doute descendu deux fois plus de fagots, mais c'était tout de même mieux ainsi. Il ne savait pas au juste pour quelle raison, mais il le pensait vraiment. Il s'y tenait malgré la fatigue immense qui le poussait vers le bas de la pente avec plus de force encore que sa charrette si bien chargée. Il continua de s'accrocher à cette idée, même quand il eut atteint le bas de la descente et qu'il fallut de nouveau haler la charge.

Dans la ville, il y avait quelques montées et personne ne se trouvait là pour un coup de main. C'est qu'il était presque 1 heure de l'après-midi et que les gens se trouvaient à table. Le père en éprouva une espèce de satisfaction presque rageuse... Tout seuls... Ils iraient tout seuls jusqu'au bout.

Ils avaient atteint le haut de la rue des Ecoles lorsqu'il sentit sur son visage le picotement glacé des premières gouttes de pluie. Il y eut comme une hésitation du ciel, puis, pareille à une giboulée de printemps, l'averse creva d'un coup. La rue s'emplit d'une forte odeur de poussière arrosée. Une rafale fit claquer le drapeau à croix gammée qui flottait devant le portail de l'Ecole Normale, et le père vit la sentinelle casquée et vêtue de vert s'abriter sous la guérite noire et blanche. Il lui sembla même que le soldat riait en les voyant passer, mais il se moquait bien de ce rire.

— La mécanique! cria-t-il.

Les patins de fer crissèrent contre les bandages des roues et la charge poussa moins fort. Le père arrêta sa charrette le long de la barrière du jardin et bloqua la mécanique.

— Nous rentrerons ça quand l'averse aura passé, dit-il en sortant de sa poche la clef de la grille.

Ils marchèrent le plus vite qu'ils purent jusqu'à la maison, mais, avant de monter l'escalier, le père alla compter ses lapins et leur donna une poignée de foin.

Quand il gagna la cuisine, la mère avait déjà ouvert les volets. Elle sortit de la souillarde deux verres et le pot à eau. Ils burent lentement, savourant chaque gorgée.

A présent, il restait le feu à préparer et le repas à cuire, mais les deux vieux demeuraient sur leur chaise, immobiles, cloués par cette fatigue qui les unissait.

De temps à autre, ils se regardaient. Ils n'éprouvaient nul besoin de parler. Ils étaient face à face, dans leur maison retrouvée, avec la pluie qui battait rageusement les vitres.

Ils se regardaient sans parler, mais ils savaient l'un et l'autre que cette peine portée en commun les avait rapprochés, sans doute davantage que n'eût pu le faire une grande joie partagée.

DEUXIÈME PARTIE

UNE LONGUE NUIT D'HIVER

18

Ce soir-là, peu avant la tombée de la nuit, il arriva du nord-est un coup de vent qui fit grogner le feu. Le père Dubois s'approcha de la fenêtre et regarda courir les feuilles mortes sur la terre noire du jardin. Puis, revenant s'asseoir, il s'accouda de biais sur la table, posa ses pieds chaussés de grosse laine grise sur la porte ouverte du four et soupira :

— Cette fois, c'est vraiment l'hiver.

Un long moment, il écouta le vent. Son regard allait du grand poirier dénudé qui se démenait sur le ciel gris, à la flamme claire qui dansait derrière la grille du foyer.

Enfin, lorsque le vent se fut installé, lorsqu'il eut fixé le rythme de sa course et poussé par-delà l'horizon des collines sombres le désordre de sa première colère, le père Dubois se leva de nouveau pour mettre deux rondins de charmille dans le foyer et régler le tirage de la cuisinière. Quand il eut accroché le pique-feu à la barre de cuivre, il reprit sa place et répéta :

— Cette fois, c'est bien l'hiver.

— Tu crois qu'il va neiger? demanda sa femme.

— Tant que ce vent tiendra, on ne sait pas. Mais s'il vient à faiblir, il pourrait bien en tomber un bon paquet. Le temps est pris. Je le sentais venir depuis ce matin. Mon épaule me lance... Et la preuve que je m'en doutais, c'est que tout à l'heure, en allant fermer le hangar, j'ai mis des sacs devant les cages à lapins.

Il se leva de nouveau pour se planter devant la fenêtre, les pieds simplement posés sur ses pantoufles. Il resta immobile un moment, une main sur l'espagnolette et l'autre enfouie dans la poche ventrale de son grand tablier bleu. La visière de sa casquette touchait la vitre que son souffle précipité embuait peu à peu.

— Je crois que tu peux allumer, fit-il. Je vais fermer les volets. Ce que nous perdons en lumière, nous le regagnerons en chauffage.

Quand il eut tiré les lourds volets de bois qu'il avait doublés de papier noir pour en aveugler les fentes, il referma la fenêtre, accrocha le brise-bise de tissu à fleurs et revint s'asseoir. L'effort qu'il venait de fournir et la bouffée d'air glacé qu'il avait aspirée lui coupaient la respiration. Il demeura quelques minutes immobile, une main à plat sur la poitrine, l'autre serrant l'angle de la table. La mère acheva de régler la mèche de la lampe, remonta lentement la suspension dont les chaînes couinaient, puis, fixant son homme, elle observa :

— Je te trouve très essoufflé, ce soir.

— Tu sais bien que les premiers froids me font toujours cet effet. Il faudra que je reprenne du sirop.

— Du sirop, on ne peut plus en avoir. Il faut une ordonnance. Et encore, ils me vendront cette cochonnerie sans sucre qui te donne envie de vomir.

— On n'a plus qu'à se laisser crever, quoi. Quand je pense qu'on est tout jute au début de décembre, qu'est-ce que nous ferons si le froid s'installe!

Il disait cela sans colère. C'était une simple constatation. Tout semblait se conjuguer pour hâter la fin des vieux comme eux, privés des moyens de lutter. Il répétait sans cesse les mêmes mots qui lui attiraient toujours les mêmes réponses. Ce soir encore sa femme lui dit :

— Mon pauvre Gaston, tout le monde est logé à la même enseigne. Tout le monde subit.

— Oui, mais tout le monde finira par crever.

— Et alors, qu'est-ce que tu veux y faire?

La mère Dubois non plus ne manifestait aucune colère. Ils étaient là, tous les deux, avec leur peine et sans désir de révolte. Dans cette longue lutte qu'avait été leur existence, les meilleurs ressorts s'étaient usés et il leur restait tout juste assez de force pour s'accrocher au peu de vie qui se consumait en eux. Le père le sentait. Il maugréait contre le froid, et pourtant, il lui semblait parfois que l'hiver était malgré tout la saison la plus facile à subir. Les nuits s'étiraient, les journées étaient comme un long crépuscule qui l'obligeait à demeurer immobile au coin de son feu. Il restait recroquevillé, pareil à une lampe dont la mèche a été baissée pour ménager la réserve d'huile. Et puis, même la guerre semblait s'endormir. Tout se passait très loin, dans des pays dont les noms ne lui disaient rien. Ici, même les Allemands semblaient se tenir plus tranquilles, et, s'ils décrétaient un couvre-feu à 6 heures du soir, ce n'était plus aussi gênant qu'en été. En somme, à vivre ainsi, il y avait de longs moments de la journée où il semblait que tout fût normal. C'était le passé qui prenait le plus de place, et le père vivait durant des heures à regarder sa vie écoulée, à choisir pour lui seul un épisode qu'il se racontait avec des images auxquelles ne manquait aucun détail.

La mère Dubois avait tiré sur l'angle de la cuisinière un petit fait-tout dont s'échappait une buée qui sentait bon les légumes cuits. Elle enleva le couvercle, avança une casserole sur laquelle elle posa son moulin et se mit à passer sa soupe. Le moulin était vieux. Il accrochait parfois et l'effort qu'elle faisait tordait son dos.

— Ne force pas, fit le père. Reviens en arrière. Si tu forces, tu risques de casser la manivelle, et tu ne trouverais même pas à la remplacer. En ce moment...

Elle se retourna et l'interrompit d'un geste. Le père allait élever la voix pour dire qu'il avait tout de même bien le droit de formuler une observation, mais, au regard de sa femme, il comprit que ce n'était pas à cause de cela qu'elle s'était retournée. Elle était de trois quarts, une main en l'air et l'autre tenant au-dessus du fait-tout son écumoire d'où goûtait le bouillon. Son regard fixait la porte. Son visage était tendu.

Le père fit un effort pour mieux entendre, mais il ne perçut que le ronflement régulier du feu et le chant de la bouillotte.

— C'est le vent, dit-il.

— Tais-toi. Je suis certaine qu'on a secoué la porte de la cave.

— Alors, je vais aller voir.

— Non, tu prendrais froid.

Tandis qu'elle posait son écumoire et que le père enfilait ses pantoufles, il y eut un claquement sec contre le volet.

— Cette fois, je n'ai pas rêvé, dit la mère.

Le père avait entendu. Son cœur s'était mis à battre très fort. Il lui sembla que toute la tiédeur calme de la cuisine allait s'éparpiller dans le froid de la nuit qui enveloppait la maison. Rien de bon ne pouvait arriver ainsi. Est-ce qu'on en voulait à son vin? A ses lapins? A son bois empilé dans la remise?

Une minute coula, interminable. Enfin, la mère prit la lampe électrique dont la pile était presque usée, et, sans bruit, elle entrouvrit la porte. Coulant le faisceau orangé vers le balcon, elle passa la tête et cria d'une voix mal assurée :

— Qu'est-ce que c'est?

Le père se tenait derrière elle. Il avait empoigné au passage le tisonnier qu'il serrait dans sa main droite.

Il y eut un heurt contre la main courante, et ce bruit de métal parut énorme dans cette nuit où ils ne percevaient même plus le sifflement du vent.

— C'est toi, m'man?

La mère ouvrit largement la porte et fit un pas. Le père n'était pas certain d'avoir reconnu la voix de Julien. Il sortit pourtant. Le faisceau de la lampe ne découvrit que les marches de pierre et l'angle du mur, une autre question monta :

— Vous êtes tout seuls?

— Mais bien sûr, mon petit. Monte. Monte vite.

Le père recula de deux pas et s'écarta pour laisser entrer son fils. Mais la mère n'avait pas attendu qu'il fût dans la cuisine pour se pendre à son cou et l'embrasser. Le vent glacé filait comme une lame entre la porte et le chambranle. Malgré le verre, la flamme de la lampe vacillait. Le père se contint quelques instants puis lança :

— Rentrez donc. Vous gelez la maison et la lumière se voit du dehors.

Il n'avait pas encore regardé le visage de son garçon, mais, lorsqu'ils arrivèrent dans la lumière, le père ne sut que murmurer :

— Ah, Bon Dieu! Ah, Bon Dieu!

Julien portait un collier de barbe châtain et ses cheveux, autrefois coupés très court, étaient tirés en arrière jusque sur le col de son pardessus où ils se relevaient pour former comme une gouttière.

— Ah, Bon Dieu, répéta le père, si je m'attendais!

Ce que l'on pouvait voir du visage de Julien était bronzé, et ses yeux paraissaient plus clairs.

Le père se tourna vers sa femme qui demeurait sans voix, les mains en avant, le menton plissé et les larmes au bord des cils.

Julien embrassa son père sur les deux joues puis,

reprenant sa mère dans ses bras, il la souleva un peu et la garda un moment ainsi, serrée contre lui. Le père leva sa casquette pour se gratter le crâne, et, hochant la tête, il regagna lentement sa place. Il y eut un long silence durant lequel Julien quitta son pardessus qu'il suspendit au pommeau de la rampe d'escalier.

— Tu... Tu n'as pas de valise? demanda la mère.

— Si. Elle est devant la porte de la cave. Elle est bien pour le moment.

Le père ne pouvait plus détacher son regard de ce visage barbu. Il avait tout d'abord éprouvé un coup au cœur, avec une espèce de contraction de toute sa poitrine, et puis, à présent, c'était un peu comme un grand vide qui se faisait en lui. Rien. Il ne trouvait rien à dire. Rien à demander. Et la mère devait être comme lui, qui restait là, plantée entre la table et la cuisinière, à fixer le garçon qui s'était assis sur la deuxième marche de l'escalier intérieur pour retirer ses chaussures.

La nuit d'hiver un moment bouleversée, chassée loin des limites du jardin, revenait peu à peu, plus dense, avec les sifflements du vent dans le poirier, le ronflement du feu et le chant monotone de l'eau dans la bouillotte à couvercle de cuivre.

Lentement, le père se tassait sur lui-même. Son corps retrouvait sur la chaise sa position un peu affaissée de l'attente. Accoudé à la table, il se détendait, ouvrant sa main sur la toile cirée tandis que ses pieds quittaient les pantoufles pour reprendre leur place sur la porte du four.

19

Après ces quelques minutes interminables durant lesquelles la mère s'était essuyé plusieurs fois les yeux, il y eut un moment d'affolement. Elle se mit à tourner dans la cuisine, adressant des demandes et formulant aussitôt les réponses :

— Est-ce que tu as mangé? Bien sûr que non. Et tu dois avoir faim. Qu'est-ce que je pourrais faire? Il y a de la soupe. Il doit rester quelques œufs. Ce ne serait pas si tard, on aurait pu tuer un lapin. Je vais toujours éplucher des pommes de terre. Tiens, Gaston, tu ne veux pas finir de passer la soupe?

Le père enfila ses pantoufles et se leva. Elle était folle! Et c'était le même manège chaque fois que Julien revenait après une longue absence. Mais ce soir il y avait le fait qu'ils étaient à cent lieues de l'attendre.

De temps à autre, tout en écrasant les légumes, le père tournait la tête pour lancer un regard en direction du garçon toujours assis sur l'escalier. La mère continuait de s'agiter, ouvrant le placard, allant à la souillarde, tirant un tiroir qui se coinçait et qu'elle secouait pour le repousser dans un grand bruit de couverts remués. Le père sentait l'agacement le gagner. Il lutta un moment contre l'envie de crier à sa femme de se calmer un peu, mais finalement, il se tourna vers Julien pour demander :

— Qu'est-ce qui t'a pris, de te fabriquer une tête pareille?

Le garçon se mit à rire.

— La bonne blague, lança-t-il. Si je veux pas me faire coincer, faut tout de même que je prenne quelques précautions.

— Tu sais que les gendarmes te cherchent, dit le père.

— Ça, je m'en doute!

— Et ça n'a pas l'air de t'effrayer.

— Ben tu sais, je ne suis pas le seul.

— Allons, dit la mère, laisse-le au moins nous expliquer d'où il vient.

Le père ravala sa colère. Le ton presque ironique de son fils lui avait fait mal. Alors, ce garçon désertait. La police était à ses trousses. On le croyait en Angleterre et voilà qu'il rentrait ici, tout souriant, avec une barbe ridicule, et des cheveux comme une fille! C'était ainsi, et la mère semblait dire qu'il n'y avait pas lieu de s'étonner.

Il chercha au fond du fait-tout le reste des légumes tandis que Julien expliquait :

— Je viens de Marseille. J'étais chez un copain. Un peintre. Un type très bien. Je ne vous ai pas écrit pour éviter les histoires. Les miliciens sont partout, même dans les postes.

— Mais qu'est-ce que tu faisais, à Marseille? demanda la mère.

— De la peinture, avec mon copain. J'aurais pu y rester, seulement, le ravitaillement est dur, dans ce coin-là... Et comme je n'ai pas de cartes...

Il se tut. Le père s'était retourné. La mère s'était arrêtée de mettre le couvert pour écouter son fils.

— Tu n'as pas de cartes! fit-elle.

— Non. J'ai pu avoir une fausse carte d'identité, mais pour les tickets, c'est autre chose.

Le père pensait : « Nous voilà propres. Avec ça que nous n'avons pas assez pour nous! » Il ne dit rien, et ce fut la mère qui demanda :

— Mon pauvre grand, mais comment faisais-tu?
— On s'arrangeait. Mais enfin, c'était pas toujours drôle.
Elle s'était approchée de Julien qui se leva.
— C'est vrai que tu es maigre, fit-elle, avec ta barbe, on ne s'en rend pas compte tout de suite, mais à mieux regarder... Mon Dieu, heureusement que tu as pu revenir.
— Il faudrait tout de même penser à manger, fit le père, il racontera aussi bien quand nous serons à table.
Il remarqua que sa femme haussait les épaules. Cependant, elle ne dit rien, jeta son châle de laine noire sur sa tête, prit la clef de la cave, alluma la lampe de poche et sortit. Le père avait regagné sa place, mais il restait un peu raide sur sa chaise, le dos écarté du dossier, regardant son fils installé en face de lui, à l'autre extrémité de la table. Le père cherchait un mot à dire, une question à poser quand il sursauta. La mère avait crié.
— Qu'est-ce qu'il y a? demanda-t-il.
Julien se leva, parut hésiter, puis, se dirigeant vers la porte, il lança en riant :
— Merde, j'y pensais plus. Elle a dû tomber sur Séraphin!
— Qu'est-ce que tu dis? demanda le père.
Mais déjà Julien sortait en ajoutant :
— T'inquiète pas, j'y vais. Il est pas mauvais bougre!
Le père n'osait ni se lever ni s'asseoir vraiment. Il demeurait sur le bord de sa chaise, l'oreille tendue, faisant un effort pour tenter de reconnaître les voix de sa femme et de Julien. On parlait en bas, c'était certain, mais avec le vent, ce n'était pour lui qu'un murmure confus. Julien n'était donc pas seul. Mais qu'est-ce que ça pouvait bien vouloir dire? Bon Dieu, être si tranquille chez soi, avec toutes les portes fermées, avec un bon feu, et se retrouver soudain dans tout ce tapage, avec ces portes sans cesse

ouvertes par où s'engouffrait l'hiver; avec peut-être un inconnu qui allait arriver! Et qui donc, encore? Quel genre d'individu? Un artiste peut-être? Bon Dieu, toute une vie à trimer pour se voir privé de quelques heures de tranquillité. Et rien à dire. Un mot malheureux et ce serait la colère de sa femme. Il le savait. Elle le traiterait encore d'égoïste.

Il y eut un heurt contre les barreaux de la rampe extérieure, puis un autre contre la porte qui s'ouvrit lentement. La mère parut. Elle tenait trois œufs d'une main et la lampe de l'autre.

— Entre ta valise, dit-elle, mais laisse le reste sur le palier.

Elle semblait plus pâle que d'habitude. Le père se leva pour entendre :

— Tu rigoles. Ou alors fallait me le laisser mettre à la cave.

Julien acheva d'ouvrir la porte toute grande en la poussant du pied, et le père demeura bouche ouverte, une main tenant la visière de sa casquette, l'autre posée à plat sur la table. Il regardait, c'était tout ce qu'il pouvait faire. Pas un mot ne lui venait. Pas même une pensée.

Julien entra, tenant serré contre lui un squelette d'homme. Une tête de mort, des bras, tout en os, et le tout attaché par trois grosses ficelles qui maintenaient aussi un rouleau de papier blanc que le squelette semblait serrer contre sa poitrine.

Comme le garçon posait sa valise et que la mère s'apprêtait à refermer la porte, d'une voix qu'il sentait mal assurée, le père lança :

— Tu ne veux pas... Tu vas me faire le plaisir de foutre ça dehors!

Julien parut surpris.

— Quoi? fit-il, c'est pas sale... C'est Séraphin. Ça fait au moins trente ans qu'il a cassé sa pipe.

— Mais tu ne veux pas mettre ça dans la maison!

Cette fois, le père avait crié très fort. Le fils eut une hésitation.

— Je peux tout de même bien le mettre dans ma chambre. C'est un outil de travail.

— Un outil de travail, bégaya le père.

Durant quelques secondes il fut avec ces mots qui lui sonnaient dans la tête. Un outil de travail! C'était un comble! Il regardait le squelette, et, en même temps, il voyait un pétrin, une pelle, sa serpe, sa brouette... Un outil de travail, ça!

— Ecoute, Julien, dit la mère. Ton père a raison. On ne met pas des choses comme ça dans la maison.

Le garçon semblait ne pas comprendre. Il les regardait tour à tour, l'air étonné, avec un demi-sourire qui faisait un trait trop clair au-dessus de sa barbe.

— Ma foi, conclut-il enfin. Si vous y tenez, il peut coucher sur le balcon, il n'attrapera pas la crève. Mais je vais tout de même prendre mon papier, l'humidité me l'abîmerait.

Il coucha le squelette sur le plancher, et prit un couteau de table pour couper les ficelles. Malgré lui, le père bondit :

— Pas avec ça!

— Quoi?

— C'est dégoûtant, voyons. Prends les vieux ciseaux.

Julien soupira, et obéit en disant :

— Je ne vous comprends pas. Voilà un mec qui était comme nous tous. Bon, il est mort. On l'a nettoyé. Et depuis, il est dans l'atelier de mon copain.

Il posa son rouleau de papier sur le buffet, et releva le squelette dont les bras ballants cliquetaient contre les côtes.

— Il serait en plâtre, dit le garçon, ce serait exactement pareil.

— Laisse-le sur le balcon pour la nuit, dit le père, mais demain matin, il faudra l'emporter au hangar à la première heure. Si quelqu'un venait...

Julien rentra.

— Tu sais, dit-il en riant, ça fait longtemps qu'il n'a mordu personne. Et de son vivant, c'était peut-être un brave type. On sait pas, c'était peut-être un assassin. Ce sont souvent les condamnés qui finissent comme ça. Mais lui, on ne lui a sûrement pas coupé la tête, il a des cervicales impeccables. Il est bien conservé, tu sais...

La mère l'interrompit :

— Va te laver les mains. Et ne parle plus de ça, tu fais de la peine à ton père.

— Oh oui, soupira le père. Il me fait de la peine. Dire qu'on s'est fait tant de souci pour lui, et le voir arriver comme ça. Avec... avec cette tête et avec ce mort.

Julien était dans la souillarde. Il avait laissé la porte ouverte pour voir clair. Le froid entrait dans la cuisine, presque aussi vif que s'il fût venu directement du dehors. C'était mauvais signe. Le père y pensa, puis revint à l'idée du squelette.

— Et tu as pris le train avec ça? demanda-t-il.

— Ben oui. Et tu vois, il paie pas, lui.

— Pour quelqu'un qu'on recherche et qui ne veut pas se faire remarquer, tu t'y prends bien.

— Justement. Les flics se méfient jamais d'un type aussi voyant. Et puis, sur ma carte, je suis porté professeur de dessin. Comme dit mon copain, faut avoir la tête et l'allure de l'emploi.

Le père n'en revenait pas. La mère demanda :

— Professeur de dessin? Toi? A ton âge?

— Mais sur ma carte, j'ai vingt-neuf ans.

Julien revint s'asseoir à table. Les deux vieux étaient toujours debout, n'osant pas se regarder, mais observant sans comprendre ce garçon étrange, qui venait d'arriver avec la nuit et le premier froid.

Le père Dubois hochait la tête. Son garçon était là. Il avait une barbe et des cheveux comme on en voit au Christ sur certaines gravures; il arrivait de Marseille, il se disait professeur, il portait un vieux mort sous ses bras; et c'était son garçon; il s'appelait Dubois comme lui... Il avait une barbe... un mort sous son bras...

20

Le garçon arrivait ainsi, sans crier gare, avec sa tête d'artiste et ce mort affreux. Il arrivait, et la mère devenait folle. C'était comme si l'on eût mis le feu à la maison. Elle retournait tout. Elle lui servait deux grosses assiettées de soupe et encore, elle lui disait d'y casser du pain. Comme si le pain n'eût pas été rationné. Elle lui faisait trois œufs au plat. Comme si les œufs... Et il n'avait même pas de carte d'alimentation. Dire quelque chose? Le père s'en gardait bien. Il connaissait d'avance la réponse : « C'est ton fils! On dirait que tu n'es pas heureux de le revoir! » Heureux? Bien sûr que si, qu'il l'était. Mais tout de même, le revoir dans cet état, ça lui faisait un sérieux choc. Est-ce que la mère était vraiment aveugle? Elle le dévorait des yeux. Elle buvait ses paroles. Ce garçon-là, il pouvait revenir un jour en annonçant qu'il avait commis un crime, elle l'accueillerait de la même façon. Et dire qu'on l'avait cru soldat chez de Gaulle! Mais non. Même pas ça. Ce qu'il avait fait depuis sa désertion? Il était en train de le raconter, tout en mangeant de la soupe, et des œufs, et d'énormes morceaux de pain. Il avait vécu chez un copain, à mener la vie de bohême. Et il le disait sans rougir. Pour lui, c'était tout naturel. Il n'avait quitté Marseille que parce que son ami s'en allait et qu'il ne se sentait pas de taille à se débrouiller tout seul.

Longtemps le père demeura silencieux, penché sur son assiette vide, observant à la dérobée tantôt son garçon qui parlait, tantôt sa femme qui écoutait sottement, avec un air de tout admirer qui l'énervait. Enfin, n'y tenant plus, il finit par demander :

— Et à présent, qu'est-ce que tu comptes faire?

Julien eut un geste évasif et une moue qui déforma sa barbe.

— Je ne sais pas au juste... Ici, je dois pouvoir me planquer un bout de temps.

Il y eut un échange triangulaire de regards interrogateurs. Le garçon hésita un long moment avant d'ajouter :

— J'ai un travail à terminer. Je pourrais le faire ici.

— Un travail? demanda le père.

— Oui.

— Mais quel travail?

— Oh, je ne peux pas vous expliquer. C'est compliqué.

— Bien sûr, et nous ne sommes pas assez intelligents pour comprendre.

La mère intervint.

— Voyons, dit-elle, ne te fâche pas, Gaston. Mais si c'est un travail de peinture, c'est bien vrai que nous n'y connaissons pas grand-chose.

— De peinture? fit le père. Mais où veut-il faire de la peinture ici? Et ce n'est pas un travail, ça!

— Non, avoua Julien, ce n'est pas de la peinture, c'est une... chose que je dois écrire. Enfin...

Il se tut, regarda sa mère, son père, puis il soupira, repoussa son assiette vide et sortit de sa poche un paquet de cigarettes et une boîte d'allumettes.

— Comment, dit la mère, tu fumes, à présent?

— Ben oui, quoi. J'ai l'âge.

Avant de se servir, il tendit le paquet au père qui eut une hésitation.

— Le soir, je ne fume pas.

— Bah, pour une fois.

Le père sentait tout un monde de pensées contradictoires se bousculer en lui. S'il acceptait cette cigarette, il ne pourrait rien dire. Mais pourtant, une cigarette, est-ce qu'il pouvait la refuser? Presque malgré lui, sa main avança en direction du paquet.

— Ça va te faire tousser toute la nuit, observa la mère.

— Qu'est-ce que tu racontes, dit Julien. C'est pas une cigarette qui peut faire du mal. Tu sais bien que si Papa tousse, c'est à cause de son asthme.

— Justement, fit-elle encore.

Mais déjà le père portait la cigarette à ses lèvres et tirait son briquet de sa poche. Sans conviction, la mère ajouta :

— Tu sais, il fume déjà trop.

Le père savourait les premières bouffées. C'était agréable, de pouvoir fumer ainsi, sans se cacher, sans être obligé de sortir dans le froid ou de descendre aux cabinets. Il y eut un silence presque bon à respirer, à vivre ainsi, avec ce bon goût du tabac. Pourtant, une question lui brûlait les lèvres. Il la ravala plusieurs fois avant de la laisser filer entre deux goulées de fumée.

— Si tu n'as pas de tickets, comment peux-tu avoir du tabac?

Julien se mit à rire.

— Le tabac, tu sais, à Marseille, c'est plus facile à trouver au marché noir que du pain ou des patates. Dans tous les cafés, les garçons vendent des cigarettes. Et je suppose qu'ici ça doit être pareil.

— Je ne sais pas, dit le père, je ne vais jamais au café. Et, de toute façon, ça doit être à un prix qui n'est pas pour ma bourse.

— Et puis, trancha la mère, tu as bien assez de ta ration pour te faire tousser.

Le père avait envie de répondre durement à sa femme, mais d'autres mots étaient en lui. Lorsqu'il avait parlé de café, une idée lui était venue, mais il avait voulu parler de prix, et il n'avait pas pu l'exprimer. C'était pourtant là, et il faudrait bien le dire.

— Non, soupira-t-il, je n'ai jamais été un habitué des cafés, mais autrefois, il m'arrivait de prendre un verre avec des amis, quand on se rencontrait en ville. A présent, je sors le moins possible.

Il pensait que Julien allait lui demander pour quelle raison il ne sortait plus, mais le garçon resta muet, le regard fixé sur sa cigarette qui se consumait entre ses doigts. Evitant de regarder sa femme, le père reprit :

— Je ne voudrais pas te faire de reproches... Tu arrives, tu dois être fatigué, mais enfin, on aimerait tout de même savoir ce qui s'est passé? Tu étais soldat... tu désertes, et nous voilà avec les gendarmes sur le dos!

Julien allait parler, mais sa mère le devança :

— Les gendarmes, fit-elle, on ne peut pas dire qu'ils soient bien méchants.

— Ils ne sont pas méchants parce qu'ils me connaissent. Mais enfin, ce n'est tout de même pas une situation, et à présent qu'il est là...

Il avait élevé la voix, mais la mère l'interrompit en parlant plus fort que lui.

— Ils ne viennent pas tous les jours, et ils n'ont jamais fouillé la maison.

— Pourquoi, demanda Julien, ils sont venus plusieurs fois?

— Plusieurs fois, lança le père, mais je crois bien, qu'ils sont venus plusieurs fois, est-ce que tu te figures...

Cette fois, ce fut sa toux qui lui coupa la parole. Tandis qu'il se levait pour cracher dans le feu, la mère lui servit un peu d'eau.

— Dans quelques minutes, ton infusion sera prête, dit-elle.

— Ça signifie que je pourrai monter me coucher. Et vous laisser tranquilles.

— Mon pauvre homme, on ne peut rien dire sans que tu te fâches. Je te parle de ton infusion parce que tu tousses, et voilà...

Julien se mit à rire en disant :

— Je vois que vous n'avez pas perdu l'habitude de vous chamailler pour des riens.

Le père sentait que la conversation risquait de prendre un tour qui ne lui permettrait pas d'aller au bout de son idée. Il fallait éviter de se fâcher, mais les choses devaient être éclaircies.

— Enfin, dit-il, tu dois bien te rendre compte de ce qui se passe. De ce que tu risques... Et, et nous aussi.

— Les risques, tu sais... En ce moment il y a des milliers de jeunes qui circulent avec des faux papiers et sont réfractaires au S.T.O.

— Mais toi, tu es déserteur.

— Déserteur d'une armée vendue aux Fritz, c'est tout de même pas une honte.

Le père regarda sa femme. Il comprit qu'elle n'était pas avec lui. C'était naturel. S'il se fâchait, elle parlerait de Paul et de la Milice. Et ce serait encore la colère, une dispute qui le laisserait déchiré, en proie à la toux tandis que les autres continueraient de parler.

— L'infusion doit être prête, fit-il.

La mère sortit un bol et le sucre. Comme elle commençait de verser, Julien se leva en disant :

— Ne sucre pas. Attends une minute.

Il ouvrit sa valise, en tira du linge froissé et quelques papiers, puis un pot de miel qu'il posa sur la table.

— Mon Dieu, d'où tu sors ça? demanda la mère.

— De ma valise.

— Mais où l'as-tu trouvé?

— C'est un oncle à mon copain. Il est en Provence. Il en apportait de temps en temps. Mon copain m'a dit : « Tiens, porte ça à tes vieux... » C'est un bon type, tu sais.

Le père regardait le pot de miel. Depuis plus d'un an il était impossible d'en trouver à un prix raisonnable.

— Et c'est du miel de lavande, dit Julien. Tu peux y aller, il est bon.

— Tu vois, observa la mère, tu as de la chance, d'avoir un garçon qui pense à toi.

A son regard, au mouvement de ses lèvres, le père comprit qu'elle n'était pas allée au bout de sa phrase. Et il devinait aisément ce qu'elle avait encore à dire. Si elle ne s'était pas retenue elle aurait ajouté que Julien qui n'avait rien trouvait tout de même quelque chose à donner à son père, alors que Paul, le gros épicier chez qui l'on ne se privait jamais, ne faisait pas le moindre petit effort pour leur venir en aide. Elle le pensait. Le père lui en voulait de penser ainsi, mais, en même temps, il lui savait gré de n'avoir rien dit. Pourquoi se taisait-elle? Etait-ce vraiment pour l'épargner? N'était-ce pas plutôt pour éviter une discussion qui risquait de se prolonger, pour l'obliger à monter se coucher et rester seule avec Julien à qui elle pourrait tout raconter? Car elle lui parlerait certainement de Paul et de cette histoire de Milice. Dès qu'ils seraient seuls, elle en profiterait. Et bien entendu, Julien serait heureux de pouvoir insulter ce demi-frère qu'il détestait.

Il arrivait, avec sa tête toute bizarre, son mort sous le bras, et voilà qu'il offrait des cigarettes, qu'il posait du miel sur la table. C'était une façon de clouer le bec à son père. Et encore, pour bien montrer qu'il était généreux, voilà qu'il disait à présent :

— Un pot comme ça, si tu ne l'utilises que pour tes infusions, tu en auras pour un moment.

— Mais toi, demanda le père, tu ne l'aimes pas?

— Oh moi, tu sais, j'en ai mangé pas mal là-bas. Et je t'ai toujours entendu dire que ça te faisait du bien à la gorge.

— C'est vrai, dit le père.

Il se servit, remua lentement son infusion, respirant l'odeur de tilleul qui montait du bol avec la buée. Ce miel devait être très bon. Il ajoutait au parfum de la tisane. Il but une gorgée.

— Ce miel est très bon, dit-il. Et puis, le sucre est si rare.

A présent, ils étaient tous les trois, à se regarder sans mot dire. Lentement, le parfum de l'infusion emplissait la pièce étroite, remplaçant l'odeur de la soupe aux légumes et de la graisse où les œufs avaient cuit.

— Tu sais, dit la mère, on s'est fait du souci pour toi. On te croyait parti par l'Espagne, en Angleterre. Souvent je suis allée le soir, chez M. Robin, écouter la radio de Londres. Je me disais, s'il est là-bas, il fera peut-être passer un message.

— Un message? Mais quel message?

— Je ne sais pas, moi, quelque chose que j'aurais pu deviner.

— Ça alors, je ne vois pas. Et puis, tu sais, on ne va pas à Londres comme on irait à Montmorot.

— Mais enfin, quand tu as... quand tu es parti de l'armée, c'était bien avec une idée?

— Naturellement. J'avais pris le maquis dans la Montagne Noire, mais ça n'a pas très bien tourné. J'ai un copain qui est mort, et moi, je me suis fait ramasser.

— Oui, coupa le père, nous avons su ce qui s'est passé. Tu as été mis en prison à la caserne de Carcassonne, et tu t'es évadé après avoir assommé un gradé. Je ne sais pas si tu te rends compte...

Julien l'interrompit :

— C'était un beau salaud. Pétainiste à fond. Mais ce qu'ils ne vous ont pas dit, c'est que si j'ai pu me tirer, c'est grâce au capitaine. Un type bien, celui-là. Qui reste où il est uniquement parce qu'il peut être utile aux maquisards et certainement renseigner les Anglais.

Le père hésitait. Devait-il monter se coucher, ou poursuivre cette discussion qui finirait certainement par une dispute? Il but encore quelques gorgées de tilleul, puis, cherchant à rester calme, il dit, presque timidement :

— Un espion, en quelque sorte.
— Si tu veux. Mais il en faut.
— Je ne sais pas s'il en faut, mais j'aimerais mieux te voir d'autres fréquentations. Ces histoires-là ne conduisent jamais à rien de bon. Je me souviens assez de l'affaire Dreyfus...
La mère l'interrompit :
— Mais c'est de l'histoire ancienne. Tu es toujours à vivre sur des idées d'autrefois. Tu refuses de voir la situation en face, ou bien alors, si tu la regardes, ce n'est sûrement pas du bon côté.
— Tu ne vas pas recommencer!
Cette phrase était venue sans qu'il ait eu le temps d'y réfléchir, et le père la regretta aussitôt. Déjà sa femme se redressait sur sa chaise, prête à la riposte. Pourtant, elle ne dit rien. Ils se mesurèrent du regard un instant. Allait-elle parler de Paul? Comprit-elle que son homme regrettait ce qu'il venait de dire? Il y eut un long silence puis, se laissant aller lentement contre le dossier de sa chaise, sans colère, la mère murmura :
— Cette guerre salit tout... Elle divise les gens. Elle fait du mal même où personne ne se bat.
— Ce qu'il faut faire, dit Julien, c'est essayer de s'en tirer sans trinquer.
Le père eut envie de lui demander s'il regrettait d'avoir déserté, mais il n'osa pas. Il lui semblait pourtant l'avoir deviné dans ce que Julien venait de dire, mais il préférait s'en tenir à cet espoir. Il se borna donc à demander :
— Mais tu ne pourras pas te cacher indéfiniment?
— Il suffira de leur échapper jusqu'à la fin de la guerre. Quand les Fritz seront rentrés chez eux, je pourrai me montrer.
— Parce que tu penses vraiment que...
Le père ne put achever, sa femme lui coupa la parole :
— Ton père n'est au courant de rien. Il ne va jamais écouter la radio. Nous ne prenons plus le

journal, et, en ce moment, il relit des *Illustrations* d'avant 14.

— Je n'ai pas besoin de lire le journal, tu me tiens au courant. Tu sais toujours tout, toi!

— J'essaie de vivre avec mon temps.

C'était plus pénible qu'une véritable dispute, cette conversation qui marchait en équilibre sur un fil tendu entre la colère et cette fausse paix dont ils avaient connu quelques instants quand le fils avait sorti ses cigarettes et ce pot de miel. Le père luttait à la fois contre le désir de monter se coucher et l'envie de crier ce qui lui serrait la poitrine.

La paix; c'était tout ce qu'il voulait, lui. Eh oui, lorsqu'il pensait à la paix, c'était à celle qu'il pouvait encore connaître quand il était tranquille ici, ou dans son jardin. Voilà qui avait le don d'horripiler sa femme. Mais enfin, à qui portait-il préjudice, en essayant de vivre en participant le moins possible aux événements? Si tout le monde avait agi ainsi, est-ce qu'il n'eût pas été possible d'éviter bien des malheurs? A part les couvre-feu et les restrictions, avait-on à se plaindre des Allemands? Il suffisait de les ignorer. De ne pas leur marcher sur les pieds pour qu'ils vous laissent tranquilles. C'était tout de même appréciable. Mais ça, la mère n'était pas fichue de l'admettre. Elle avait toujours besoin de se mêler de tout. Elle vivait autant avec ce qui se passait hors de la maison qu'avec ce qui était pourtant l'essentiel de leur existence. Et désormais, qu'allaient-ils faire, avec ce garçon que les gendarmes recherchaient?

Le père se sentit soudain envahi par une immense lassitude. Ce n'était pas comparable à cette fatigue qui l'étreignait aux soirs des plus dures journées de travail. Ce n'était pas non plus un mal de la même famille que celui qui le pénétrait lorsqu'il pensait aux années d'autrefois, à sa force et à sa jeunesse disparues. C'était un sentiment de vide. Un peu comme si l'arrivée de Julien eût chassé loin de la maison quelque chose qui n'avait pas de nom, pas de visage, mais existait pourtant et vous aidait à vivre à la manière de cet air chaud qui montait du four à longueur de journée, donnant à la cuisine cette bonne tiédeur où l'on pouvait s'assoupir doucement pour laisser s'écouler la mauvaise saison.

21

Le père avait préféré monter se coucher sans attendre davantage. Il avait achevé sa tisane, pris son vase de nuit et sa lampe pigeon et gagné la chambre où il remarqua qu'un peu de givre scintillait sur le papier peint.

— Si ce temps s'installe, grogna-t-il, il va falloir faire une flambée dans la chambre avant de se coucher... Ça n'est pas fait pour économiser le bois.

Il se déshabilla le plus vite qu'il put, et se glissa entre les draps où sa femme avait monté une bouillotte enfilée dans un vieux bas. Puis, après un moment, il la ramena le long de son corps, la promenant un peu à sa droite, à la place que la mère viendrait occuper. Mais, ce soir, la mère ne monterait pas de bonne heure. A présent qu'il les avait laissés seuls, ils allaient sans doute parler longtemps, tous les deux, et il savait bien de qui ils parleraient. En prenant le parti de se retirer, il avait un peu cédé à la peur d'une dispute. Il s'était dit que c'était toujours vers les 9 heures qu'il montait se coucher, mais ce n'était là qu'un prétexte. A présent, il se reprochait d'avoir ainsi battu en retraite. En agissant de la sorte, il leur avait abandonné Paul que la mère allait sans doute traîner plus bas que terre. N'avait-il pas été un peu lâche? Paul était son fils, tout de même. Devait-il le laisser salir sans rien dire qui pût justifier son attitude?

Il avait eu peur de souffrir en acceptant le combat, et à présent, il se torturait de remords.

Un instant, il eut envie de se lever, d'aller sans bruit jusqu'à la porte de l'escalier, et d'écouter ce qu'ils disaient. Il pourrait même entrer dans la cuisine en prétextant un mal de tête et prendre un comprimé. Sa main droite poussa la bouillotte le long de sa hanche. Depuis un moment, une bonne tiédeur s'était répandue dans le lit. Son bonnet de coton rabattu sur le front, le drap remonté jusqu'au menton, le père se sentait bien. Le moindre mouvement refroidirait le lit. Il pensa au parquet glacé dont les planches couinaient sous le pas, à la lampe qu'il faudrait rallumer... Et puis, s'il les entendait dire du mal de Paul, que ferait-il? Que pouvait-il tenter pour défendre son garçon, lui qui ne savait rien de la situation internationale et politique? Non, tout ce que sa femme et Julien pouvaient raconter était sans importance. Ce qui comptait, c'était la paix. Somme toute, il n'était pas le seul à penser ainsi, puisque Julien avait dit tout à l'heure que l'essentiel était d'aller jusqu'à la fin de cette guerre sans courir de risques. Et la mère qui parlait déjà de lui comme d'un héros! Il était beau, le héros, avec sa tête de peintre et son séjour à Marseille! Il était bien de la trempe de ces combattants de 39, jouant à qui serait le premier à la frontière d'Espagne. Les gens de 14-18, c'était tout de même autre chose. Ils avaient su tenir!

Le père eut un long soupir. Il déplaça encore sa bouillotte qui, déjà, ne lui brûlait plus la main. Il évitait de faire pénétrer dans le lit l'air glacé de la chambre. Il demeurait allongé sur le dos, la tête bien enfoncée au creux douillet de ses deux oreillers.

Tout de même, il avait un curieux garçon. Faire de la peinture et se promener de Marseille à Lons-le-Saunier avec ce mort sous le bras, ce n'était pas ordinaire. Dans sa famille comme dans celle de sa femme, il n'y avait pourtant que des gens sensés, absolument normaux et menant une vie de travail. Celui-là, il n'avait jamais été tout à fait normal. D'où pouvait-il bien tenir ce qu'il y avait de si bizarre en lui?... Un mort. Se promener avec un vrai mort sous le bras. Comme si ce ne devait pas être interdit.

Depuis un moment, le père n'avait plus guère en lui que cette idée du squelette entreposé sur le palier. Est-ce que Julien l'avait couché le long de la balustrade? Est-ce qu'il l'avait mis debout dans l'encoignure? Cette idée le tracassait. Qui pouvait bien être ce bonhomme que l'on avait dépiauté ainsi au lieu de le mettre dans un cercueil? C'était bien la première fois que le père voyait une chose pareille d'aussi près. Il savait que ça existait, dans les musées ou les écoles de médecine, mais de là à en avoir un chez soi... Non, voilà qui dépassait l'entendement.

Etait-ce bien prudent, de l'avoir laissé sur le balcon? Et si les gendarmes prenaient envie de se présenter très tôt, le lendemain, que diraient-ils en se trouvant nez à nez avec ce mort?

Imperceptiblement, une espèce de malaise gagnait le père Dubois. Sans qu'il voulût se l'avouer vraiment, c'était surtout l'idée de la mort qui le travaillait. Et pas seulement de la mort en général, mais de sa propre mort. Ce mort, qui était en bas, avait certainement été un homme comme lui, avec une vie de travail et de peine. Peut-être bien un boulanger, qui sait? Ou bien un paysan qui avait aimé sa terre. Peut-être un homme qui n'avait jamais quitté son pays de son vivant. Lui avait-on demandé son avis, pour faire de lui un machin qu'on trimbale sans prendre plus de précautions que pour un parapluie? Séraphin. Julien l'avait appelé Séraphin. C'était donc qu'il connaissait son identité. Et il le traitait sans respect, sans ménagement. Bien sûr, une fois mort, on ne souffre plus de rien. Etre ainsi ou pourrir dans un trou de cimetière, d'un certain point de vue, ça revenait au même; et pourtant, après toute une vie de travail, est-ce qu'il n'était pas naturel de bénéficier d'un peu de tranquillité? Une pierre sur le ventre avec son nom gravé? Même si personne jamais ne s'arrêtait devant, c'était pourtant quelque chose de solide qui restait. Et puis, il y a toujours des gens qui se souviennent. Le père Dubois n'allait guère au cimetière que les veilles de Toussaint et les jours d'enterrement. Pour la Toussaint, il désherbait la tombe de ses parents et de sa première femme où il portait des pots de chrysanthèmes qu'il avait soignés tout exprès. Et chaque fois, il se répétait que sa place était là, avec eux, et que sa femme y viendrait également. Ils se retrouveraient tous là. Il n'y aurait peut-être plus personne pour leur apporter des fleurs, mais il y aurait toujours la pierre avec les noms. Et, durant des années encore, les jours d'enterrement, les gens qui s'en reviendraient par deux ou trois liraient son nom au passage. Et ils diraient : « Le Gaston Dubois, en voilà un qui n'a pas volé le droit de se reposer, tiens. Il en a remué, des sacs de farine, dans sa putain de vie! » Les gens de son âge ou un peu plus jeunes que lui parleraient du pain qu'il avait fait. Ils diraient : « Des boulangers comme lui, ça ne se trouve plus de nos jours. » Et l'eau leur viendrait à la bouche rien que d'y penser.

Ce n'était pas grand-chose, cette idée-là, mais c'était malgré tout suffisant pour vous rendre moins triste la perspective de s'en aller un jour les deux pieds devant.

Le père Dubois évoquait cela, et il revenait toujours à ce mort sans sépulture qui dormait si loin des autres morts, si seul sur ce balcon fouetté de bise. Celui-là, depuis qu'il avait cessé de vivre, il n'avait dû entendre que des plaisanteries et des chansons de rapins. Et ça, c'était loin d'être une compagnie pour un mort sérieux.

Quand la mère monta se coucher, le père ne

dormait pas encore. Il entendit d'abord du remuement dans la petite chambre que Julien occupait à côté de la leur, puis la porte s'ouvrit et la mère entra sans faire de bruit.

— Tu n'as pas de lumière? demanda le père.

— Non, j'ai laissé la bougie à Julien... Mais tu ne dors pas?

— Non.

La mère se déshabilla, puis se glissa dans le lit où elle fit entrer l'air froid de la pièce.

Il y eut un long silence avec seulement les craquements du sommier tandis que la mère cherchait une bonne position. Enfin, avant de s'endormir, le père murmura :

— Tout de même, ce mort qu'il a apporté, c'est bien une idée de fou.

22

Dès le lendemain, le père comprit que son existence allait être bouleversée par le retour de Julien. Il s'était réveillé plusieurs fois au cours de la nuit, et toujours avec cette vision du squelette sur le palier. Dans son demi-sommeil, le sentiment lui venait que la mort était à sa porte, et qu'elle attendait l'heure d'entrer dans la maison.

Dès qu'il fut debout, il s'habilla chaudement et sortit pour emporter le squelette. Le jour pointait à peine, tout de grisailles mêlées aux restes d'une nuit tenace. Dans la remise, le père monta au grenier et cacha le squelette derrière une pile de cagettes vides qu'il tenait en réserve pour en faire du bois d'allumage. Pour lui, tout cela n'avait aucun sens. Il fallait vraiment être fou à lier pour se promener avec ces vieux os sous les bras. Ce mort avait, comme tout le monde, droit à son coin de terre, et le coucher ainsi sur le plancher disjoint du grenier n'était pas bien convenable.

Il en profita pour apporter à la maison un cageot de bûches, et, lorsqu'il regagna la cuisine, la mère avait déjà allumé le feu et préparé le café. Le père reprit sans mot dire sa place près de la fenêtre, il but son café au lait, puis il commença d'attendre. Il ne voyait pas encore assez clair pour lire. Et, de toute façon, il n'en avait pas envie. Il se mit à regarder le jardin. Il attendait.

Il attendait le réveil de son garçon en préparant dans sa tête ce qu'il s'était promis de lui dire. Les mots lui venaient aisément. Et il se félicitait de n'avoir pas parlé la veille au soir. Il conviendrait d'aller au bout; de voir enfin ce que ce garçon avait tout au fond de lui. Le père se disait que Julien ne pouvait pas être revenu sans avoir une intention bien précise. Voulait-il s'amender? Tenter de rentrer dans la légalité? Qu'est-ce qu'on faisait aux déserteurs? Est-ce qu'on les mettait toujours en prison? Il se répétait les propos de Paul et se disait que, peut-être, il pouvait y avoir là l'occasion d'un rapprochement. Si Paul aidait Julien à se sortir de ce mauvais pas, la mère n'aurait plus rien à dire contre ce fils qui n'était pas le sien. Elle n'aurait même plus à critiquer son attitude à l'égard des gens de la Milice, et peut-être la paix reviendrait-elle enfin dans la maison.

Ce matin, tout était calme. En apparence, tout était comme si Julien n'eût pas été là. Le premier travail de la mère avait été de vider sa valise d'où elle avait sorti quelques livres, deux boîtes de peinture, et pas mal de linge sale et froissé. Elle avait entassé le linge dans un sac et porté la peinture dans la salle à manger. Seuls les livres restaient sur la table et, après avoir longuement hésité, le père finit par tirer la pile jusque devant lui. Il en prit un qu'il se mit à feuilleter. Ça s'appelait « Les Fleurs du Mal » et c'était d'un nommé Baudelaire. Le père prit ses lunettes, mais le livre ne contenait que des poésies qu'il n'essaya même pas de lire. Il le reposa, feuilleta les autres, puis repoussa toute la pile. Il n'y avait là que des poèmes, et, sur certaines pages, on ne trouvait que quelques lignes parfois très courtes. Pour le père, ce n'était pas du travail sérieux. Un peu comme un boulanger qui eût triché sur le poids du pain. Il trouvait stupide d'acheter des livres contenant autant de papier blanc. Plus il réfléchissait, plus son garçon lui paraissait étrange, différent de ce monde où sa famille avait toujours vécu.

La mère ne disait rien. Elle faisait son ouvrage en silence, s'efforçant d'ouvrir la porte le moins souvent possible pour ne pas laisser sortir la chaleur de la pièce. De loin en loin, le père l'observait. Il lui semblait qu'elle avait quelque chose à dire, mais qu'elle n'osait pas le faire. C'était une idée qui lui venait comme ça, mais que rien ne motivait solidement.

Quand elle eut achevé de ranger la vaisselle de la veille, elle apporta sur le feu une marmite de fonte où elle avait mis des épluchures de légumes qu'elle destinait aux lapins. Puis elle versa sur la toile cirée un petit sac de lentilles qu'elle se mit à trier.

— Veux-tu que je t'aide? demanda le père.

— Non, il n'y en a pas tant.

Il y eut encore un silence, puis la mère reprit :

— Cette nuit, je n'ai pas eu chaud.

— C'est vrai, à présent, le froid est entré dans la maison. Ce soir, il faudra faire une flambée pour sécher un peu les murs et assainir.

— C'est tellement humide que, pour bien faire, il faudrait chauffer toute la journée.

— Toute la journée? Mais ce serait de la folie. C'est plutôt la nuit, qu'il faudrait chauffer, comme nous faisions avant la guerre, quand il y avait de gros froids. Seulement, avec ce que nous avons de bois, c'est même pas la peine d'y penser.

La mère se tut, et le père pensa que cette conversation en resterait là. Ils avaient déjà parlé de cela l'hiver précédent, mais la mère savait fort bien que le bois était trop rare pour qu'il fût possible de chauffer réellement la chambre.

Durant un long moment, il n'y eut que le bruit

des lentilles tirées une à une sur la toile cirée et que la mère faisait tomber dans un saladier posé sur ses genoux. Enfin, après un soupir, elle finit par dire :

— Tout de même, ces fagots qu'on a faits, ça représente pas mal de bois.

— Les fagots, ils ne sont pas fabriqués. Et tu sais bien que je n'ai même pas pu finir de scier le gros bois.

— Justement. Julien pourrait le faire. En prenant quelques précautions, il peut bien aller jusqu'au hangar sans se faire voir.

Le père ne savait que répondre. Bien entendu, si Julien pouvait scier et fendre ce bois, ce serait une bonne chose. Mais si la mère parlait ainsi, c'était donc qu'il avait exprimé le désir de se cacher ici, de vivre ignoré dans cette maison que seul le jardin séparait de la ville. La mère dut penser que son homme était séduit par la perspective du service que pourrait lui rendre le garçon, car elle reprit :

— Tu comprends, s'il se cache ici quelque temps, il ne pourra pas travailler dans la cuisine. A trois dans cette toute petite pièce... et puis, à tout moment quelqu'un peut venir. Comme il n'y a pas de fourneau dans sa chambre, il faudrait qu'il installe une table dans la nôtre... Seulement... Seulement, il faudra bien qu'il fasse du feu...

Le père serra les mâchoires. Sa main se crispa sur l'angle de la table. Un flot de mots montait à sa gorge. Rien ne passait. Il ouvrit plusieurs fois la bouche, mais il ne trouvait pas à s'exprimer. Ce que la mère venait de dire était trop éloigné de tout ce qu'il avait espéré, et même de ce qu'il avait redouté. Aucune des phrases qu'il avait si longuement retournées dans sa tête ne pouvait lui être utile. Décidément, il ne parviendrait jamais à comprendre ni sa femme ni Julien. Quand il était seul avec elle, la vie n'était jamais absolument facile, mais tout de même, le travail mené en commun les rapprochait toujours et la peine de vivre aplanissait bien des difficultés. En revanche, dès que Julien arrivait, le monde était bouleversé à tel point qu'il ne s'y retrouvait pas.

Donc, le garçon avait envisagé de vivre là, sans rien faire, à se cacher au coin d'un feu qu'il faudrait entretenir pour lui seul alors qu'on se privait déjà de bois! Et la mère approuvait. Elle était prête à soutenir ce paresseux qui n'avait même pas pu se tenir tranquille dans l'armée! Bon Dieu, mais s'il ne pouvait même pas faire un soldat, c'est qu'il ne saurait vraiment rien entreprendre avec quelque chance de succès!

Cette nouvelle le prenait tellement au dépourvu, qu'il se sentait incapable d'exprimer sa colère. Il demeurait là, sans voix, à regarder sa femme en se demandant seulement si elle prêtait toute son attention à sa besogne où si elle gardait la tête penchée pour éviter de lever les yeux sur lui.

23

Il était plus de 10 heures lorsque Julien descendit.

S'efforçant de sourire, le père remarqua :

— Tu avais du sommeil en retard, tu as presque fait le tour du cadran.

— Il devait être content de retrouver son lit, dit la mère. Mon pauvre grand, est-ce que tu étais assez couvert, au moins?

— Ça va très bien.

Julien s'assit devant son bol que sa mère emplit aussitôt en disant :

— Il n'y a pas beaucoup de lait, et ce n'est vraiment pas possible d'en avoir plus.

— C'est comme le reste, dit le père, nous n'avons rien. Rien du tout. C'est bien simple.

Il y eut un silence. Julien s'était mis à manger, et le père l'observait. Ce garçon barbu, amaigri, c'était pourtant son fils. Il se demanda s'il n'en avait pas un peu douté, la veille au soir, en le voyant entrer. En tout cas, ce matin, il le reconnaissait bien. Durant la nuit et depuis qu'il était levé, il n'avait cessé de ruminer un discours qu'il s'était promis de lui tenir pour l'inciter à vivre comme tout le monde, à rentrer dans ce qu'il jugeait le droit chemin, et, à présent, il ne retrouvait presque rien de ce propos si bien préparé. En regardant son garçon, il pensait surtout aux mois qu'ils avaient passés à l'attendre, la mère et lui. Cent fois ils l'avaient cru mort, et chaque fois ils avaient eu mal. Jamais ils n'en avaient parlé, mais le père avait fini par savoir très bien deviner ce qui se passait dans le cœur de sa femme lorsqu'il était question de Julien. Cent fois il avait eu envie de lui dire : « Moi aussi j'ai mal. J'ai aussi mal que toi à la pensée qu'il est peut-être mort, mais tu crois toujours que je ne l'aime pas; que je n'ai pas de cœur. » Ces mots-là, il les avait si souvent ravalés qu'il ne pourrait jamais les prononcer. Il le savait, mais il savait aussi qu'il aurait bien du mal à sermonner Julien. Pourquoi? Il se le demandait. Il avait des difficultés à comprendre ce qui se passait en lui chaque fois qu'il se trouvait en face de ce garçon. La colère qu'il entretenait tant qu'il demeurait seul, fondait presque entièrement aussitôt que Julien paraissait. S'il parvenait à la retrouver, il devait faire un effort pour crier, et, presque toujours, les choses tournaient mal parce que les mots n'exprimaient jamais exactement son sentiment. C'était tellement compliqué, de s'entendre avec un gaillard de vingt ans aussi différent de lui!

Et pourtant, il ne pouvait pas se résigner aussi vite à tout accepter. Il ne s'agissait pas que de lui, mais de leur tranquillité à tous. Il fallait que la mère fût complètement aveugle pour ne pas voir le danger que représentait la présence d'un déserteur recherché par les gendarmes. On ne pouvait pas le laisser s'installer ici sans savoir ce qu'il comptait faire.

Durant un long moment, comme pour se donner la force de parler, le père tenta de se représenter ce qui pouvait survenir. Il vit les gendarmes chez lui, les miliciens, les Allemands même; des jugements, la honte, la maison fouillée, pillée, incendiée. Il se nourrit ainsi des prévisions les plus pessimistes jusqu'au moment où, n'y tenant plus, il demanda d'une voix qui tremblait un peu :

— Alors, que comptes-tu faire, exactement?

Julien qui avait terminé son déjeuner alluma une cigarette, s'approcha de son père et lui en offrit une en disant :

— Ben, je te l'ai dit, j'ai un travail à faire.

— Mais enfin. Rester ici, c'est te fourrer dans la gueule du loup. Tu ne peux tout de même pas vivre comme un prisonnier, sans jamais mettre le nez dehors.

— Tu sais, si je m'installe dans votre chambre pour travailler, je ne serai pas à plaindre.

Le père hésita un moment. Il sentait que ce qu'il répondrait allait peut-être hérisser la mère. Jusqu'alors, elle n'avait rien dit. Elle était dans la souillarde dont la porte était à peine entrouverte, mais sans doute écoutait-elle. Le père s'efforça de rire.

— Tu ne seras pas à plaindre, fit-il, mais ce qui risque d'être à plaindre, c'est notre réserve de bois.

— Ça alors, si dans un pays pareil on manque de bois...

Le père allait répondre lorsque la mère sortit de la souillarde en disant :

— Ton père a raison. Nous te raconterons ce que nous avons dû faire pour avoir assez de bois pour l'hiver. Ce n'est pas facile, tu sais.

Elle marqua une hésitation, puis, se tournant vers le père, elle dit simplement :

— Tout de même, nous avons largement pour l'hiver. Et tu dois bien comprendre qu'il ne peut pas passer ses journées dans cette cuisine en se cachant chaque fois qu'on entendra venir quelqu'un. S'il veut travailler, faut qu'il s'installe.

Le père baissa la tête. Tout cela voulait dire : « C'est ton fils. Il vient se cacher ici, tu ne vas pas le laisser geler. Tu ne vas pas le jeter dehors.

Même si nous devons crever de froid et de faim parce qu'il n'a pas de cartes d'alimentation, nous devons le garder avec nous le plus longtemps possible. C'est mon petit. Il est là, je ne le lâche plus. Et toi, tu n'es qu'un vieil égoïste. Je te l'ai déjà répété cent fois et je te le dis encore. »

Oui, le père le sentait. Tout cela était écrit dans le regard de la mère comme dans un livre largement ouvert. Et, en plus, dans ce regard, il y avait la menace de parler de Paul. Du transport des fagots, de la nourriture que sa femme et lui vendaient ou achetaient au marché noir, de ses amitiés, de ses relations que Julien réprouverait sans doute, lui qui avait quitté l'armée de Vichy.

— Ce que je vous demande, dit Julien, c'est de me garder un mois, le temps que je fasse ce travail, et ensuite, je me démerderai.

— Mon pauvre grand, soupira la mère. Ça veut dire que tu repartiras encore... et Dieu sait où!

— T'inquiète pas, fit le garçon... t'inquiète pas.

Il semblait y avoir entre eux une complicité que le père soupçonna au moment où, peut-être, il allait se résigner au silence. Sans doute avaient-ils profité de leur soirée pour tout préparer et se dire qu'ils le rouleraient aisément. Ce fut ce qui fouetta sa colère.

— Enfin, lança-t-il, moi je veux bien, mais vous ne vous figurez pas que la police va se lasser de le chercher!

Il avait presque crié, et la mère parut surprise. Elle semblait avoir dans les yeux plus de tristesse que de colère.

— Si tu crois qu'il risque moins chez des inconnus ou sur les routes, il faut le mettre à la porte.

Elle avait parlé calmement, mais le père devina tout ce qu'elle pourrait dire encore. Il y eut soudain en lui une espèce de combat entre ce calme dont il avait pu bénéficier depuis le début de l'hiver, et cette guerre qui pouvait éclater entre eux et tout bouleverser. S'il risquait un mot maladroit, la mère lui crierait : « C'est donc sa mort, que tu veux. Sa mort pour que l'autre reste seul et qu'il ait tout. » Jamais elle n'avait parlé ainsi, mais le père savait que pour défendre Julien elle irait jusque-là.

Seul.

Une fois de plus il était seul. Une fois de plus sa tranquillité se trouvait menacée. Il les regarda encore tour à tour, puis, baissant les yeux, il se tourna de côté, posa son coude droit sur la table et murmura :

— Ma foi, vous faites comme vous voulez, moi, ce que j'en dis, c'est surtout pour Julien.

La fin de sa phrase atteignit tout juste le seuil de ses lèvres. Déjà il avait posé ses pieds sur la porte du four, et, lentement, son corps s'affaissait, retrouvant naturellement sa position de repos.

24

Le temps se remit à couler, lentement, un peu comme si l'hiver eût retrouvé un rythme de marche interrompu pour quelques jours. Julien ne se levait guère avant 9 heures, il descendait faire sa toilette et déjeuner, puis il montait s'enfermer dans la chambre des parents où il commençait à brûler du bois. A midi, comme on risquait trop une visite inattendue, Julien ne descendait pas. La mère lui montait son repas, faisant parfois deux ou trois voyages. Le soir, une fois les grilles du jardin fermées, le garçon descendait à la cuisine, mais on demeurait sur le qui-vive.

Que faisait-il, toute la journée assis à cette table qu'il avait poussée devant la fenêtre? Le père eût aimé le savoir. Chaque soir, lorsqu'il montait se coucher, il regardait la table, mais Julien n'y laissait que son sous-main, un stylo, des crayons, un dictionnaire et un cendrier souvent pleins de mégots. Le père en prélevait quelques-uns qu'il mettait dans sa boîte à tabac, hochait la tête et allait se coucher. La chambre sentait la fumée de cigarette et le feu de bois. Une fois la lampe pigeon éteinte, le père restait de longs moments les yeux ouverts, à regarder les lueurs qui dansaient au plafond. Une bûche brûlait encore dans le mirus aux micas obscurcis et fendillés. Il y avait des craquements; il y avait aussi ce bruit si caractéristique du bois encore vert et qui pleure sa sève sur les braises. En l'écoutant, le père pensait à la forêt, à la peine qu'ils avaient eue, la mère et lui, pour ce bois que le garçon brûlait tout le long du jour.

Mais cela, le père se gardait bien d'en parler. Il savait que sa femme eût très mal pris une observation. Simplement, le deuxième jour, il avait demandé :

— Mais qu'est-ce qu'il fait donc?

La mère avait répondu :

— Je ne sais pas. Il travaille.

— Mais il ne fait pas des dessins?

— Non. Il fait du travail d'écriture. Et il étudie dans des livres. Il faut le laisser faire. Il ne perd certainement pas son temps. Il faut penser qu'il a quitté l'école à quatorze ans pour partir en apprentissage. Il n'a pas étudié beaucoup. Il y a des garçons qui étudient jusqu'à plus de vingt ans.

Le père n'avait pas répondu. Ces paroles signifiaient clairement qu'un fils peut rester à la charge de ses parents bien plus longtemps que ne l'avait fait Julien. Il n'y avait rien à dire. Il n'y avait même pas à demander à la mère comment elle faisait pour se procurer à manger, pour trouver du pain sans ticket, ni par quel miracle Julien pouvait fumer tant de cigarettes, lui qui n'avait pas de carte de tabac. La mère ne passait pas davantage de temps à faire ses provisions, et rien n'était changé dans sa façon de vivre. Il convenait d'attendre, de laisser couler les heures en prenant sur soi pour ne manifester ni mauvaise humeur ni étonnement. Les temps étaient bizarres. Rien ne se faisait normalement, il était donc tout naturel de ne s'étonner de rien.

Le quatrième jour après l'arrivée de Julien, la température s'adoucit brusquement et le vent cessa pour laisser tomber une pluie violente.

— Je l'avais prévu, dit le père, depuis deux jours mon épaule me fait mal.

— Je vais en profiter pour aller scier du bois, dit Julien. Avec un temps pareil, personne n'ira au fond du jardin. Je vais mettre une pèlerine pour aller jusqu'à la remise, et même si un voisin me voyait, il ne me reconnaîtrait pas.

— Je vais avec toi, dit le père.

— Tu prendras froid, fit observer la mère.

— Non. Il ne fait pas froid. Je fendrai et j'empilerai. S'il arrive des gens, tu leur diras d'attendre ici, et tu viendras me chercher. Dans la remise, Julien peut toujours se cacher au grenier.

Ils restèrent toute la matinée au travail, et le père tenta plusieurs fois de poser des questions à son fils sur ce qu'avait été sa vie à Marseille. Mais Julien se bornait à parler de son ami le peintre qu'il admirait beaucoup.

Il y eut donc cette matinée, puis de nouveau le calme. De temps à autre un voisin venait, s'arrêtait un moment pour bavarder, puis repartait après avoir donné des nouvelles de la guerre, des gens que l'on arrêtait, de ceux que l'on fusillait, de ceux, aussi, qui disparaissaient sans jamais donner de nouvelles. C'était surtout M. Robin qui apportait des informations parce qu'il écoutait chaque soir la radio de Londres. Mais, pour le père, tout ce qu'il racontait était l'écho d'événements lointains. Les noms de pays lui étaient pour la plupart inconnus, et, lorsque M. Robin annonça par exemple la formation du gouvernement Tito, le père se demanda en quoi cela pouvait bien le concerner. M. Robin avait dit à la mère :

— Vous ne venez plus écouter la radio, madame Dubois?

— Non, il fait trop froid pour sortir le soir.

A chaque visite, M. Robin demandait :

— Vous n'avez toujours pas de nouvelles de Julien?

— Non, toujours pas de nouvelles.

De temps à autre M. Robin apportait un peu de beurre, ou un morceau de fromage, ou encore un paquet de tabac pour le père. Alors, la mère sortait avec lui en disant :

— Nous allons passer à la cave, je vous donnerai quelques oignons, et aussi des pommes pour le petit.

M. Robin apportait également des journaux que le père essayait de lire ou feuilletait pour regarder les illustrations.

La vie allait ainsi, avec ces visites de quelques voisins, et cet hiver qui hésitait entre le froid, le brouillard et la pluie.

Un après-midi, alors que le jour gris commençait à baisser, Paul Dubois arriva.

— Je passais, dit-il, et j'ai vu que la cheminée de la chambre fumait. J'ai eu peur. J'ai cru que le père était malade.

— Mais non, bredouilla le père, seulement, tu comprends...

La mère intervint :

— Avec la pluie de ces jours derniers, toute l'humidité est entrée dans la chambre. Les murs sont tellement mouillés que la tapisserie se décolle. Alors, nous sommes obligés de faire un peu de feu. D'ailleurs, tous les hivers, nous en faisons un peu.

— Bien sûr, dit Paul, mais habituellement, je sais que vous faites seulement une flambée le soir, c'est pourquoi je pensais que le père était couché.

— Ce soir, dit la mère, j'ai éclairé plus tôt pour essayer de sécher un peu les murs.

— C'est bien ce que j'ai vu. Quand je suis monté à la gare, vers 2 heures, ça fumait déjà. Sur le moment, je n'y ai pas prêté attention, et puis c'est dans l'après-midi que ça m'est revenu. Je me suis dit, pour qu'ils fassent du feu dans la journée, c'est qu'il doit y avoir quelque chose d'anormal.

Il s'était assis, il avait ouvert sa gabardine et rejeté en arrière un petit chapeau marron en tissu imperméable. Il avait un demi-sourire et regardait tour à tour le père et la mère. Il sortit son paquet de cigarettes, en prit une et fit glisser le paquet sur la toile cirée en direction de son père.

— Tiens, sers-toi.

Le père hésita. Il se sentait mal à l'aise. Le regard de son fils semblait fouiller au fond de lui.

— Tu sais, je fume de moins en moins, dit-il.

Il y eut au plafond un léger craquement. La mère toussa, mais Paul avait levé la tête. Il se mit à rire puis il dit :

— De faire sécher la maison, ça fait craquer le plancher.

— Il faut justement que je monte remettre une bûche, dit la mère en se dirigeant vers l'escalier.

— Vous ne voulez pas que j'y aille? proposa Paul, ça vous éviterait de monter. Si vous faites du feu toute la journée, ça doit représenter des voyages.

— J'ai l'habitude, répliqua-t-elle sèchement.

Elle monte. L'escalier craque. Le père a la gorge nouée. Il regarde son fils à travers la fumée de leurs deux cigarettes. Est-ce que Paul a deviné la vérité? Est-ce qu'il va parler? Est-ce qu'il fera autre chose? La Milice, qu'est-ce que c'est, au juste? Non. Ce n'est pas possible. Il n'oserait pas. Il ne pourrait pas le faire. Mais aussi, si la mère avait voulu, c'était peut-être à lui qu'il fallait demander conseil. A présent, il est trop tard. Trop tard? Peut-être pas.

Tout se bouscule dans la tête du père. Il se rend compte que ses mains tremblent, que son visage se crispe. Paul doit le voir. Paul sourit. Est-ce qu'il s'amuse? Est-ce qu'il rit du trouble de son père? Sans cesser de sourire, il dit :

— C'est vrai, pour la mère, ça doit être pénible, d'entretenir du feu là-haut toute la journée. Vous auriez un poêle à charbon, on le charge le matin, et il tient toute la journée. Moi, j'en ai un que je pourrais vous prêter.

La mère redescend déjà. Elle a dû prévenir Julien. Mais le père qui tendait l'oreille ne l'a pas entendue refermer la porte de la chambre. Est-ce pour que Julien puisse écouter ce qu'ils disent?

Elle paraît calme. Elle propose un verre de vin à Paul qui accepte. Elle verse, sa main ne tremble absolument pas et le père se demande comment elle peut faire. Paul boit la moitié de son verre et demande :

— Vous ne croyez pas, vous, que le charbon serait plus pratique? J'ai une petite salamandre que je pourrais vous prêter. J'enverrais un de mes chauffeurs pour vous l'installer.

— Non, répond la mère, le charbon, dans une chambre, c'est malsain. Et on risque de s'asphyxier.

— Ce que j'en disais, c'était pour vous rendre service.

— On vous remercie, dit la mère, mais nous nous débrouillons très bien comme ça.

— Le service que tu pourrais nous rendre, dit le père, c'est de nous faire apporter quelques sacs de bois, si un jour tu as un camion qui monte dans la montagne. Dans les tourneries, ça doit encore se trouver, des déchets de scie.

Le père a parlé d'une traite. Sans avoir préparé ce qu'il voulait dire, et il se trouve tout surpris de l'avoir dit.

— J'y penserai, promet Paul. La prochaine fois que nous aurons à livrer du côté de Morez, ou de Saint-Claude, je le dirai à mon chauffeur.

Il se tait. On dirait qu'il veut ajouter quelque chose. Son regard vole de l'un à l'autre. Il sourit toujours, mais plus de la même manière. Finalement, d'une voix plus grave et plus basse, il reprend :

— Mais je ne peux rien promettre. Quand un camion s'en va de ce côté, on ne sait même pas s'il reviendra. Il y en a qui ont été attaqués par les terroristes. Non seulement ils volent le chargement, mais ils gardent aussi les camions. Il y a même un chauffeur qui a failli se faire descendre parce qu'il rouspétait. Moi, je ne veux pas que mon personnel prenne de tels risques. Alors, les livraisons en montagne, je ne les fais que si on nous donne une protection.

Tout en parlant, il s'énerve. Le ton de sa voix monte et le débit se fait plus saccadé. Il s'arrête un instant, mais personne ne souffle mot. Il tire deux bouffées de sa cigarette, puis il reprend :

— Parfaitement, je demande une escorte. Nous, on travaille pour que les gens ne crèvent pas de faim. Si nous n'étions pas là pour livrer, ils n'auraient même pas ce qu'ils ont le droit d'avoir avec leurs cartes. Alors, c'est normal que la gendarmerie nous assure la sécurité. Et quand les gendarmes ne peuvent pas le faire, eh bien, ce sont les Allemands qui nous escortent. Parfaitement!... Je sais bien qu'il y en a à qui ça ne plaît pas du tout. Mais ceux-là, je les emmerde, moi. Je fais mon devoir. Que ça leur plaise ou non, c'est le même prix.

Son sourire s'est éteint. Son visage se tend, son regard se durcit.

Le jour baisse de plus en plus et il faudrait allumer la lampe. Mais la mère ne bouge pas. Elle est assise très droite sur sa chaise, les mains posées à plat sur ses genoux. Seul le côté droit de son visage est éclairé. Le père tourne le dos à la fenêtre. Il en est heureux. Paul est face à la lumière, mais ses traits deviennent moins précis. Seuls ses yeux continuent de briller. Il y a un long silence, puis, d'une voix moins forte mais qui vibre encore comme un métal qu'on heurte, Paul ajoute :

— Je suis commerçant, je fais mon métier. Et vous pouvez me croire, ça n'est pas drôle tous les jours. Nous vivons dans un monde où plus personne ne fait rien contre la racaille. Vous n'avez qu'à vous renseigner. Vous verrez qu'à Lons, tous ceux qui ont pris le maquis, ce sont les pires voyous. Des petits truands qui n'attendaient qu'une occasion de donner libre cours à leurs instincts de pillage et de meurtre. Voilà ce que c'est la résistance, comme ils disent. Ah, c'est du beau!

Sa voix monte de nouveau, puis s'arrêtant soudain, il se met à rire.

— Mais je ne suis pas venu pour vous parler de ça, dit-il. Je suis venu prendre des nouvelles parce que j'avais vu fumer la cheminée de la chambre. Ça n'a rien à voir.

— Non, tranche le père. Comme tu dis, ça n'a rien à voir. Et nous, toutes ces histoires ne nous regardent pas.

Le père n'a pas crié, mais il a parlé d'une voix ferme, presque dure.

Les mots sont venus parce qu'ils étaient en lui depuis un bon moment. Ils ont jailli comme gicle la bonde du tonneau où il met à fermenter des fruits pour la goutte. A présent, il soupire. Puis il se lève en ajoutant :

— Il va être l'heure d'éclairer et de mettre chauffer la soupe.

Paul se lève. Il boutonne sa gabardine, puis il dit avant de sortir :

— Je ne vous demande pas des nouvelles de Julien, je pense que si vous en aviez, vous m'en auriez donné.

25

En passant le seuil, Paul avait eu un petit ricanement. Il était sorti sans se presser, et une bouffée de crépuscule froid s'était engouffrée dans la cuisine. Quand la porte fut refermée, les deux vieux écoutèrent son pas descendre l'escalier puis décroître sur les dalles de la cour avant de se perdre dans l'allée. Il semblait au père que ce froid qui avait envahi la pièce était né de ce ricanement de son fils. C'était une impression curieuse et pénible, dont il eût aimé se défaire, mais qui persista jusqu'au moment où la mère descendit la suspension en disant :

— Si tu veux tirer les volets, je vais éclairer.

Quand le père eut refermé la fenêtre et qu'il se retourna, la mère achevait de moucher la mèche qu'elle venait d'allumer et Julien se tenait debout, au pied de l'escalier. Penché vers l'extérieur, tout occupé par l'effort qu'il devait faire pour décrocher les volets, le père ne l'avait pas entendu descendre. Leurs regards se croisèrent. Le visage de Julien était à la fois sévère et ironique.

— Tu ne devrais pas descendre avant que je sois allé fermer la grille, dit la mère.

Julien se mit à rire.

— A présent, lança-t-il, je n'ai plus de raisons de me planquer. Dans une heure toute la ville saura que je suis ici.

Le père redoutait cette réaction, et pourtant, il reçut ces mots comme une gifle.

— Qu'est-ce que tu nous chantes là! cria-t-il.

— La vérité. Si tu n'as pas compris, c'est que tu as vraiment la tête dure.

— Julien! cria la mère. Je t'en prie!

Il y eut un silence. La mère avait remonté la suspension, et la flamme s'était arrêtée de vaciller. Ils étaient tous trois debout, dans la lumière qui tombait de l'abat-jour éclairant la table qui les séparait.

Le père avait le souffle court, mais c'était davantage la colère qui l'oppressait que l'effort qu'il venait de fournir et l'air froid du dehors.

— Tu n'as pas le droit de dire ça, fit-il en se maîtrisant. Ton frère ne sait pas que tu es là. Et, même s'il le savait, pourquoi veux-tu qu'il aille le chanter sur les toits?

— Il ne le chantera pas sur les toits, mais il saura bien dans quelle oreille ça doit tomber pour être efficace.

— Mais pourquoi veux-tu qu'il fasse une sottise pareille, imbécile!

Le père ne se contenait plus. Quelque chose lui criait encore qu'il avait tort de s'emporter, mais sa colère l'étouffait. Il ne savait même pas au juste contre qui elle était dirigée, mais une force qu'il ne contrôlait plus l'obligeait à s'en libérer. Julien cria plus fort que lui :

— Pourquoi? Mais il te l'a dit. Parce qu'il est avec les Fritz. Parce qu'il a besoin d'eux! Parce que sans eux, il ne pourrait plus s'enrichir à faire du marché noir!

— Julien, tu dépasses la mesure!

Le père fut interrompu par une quinte de toux qui le saisit au moment où la mère intervenait :

— Taisez-vous tous les deux. Quelqu'un viendrait, il vous entendrait du milieu du jardin... Julien, tu vas remonter là-haut, moi je vais aller fermer la grille.

Julien haussa les épaules. Il resta un moment indécis, puis, comme sa mère faisait un pas dans sa direction, il tourna les talons et remonta rapidement dans la chambre.

Le père était resté planté entre la fenêtre et la table, à fixer le dos de sa femme. Ce dos tout d'abord immobile s'anima peu à peu d'un léger mouvement, et le père comprit tout de suite que sa femme s'était mise à pleurer. Il soupira, baissa la tête et se laissa tomber sur sa chaise.

Sa colère était toujours là, mais il savait qu'elle ne jaillirait plus. Il ne faisait aucun effort pour la contenir; elle était seulement comme une partie de son être qui se détachait peu à peu de lui. Comme une bête qui se repliait, se durcissait pour n'être plus qu'un bloc pesant et froid. Une chose à peine vivante mais qui l'empêchait tout de même de respirer librement.

Sans un regard vers lui, sans un mot, la mère jeta son châle sur ses épaules, prit la clef de la grille et sortit en hâte.

Dès qu'elle eut refermé la porte derrière elle, ce fut le silence. Une espèce de vide insondable où le père se trouvait plongé malgré lui. Une espèce de brouillard tout imprégné de suie où sa voix se perdrait sans éveiller le moindre écho si jamais il tentait de lancer un appel. Tout ce qu'il trouvait là lui était hostile. Les mots lancés par Paul. Les mots lancés par Julien. Et lui, tout seul au milieu de cela, ne sachant plus à quoi se raccrocher. Tout le temps qu'il demeura seul il ne put que répéter :

— C'est la guerre... Elle pourrit tout. Rien de bon ne peut en sortir.

26

Dès que la mère Dubois fut de retour, elle apporta la casserole de soupe sur la cuisinière. Le père l'observait à la dérobée, n'osant risquer ni une question ni un regard qui pût rencontrer le sien. Un moment passa, puis la mère monta dans la chambre. Le père tendait l'oreille, mais aucun bruit ne parvenait jusqu'à lui. Il attendit. La maison était comme un poids énorme sur ses épaules. Là-haut, sa femme et son garçon parlaient. Mais lui, seul dans la cuisine, il était en dehors de tout.

Sans qu'il comprît quel chemin elle avait emprunté, sa pensée s'arrêta soudain au grenier du hangar, derrière la pile de cagettes où dormait le squelette.

Est-ce que ce mort était plus seul que lui? Est-ce qu'il avait eu, lui aussi, des enfants? Qui avait bien pu le donner ou le vendre pour qu'on le promène ainsi dans le monde des vivants?

A l'étage, une porte se ferma, et le pas de la mère fit craquer les marches de bois. Quand elle parut, le père demanda :

— Il ne descend pas manger?

Sa voix était naturelle.

— Non, dit-elle, il s'est couché.

— Et il ne veut rien manger?

— Non.
— Il fait la mauvaise tête.
— Le mieux est de le laisser tranquille.
— Ma foi... soupira le père.
Sa femme marqua un temps avant de dire :
— Oh, je sais bien ce que tu penses, va.
— Ah oui? Eh bien, dis-le donc.
— Tu penses tout simplement que c'est toi qui n'es plus tranquille, depuis que ce gosse est rentré.

Le père fit un effort pour ne pas crier. Il passa deux fois sa main sur son menton avant de répondre :

— C'est vrai, que nous ne sommes pas tranquilles. Et tu as raison aussi de dire que c'est un gosse. Car il se conduit exactement comme un gamin qui ne voit pas plus loin que le bout de son nez. Mais nous, si nous ne sommes pas tranquilles, c'est surtout parce qu'on pense à lui. A ce qui peut lui arriver.

La mère s'assit lentement. Elle croisa ses bras sur la table et planta son regard dans les yeux du père qui comprit aussitôt qu'elle allait encore s'en prendre à lui.

— Il ne lui arrivera rien, si personne ne le dénonce, dit-elle lentement.

Elle ne manifestait aucune colère, et tout en elle paraissait étonnamment calme. Ce calme même était un peu inquiétant.

Baissant les paupières, le père murmura :
— Personne ne le dénoncera.
— Je l'espère, fit-elle.

Puis elle se leva pour aller chercher les assiettes qu'elle apporta sur la table. Le couvert dressé, ils commencèrent de manger en silence, et ce n'est qu'après avoir achevé sa soupe que la mère, toujours très calme, annonça :

— Il veut repartir.

Le père sentit entrer en lui comme une large

bouffée d'air plus facile à respirer. Il fit un effort pour ne rien laisser paraître de son soulagement. Il y parvint assez vite, car quelque chose d'amer venait gâter ce début de bien-être. Un sentiment qu'il définissait mal, mais qui s'ajoutait à sa peur de trahir. Il avala trois cuillerées de bouillon avant de demander :

— Repartir? Mais où veut-il aller?

— Il ne veut pas le dire. Et je crois même qu'il n'en sait rien au juste. Mais moi...

Elle devait chercher ses mots. Elle parlait lentement, hésitant à chaque phrase.

— Moi, reprit-elle, ça me fait beaucoup de souci. Je ne sais pas s'il trouvera facilement à se cacher. Ici, il aurait tout de même pu rester jusqu'à ce qu'on lui trouve une cachette plus sûre... A la campagne, par exemple.

— Personne ne l'oblige à partir.

— Non... bien sûr... personne...

Ce mot resta comme suspendu dans la tiédeur de la pièce. Il était là, éteint depuis longtemps, mais le père continuait de l'entendre.

La mère ne parlait plus. Sans doute pensait-elle que le père devinait ce qui se passait en elle. Quand on a tant vécu face à face, il y a des circonstances où le silence suffit. On prononce un mot qui est comme une amorce, et tout le reste se devine aisément.

Le couvert levé, la mère apporta sur la table un bol et le pot de miel de Provence. Elle mit à infuser du tilleul dans une petite casserole d'eau, puis, reprenant sa place, elle dit très bas, avec un regard du côté de l'escalier intérieur :

— Il est très malheureux, tu sais.

— Personne n'est bien heureux, dans les temps que nous vivons.

— Je sais. Il y a les circonstances, mais pour lui, il y a aussi d'autres choses qu'il ne nous dira pas.

Elle parlait toujours à mi-voix, avec des hésitations. Malgré tout, le père qui devait tendre l'oreille pour l'entendre, comprit qu'elle avait beaucoup à dire et qu'elle le dirait.

— Tu sais, fit-elle, quand il a voulu prendre le maquis, son copain qui l'accompagnait a été tué... Je crois qu'il y pense beaucoup... Et puis...

Là, elle marqua un temps si long que le père crut qu'elle allait renoncer à poursuivre.

— Et alors? demanda-t-il.

— Je crois aussi qu'il aimait une jeune fille, et ça n'a pas marché. Alors, tu comprends...

— Il t'en a parlé?

— Non. Mais je sentais bien que ça n'allait pas fort. Et l'autre matin, pendant que vous étiez à fabriquer le bois, j'ai lu ce qu'il écrit en ce moment.

Le père hocha la tête. Sa main se mit à tapoter la toile cirée. A plusieurs reprises il murmura :

— Ma foi... Ma foi...

Que pouvait-il dire de plus? Rien. Il n'y avait rien à ajouter. Lui aussi, il avait vu mourir des copains. Et par dizaines. Il se souvenait de leurs noms et de leurs visages. Mais c'était tout de même bien loin. Quant à cette fille que son garçon avait aimée. Et puis d'abord, aimer, qu'est-ce que ça signifiait au juste? Qu'il espérait l'épouser et qu'elle avait refusé? Encore une chance. Qu'aurait-il bien pu faire d'une femme, tel qu'il était en ce moment? Le père n'avait pas eu une jeunesse semblable à celle de Julien, il ne pouvait pas comprendre ce qui se passait en ce garçon si différent de lui. De son temps, il fallait passer tant d'heures au travail que l'on disposait de bien peu pour le reste. Il s'était marié une fois. Il avait eu un fils. Sa femme était morte le laissant seul avec sa boulangerie sur les bras. Sûr que ça n'avait pas été très drôle, mais il ne s'était pas cloîtré pour autant. Il ne s'était pas réfugié seul dans une chambre pour écrire qu'il était triste.

La mère attendait peut-être de lui une autre réponse. Après un long moment de silence, elle lui servit son infusion et demanda :

— J'ai envie qu'on essaie de voir Vaintrenier, qu'est-ce que tu en penses?

Tout à l'idée de ce désespoir sentimental de son garçon, le père fut surpris.

— Vaintrenier, fit-il, mais qu'est-ce qu'il a à voir là-dedans?

— Il était adjoint au maire. Il a donné sa démission depuis que Pétain est au gouvernement, ça prouve qu'il n'est pas d'accord. S'il n'est pas d'accord. il doit bien savoir comment on peut cacher Julien.

Le père leva les mains. Tout cela l'effrayait.

— Comme tu y vas, fit-il. Si tu commences à aller raconter que Julien est là...

Il se tut soudain. Il regretta ce qu'il venait de dire, mais la réaction qu'il redoutait ne se produisit pas. La mère ne parla pas de Paul, et il en conclut qu'elle voulait à tout prix éviter les disputes qui risquaient de compliquer les choses. Il allait poursuivre lorsqu'elle dit, toujours à voix basse :

— Ecoute-moi... Sans avoir l'air de rien, j'ai questionné M. Robin. Il m'a dit : « Si un jour vous aviez des nouvelles de Julien, voyez donc M. Vaintrenier. Je suis sûr qu'il pourrait faire beaucoup pour lui. »

Le père la regarda longuement. Elle ne baissa pas les yeux, mais il sentit pourtant qu'elle ne disait pas la vérité. Sans doute avait-elle déjà fait part à M. Robin du retour de Julien. Le père n'avait aucune raison de se méfier de ce voisin, et pourtant, la peur le saisit soudain. Même sans avoir l'intention de leur nuire. M. Robin pouvait commettre une indiscrétion. Il pouvait confier la nouvelle à sa femme, parler devant leur petit garçon... Dans la tête du père Dubois, il y eut un vaste remuement où toute une suite d'événements se précipitaient. Sa peur lui permit de réfléchir très vite. Il avait vu en même temps sa maison fouillée, incendiée, il s'était vu entraîné par les SS et emprisonné tandis qu'on fusillait Julien. Et, de tout cela, ce qui lui restait, ce qui devenait insupportable, c'était cette image de son fils exécuté. Est-ce qu'en apportant ce vieux mort sous son bras, le garçon n'avait pas amené ici son propre malheur?

Autant il avait refusé d'admettre que Paul pût commettre même une indiscrétion, autant cela lui paraissait à redouter de la part d'un étranger. Il savait bien que Paul était au mieux avec les Allemands alors que M. Robin ne se gênait pas pour les critiquer, mais son idée restait la même. Un mot malheureux et tout serait perdu. Et peut-être même irait-on penser alors que Paul était seul responsable.

Sa tête sonnait. Tout se bousculait en lui. Il avait mal tant il essayait de mettre de l'ordre dans ses idées, de maîtriser cette peur qui lui comprimait l'estomac. Peu à peu, cette peur se mua en colère. Et inexplicablement, ce fut contre M. Vaintrenier que se tourna cette colère.

— Bon Dieu! lança-t-il. Si Vaintrenier refuse de nous aider, c'est un beau salaud. Après ce que j'ai fait pour lui au moment de l'exode!

— Tu as fait du pain parce que tous les boulangers étaient partis et que la ville crevait de faim, dit calmement la mère. Je sais que tu n'étais pas obligé, mais je ne vois pas pourquoi tu te fâches.

Le père sentit que cet accès de rage était ridicule.

— Je ne me fâche pas, grogna-t-il. Mais je connais les gens. Quand c'est pour demander, ils sont forts. Quand c'est pour rendre service, ils ne sont plus là.

— Avant de dire, attends au moins de lui avoir demandé.

— Demandé, on ne peut tout de même pas aller lui demander ce soir.

— Ce serait pourtant bien le moment où je serais sûre de le trouver chez lui.

Le père se sentit à moitié soulagé. La mère se chargeait d'aller trouver Vaintrenier.

Elle regarda le réveil en disant :

— Il reste plus d'une heure avant le couvre-feu. J'ai largement le temps de faire l'aller et le retour.

Et sans même attendre de réponse, elle se leva et commença de s'habiller.

27

La mère s'était habillée très vite. Le père avait suivi chacun de ses gestes, chacun de ses déplacements sans penser vraiment. Elle partait. Elle allait tenter de convaincre Vaintrenier de les aider. C'était tout.

Et puis, dès qu'elle était sortie, le père avait murmuré :

— Elle y va... Bon Dieu de Bon Dieu, c'est moi qui aurais dû y aller. Elle ne saura pas insister... Mais avec le mal que j'ai à marcher par un temps pareil, comment est-ce que j'aurais pu faire?

Il disait cela, mais une autre voix en lui répondait :

— Tu n'y es pas allé parce que tu ne veux pas te mêler de cela. Tu ne veux pas t'occuper de Julien. Et c'est encore un reproche que tu te prépares. Et celui-ci, tu ne l'auras pas volé.

Mais quoi? Est-ce qu'il était responsable des sottises de ce garçon? Qui l'avait élevé? La mère. La mère toute seule. Elle s'était toujours opposée à ce qu'il prît en main l'éducation de ce garçon qu'elle avait pourri à force de le gâter. A présent le résultat était là. Non seulement Julien risquait la prison ou même le peloton d'exécution pour un coup de tête, mais encore il les mettait tous dans le bain en venant se réfugier ici. Ils pouvaient tous y passer, et la maison avec! Mais qu'est-ce qui comptait le plus? Bonsoir, voilà qu'il pensait encore à lui, à sa carcasse usée? Ce qu'il fallait avant tout, c'était permettre à Julien de se cacher. D'échapper aux recherches. Le reste comptait peu.

Il se répétait cela, mais une autre idée le tenaillait. Paul. Si Paul arrivait à obtenir des Allemands une escorte pour ses camions de livraison, c'était donc qu'il pouvait leur parler. S'entendre avec eux. Dire qu'il n'y avait peut-être là qu'un tout petit geste à faire pour que tout fût arrangé! Mais jamais la mère n'accepterait. Et pourtant, c'était la tranquillité assurée pour eux tous. Ce que penseraient les voisins? Mais d'abord, les voisins n'en sauraient rien. Et puis, ce qu'ils pouvaient penser...

Le père Dubois retournait cet espoir en lui, mais, à mesure qu'il le mijotait, il en montait comme une buée acide. Tout se brouillait, tout prenait un goût écœurant. Il se répétait les propos de Paul. Il revoyait son fils s'énervant à expliquer :

— Quoi! Les Allemands, qu'est-ce que vous avez tous contre eux? Ils nous ont battus. Et alors? Fallait pas leur déclarer la guerre! De quoi as-tu peur? Qu'on te vole ton bien? C'est pas eux qui le feront, c'est les bolcheviks. Et les Allemands te défendent contre le bolchevisme... Est-ce qu'ils te gênent, ici? Ils achètent. Ils paient. Ils ont créé les Commissions d'Achat alors qu'ils pouvaient très bien tout rafler puisqu'ils sont les plus forts. Moi, je travaille avec eux parce que je suis commerçant. Tu l'as été toute ta vie. Est-ce que tu refusais des clients? Je ne t'ai jamais vu mettre les pieds à la messe, et ça ne t'empêchait pas de faire du pain pour les curés et leurs écoles... S'il n'y avait pas des imbéciles pour leur tirer dans le dos, les Allemands ne seraient pas obligés de nous serrer la vis comme ils le font. Evidemment, quand on leur tue des hommes, ils fusillent des otages. C'est normal. Pétain a signé l'armistice, il faut s'y soumettre... Toi qui as fait 14, tu sais qui c'est, Pétain! Tu vas pas me dire que c'est un traître. Mais ce de Gaulle, tu le connais, toi? Tu en as entendu parler? Qu'est-ce que c'est? Un aventurier. C'est tout. Alors il y a des jeunes qui le suivent. Et notre devoir est de les éclairer, de les ramener à la raison.

Eh oui, Paul parlait ainsi, et d'autres qui parlaient également de la raison voyaient en Pétain un traître et en de Gaulle un sauveur. A qui pouvait-on se fier? Toute une vie à pétrir du pain puis à retourner la terre, ça ne laisse pas beaucoup de temps pour la politique. Et le père Dubois avait bien du mal à voir clair en lui.

Jusqu'à présent, la guerre ne l'avait touché que par toutes ces histoires et les restrictions. C'était énorme, mais ce n'était rien à côté de ce qu'il avait vu en 14 dans les pays où on se battait.

Par moments, il lui arrivait de s'imaginer que personne ne pouvait toucher ni à son jardin ni à sa maison. Ce petit coin de terre avait été épargné jusqu'ici, et il lui semblait qu'il devait l'être jusqu'à la fin de cette guerre. Car il faudrait bien qu'elle finisse un jour! Seulement, pour jouir d'un peu de tranquillité, il ne fallait pas introduire chez soi un baril de poudre. Et Julien n'était rien d'autre, pour le moment, que cet explosif qui pouvait tout faire sauter.

A plusieurs reprises, le père Dubois dut s'arrêter de réfléchir tant sa tête lui faisait mal. De loin en loin, il levait les yeux vers le réveil. Le temps passait. Le feu faiblissait. Fallait-il remettre une bûche? Avait-il le droit de monter se coucher avant le retour de sa femme? Est-ce qu'elle ne le taxerait pas d'indifférence s'il ne l'attendait pas ici?

Il était là, un coude sur la table et les pieds sur la porte du four. Il essayait d'être calme. De se dire que tout allait rentrer dans l'ordre, et pourtant, dans son dos et sur sa nuque, des frissons passaient que suivaient aussitôt des sueurs pires que celles qui trempaient sa chemise lorsqu'il peinait sur sa terre, au gros soleil de l'été.

Le travail long, et dur, et parfois décevant, il s'y était habitué. Depuis toujours l'effort fait partie de sa vie, mais ce mal qui lui labourait la tête était mille fois plus pénible.

La nuit pesait. Il était là. Julien était couché juste au-dessus de la cuisine. La mère marchait dans l'obscurité. Rien ne semblait vivre et tout semblait préparer pour eux un grand malheur.

28

A son retour, la mère avait expliqué que M. Vaintenier l'avait fort bien reçue. Il l'avait écoutée sans paraître surpris, puis simplement, il avait dit :

— C'est bien, j'irai vous voir demain, au début de la matinée.

Cette promesse n'avait qu'à moitié rassuré le père qui avait passé une mauvaise nuit tout agitée de cauchemars qui le réveillaient sans cesse.

Il fut debout bien avant le jour.

— Le début de la matinée, dit la mère, pour Vaintrenier, ça veut sûrement dire vers les 9 heures. Ce n'est pas la peine de tout bousculer.

— Il faut faire lever Julien... S'il voulait au moins se raser la barbe, il serait un peu plus convenable.

— Ecoute, ne commence pas avec ça.

Julien se leva. La mère lui annonça la visite de l'ancien adjoint au maire, Julien dit simplement :

— Ah, c'est bien.

Et puis ils déjeunèrent en silence. Un silence lourd, qui semblait suinter du ciel comme le jour gris de cette aube figée au ras de la terre.

Seul vivait le feu où une bûche d'acacia claquait sans arrêt.

— Autrefois, dit le père, un forestier sérieux n'aurait jamais mis de l'acacia dans le bois de chauffage. Mais aujourd'hui, ils se foutent de tout.

— Encore bien heureux d'avoir de quoi se chauffer, dit la mère.

Et ce fut tout. De nouveau le silence.

Le père observait Julien qui fumait, son déjeuner terminé. Les avant-bras sur la table, les mains croisées et la tête inclinée, le garçon paraissait absent.

Un long moment passa, puis Julien se leva et monta dans la chambre. Le père l'entendit remuer et comprit qu'il allumait le poêle. Il eut envie de dire à la mère que ce n'était peut-être pas utile, mais il se contint. Il sentit que c'eût été ridicule. Vaintrenier allait venir, mais sans doute ne dirait-il pas à Julien :

— Viens avec moi. Je m'occupe de toi.

Le père écoutait chaque bruit. Il imaginait son garçon bourrant de bûches le gros mirus qui devait ronfler. On ne se figure pas ce qu'un poêle pareil peut dévorer de bois dans une journée! Un mois de ce régime, et la première pile y passerait.

Les heures tournaient lentement. La matinée stagnait dans sa grisaille qui noyait les collines comme une eau trouble.

Vaintrenier arriva un peu avant 9 heures. Dès qu'il fut entré, il ôta son chapeau qu'il posa sur le petit meuble et déboutonna son pardessus noir.

— Si vous voulez me le donner, dit la mère.

Elle emporta le vêtement dans la salle à manger. Vaintrenier s'assit devant la table. Il avait dû marcher vite, car son visage était rouge. Il passa son mouchoir sur son front et sur ses cheveux gris ondulés.

— Alors, demanda-t-il, où est votre phénomène?

Le père eut un geste en direction du plafond.

— Je vais monter l'appeler, dit la mère.

Seul avec l'ancien conseiller, le père l'observa un moment avant de dire :

— Je te remercie d'être venu, Hubert. C'est très gentil de ta part.

— Ce n'est pas par gentillesse, que je suis ici, mais tout simplement parce qu'il est naturel de s'entraider. Quand je vous ai demandé de faire du pain, à la débâcle, vous l'avez fait.

Le père leva la main pour l'interrompre.

— Ça, fit-il, c'est de l'histoire ancienne. Et tu ne me l'avais pas demandé pour toi, mais pour les autres. D'ailleurs, ils ne t'en ont pas eu beaucoup de reconnaissance.

— Pourquoi dites-vous cela? Parce que je ne suis plus au conseil? Détrompez-vous. Personne ne m'a foutu dehors. C'est moi qui ai démissionné parce que je ne veux pas recevoir des ordres d'un gouvernement que je n'approuve pas!

Sa voix s'était durcie un peu. Et le père eut le sentiment qu'il y avait, dans ces quelques mots, comme un reproche qui lui était adressé. Il grommela :

— Moi, tu sais, à mon âge, la politique.

— Bien sûr, fit Vaintrenier, mais ce n'est pas seulement de la politique...

Puis il se tut. Mais le père sentait qu'il avait quelque chose à dire. Avant la guerre, Vaintrenier avait été élu par les gens du Front populaire. Il était à peine plus âgé que Paul Dubois, et le père savait qu'ils ne s'entendaient guère. Sans doute était-ce de Paul, que l'ancien conseiller avait envie de parler. S'il devait le faire, mieux valait que ce fût pendant qu'ils étaient en tête à tête, mais si la présence de la mère devait le contraindre au silence, alors, il fallait qu'elle redescende vite. Très vite.

Le père tendait l'oreille. L'angoisse montait en lui. Vaintrenier dit :

— Nous vivons des temps atroces, père Dubois.

La guerre n'est jamais drôle. Mais je me demande si une vraie guerre n'est pas un peu moins malsaine que cette situation où les Français s'entre-déchirent.

Il y eut un bruit dans la montée d'escalier, Vaintrenier se tut, et le père respira plus librement.

Quand Julien parut, le conseiller se leva pour lui serrer la main, et il se mit à rire en disant :

— Nom d'un chien, ta mère m'avait bien dit que tu faisais de la peinture, mais elle ne m'avait pas précisé que tu avais à ce point la tête de l'emploi.

Julien haussa les épaules.

— C'est surtout pour ne pas être reconnu, fit-il.

— Moi, je voudrais qu'il coupe cette barbe, dit le père.

— Bien sûr que non, lança Vaintrenier. Je ne dis pas que ça puisse lui permettre de passer inaperçu, mais je vous avoue que si je l'avais rencontré dans la rue, je ne l'aurais pas reconnu. Quand on l'a vu avec ses cheveux en brosse et son allure de sportif, ça change.

Le père insista encore mollement, parlant de mauvais genre, mais Vaintrenier l'interrompit pour observer :

— Même s'il voulait se raser, je lui déconseillerais de le faire en ce moment. Il est très bronzé, et s'il coupait sa barbe, ça se verrait. Et c'est là qu'il aurait l'air d'un garçon qui a voulu changer de visage.

Le père eut un geste de lassitude. Décidément, rien n'était normal à cette époque.

Julien alla chercher une chaise à la salle à manger, et ils prirent place autour de la table. La mère servit un petit verre de marc à Vaintrenier qui en but une gorgée avant de dire :

— On n'en boit plus très souvent, à présent.

— J'en avais quelques litres d'avance, fit le père, mais j'ai peur que ça ne dure pas autant que la guerre.

— Qui sait! dit le conseiller. Les affaires des Fritz ne vont pas très fort ni en Italie ni en Russie.

Il marqua un temps. Puis, se redressant un peu, il regarda Julien en demandant :

— Alors, qu'est-ce que tu comptes faire?

— Pour le moment, je ne suis pas mal ici.

Vaintrenier fit non de la tête, lentement, deux ou trois fois avant de dire d'une voix très douce :

— Non, mon petit. Ce n'est pas possible. On ne saurait vivre ainsi dans une maison aussi petite, sans se faire repérer un jour ou l'autre. Tu peux te cacher n'importe où, mais surtout pas ici.

— Si personne ne me dénonce! lança Julien, presque agressif.

Vaintrenier eut un sourire triste et un nouveau hochement de tête. Il soupira :

— Bien sûr... Mais ça, c'est autre chose. Tu crois un peu au miracle.

Comme Julien allait parler, Vaintrenier leva la main pour lui imposer silence, et poursuivit d'une voix plus ferme :

— Je ne dis pas qu'on risque de te dénoncer vraiment par méchanceté, mais par bêtise. Ou par jalousie. Tu oublies qu'il y a des milliers de garçons de ton âge qui partent en Allemagne, pour le Service du travail obligatoire. Tu oublies que d'autres sont requis pour garder les voies ou travailler ici, dans les usines. Leurs parents ne sont peut-être pas d'accord pour les voir partir, mais s'ils savent que d'autres se cachent, sans vouloir leur nuire, ils peuvent avoir un mot malheureux.

Il hésita, regarda tour à tour le père et la mère Dubois puis, plus bas et plus lentement, comme s'il eût regretté d'être obligé de prononcer ces paroles, il ajouta :

— Et puis il y a la police, et aussi la Milice... Ils ont des yeux et des oreilles partout.

Le père baissa la tête. Il y eut un moment très long avec juste le crépitement du feu. Le père avait envie de crier à Vaintrenier : « Tu ne te figures tout de même pas que Paul va le dénoncer! » Et pourtant, il n'osa pas le dire. Il se contenta de murmurer :

— Et s'il se faisait connaître... S'il allait dire...

L'ancien conseiller l'interrompit. Avec un ricanement que le père ressentit comme une blessure :

— Ah non, père Dubois. Il est permis de se tenir en dehors de tout, mais vous ne pouvez pas ignorer ce qui se passe. Je ne prétends pas que tous les partisans du régime de Vichy soient des salauds, il peut y avoir des gens qui se trompent de bonne foi. Mais ceux de la Milice... Ah non! Ah non!

Il avait dû reculer devant un mot, de peur de blesser le père. Mais le père avait compris. Il avait peine à réprimer sa colère. Il eût aimé dire que tout cela ne le regardait pas, qu'il ne se sentait plus responsable de ce que faisaient ses fils. L'un était trop âgé. L'autre ne lui avait jamais appartenu. Et puis, il avait été soldat. Il y avait la guerre. C'étaient les gouvernements, c'était le monde qui était responsable de tout ce gâchis!

Les mots étaient en lui, tourbillonnant et se heurtant comme des noix dans un panier, c'était douloureux à force de tumulte, mais ça ne pouvait pas sortir. Il savait qu'il n'aurait jamais le dernier mot avec un homme comme Vaintrenier, habitué à la politique et aux discussions compliquées. Il se sentait paralysé. Il courba le dos. Son regard s'accrocha aux carreaux bleus et blancs délavés de la vieille toile cirée toute fendillée. Le monde était ainsi, tout craquelé, usé jusqu'à la corde, et on ne pouvait rien remplacer.

La colère du père se replia en lui, mais avant de se figer, elle le souleva encore malgré lui pour qu'il puisse lancer :

— Merde! Il nous reste juste à crever, quoi!

Vaintrenier ne parut pas ému, pas même surpris. Sans doute comprenait-il ce qui se passait en ce vieil homme. Le père s'en rendit compte, et il en éprouva un certain malaise. Le regard clair de Vaintrenier plongeait en lui. Il baissa les yeux, soupira, et, soulagé malgré tout par ce simple cri qu'il avait poussé, il comprit qu'à présent, ce qui lui restait de colère le laisserait en paix. Il comprit que tout ce qui allait se dire et se faire désormais serait étranger à sa vie. Après tout, puisque Vaintrenier était venu, c'était sans doute qu'il pouvait aider Julien, et le mieux était de le laisser parler et agir.

Le conseiller but encore une gorgée de marc, fit claquer la langue et dit :

— Tout ça ne nous avance guère. Ce qu'il faut, c'est que Julien ne reste pas ici.

Il se tut. Son visage se plissa. Son regard s'attarda sur la mère, puis sur le père avant de se fixer sur Julien qu'il dévisagea un moment en silence.

— A présent, finit-il par dire. C'est à toi de savoir ce que tu veux faire.

Julien eut un geste vague et une moue qui souleva son collier de barbe.

— Tu n'as pas trente-six solutions, reprit Vaintrenier. Ou bien tu prends le maquis, ou bien tu vas vivre dans une grande ville où tu n'es pas connu.

— Le maquis, murmura le père.

Vaintrenier le regarda, et il ne put rien ajouter. Mais le conseiller avait deviné sa pensée.

— Ce n'est pas exactement ce que vous imaginez ou ce qu'on a pu vous raconter, expliqua-t-il. C'est une armée... Clandestine, mais une armée tout de même. Vous connaissez mes idées, je n'ai jamais été militariste. Mais aujourd'hui, il n'y a plus qu'une seule chose qui compte : pouvoir le plus tôt possible reconduire les Fritz chez eux à coups de pied au cul. Certains s'en occupent; d'autres n'y tiennent pas du tout; et... et d'autres encore le souhaitent mais attendent que ça se fasse sans qu'ils soient obligés d'y mettre la main.

Il avait un peu hésité sur les derniers mots, et, quand il eut achevé, il se tut. Comme personne ne parlait, il vida son verre, posa à plat sur la table ses grosses mains, et se pencha vers Julien. Il semblait avoir pris une décision pour lui.

— C'est bon, dit-il. Je sais ce qui t'est arrivé quand tu as voulu rejoindre le maquis de la Montagne Noire. C'est une triste histoire, et je ne tiens pas à revenir là-dessus. Je n'ai pas à t'influencer. Tu vas réfléchir. Quand tu auras pris ta décision, tu viendras me trouver.

Il appuya un peu plus ses mains sur la table, bascula le buste en avant et se leva lentement. Quand il eut enfilé son pardessus que la mère était allée chercher, il parut se raviser et demanda :

— Montre-moi ce que tu as comme carte d'identité.

Julien monta dans sa chambre. Dès qu'il eut disparu, la mère demanda :

— Le maquis, monsieur Vaintrenier, tout de même, ça me fait un peu peur, vous savez.

— C'est une peur qui est tout à fait légitime, madame Dubois. Mais, voyez-vous, dans les villes, il y a constamment des rafles, on ramasse n'importe qui. On met les gens en prison, et, s'il faut des otages, on tape dans le tas. Alors, vous comprenez, les risques...

Comme Julien redescendait, la mère interrompit le conseiller pour lui demander très vite :

— Et dans une ferme...

L'homme leva la main.

— Ça, dit-il, c'est une solution. Mais ce n'est pas moi qui peux vous aider à trouver.

Il examina longuement la carte d'identité que Julien lui présentait. Puis il finit par demander :

— Est-ce que tu as d'autres photos?
— Oui. Il m'en reste une.
— Donne-la-moi!
Julien fouilla dans son portefeuille et donna une photo au conseiller qui la glissa entre les pages d'un petit carnet tout écorné.
— Je repasserai ce soir. En attendant, tâche de ne pas te montrer.
Puis, se tournant vers les vieux il ajouta :
— Si on vous demande ce que je suis venu faire chez vous, vous direz que ma femme vous devait des légumes et que suis venu vous régler.
Il leur avait déjà serré la main et se dirigeait vers la porte, lorsque la mère lui dit :
— Monsieur Vaintrenier, il n'a pas de carte d'alimentation.
Il se retourna. Et, d'une voix presque dure, il lança :
— Je sais. Vous me l'avez déjà dit deux fois hier au soir.
D'un geste sec, il enfonça son chapeau sur sa tête, et sortit rapidement. La mère fit un pas sur le palier, et elle attendit qu'il eût atteint le pied de l'escalier pour refermer la porte.

29

Après le départ de M. Vaintrenier, ils restèrent un moment sans parler, debout tous les trois, comme s'ils avaient attendu un ordre qui ne venait pas.

Le père regardait Julien qui portait un vieux pantalon tout taché de peinture, et un gros pull-over marron dont le col roulé montait jusque sous sa barbe blonde. Julien tirait de longues goulées de sa cigarette. Il se tenait un peu voûté, comme un vieux. Le père pensait qu'il allait parler, mais, après un long moment d'immobilité, sans un mot, il fit demi-tour et monta l'escalier.

La mère le suivit des yeux, parut hésiter, puis avec un geste las, elle dit simplement, de façon à peine perceptible :

— Mon Dieu, qu'est-ce que nous allons faire!

Ce n'était même pas une question. Et, de toute façon, le père n'eût rien trouvé à répondre. Comme il regagnait sa place, la mère monta rejoindre Julien.

Resté seul, le père tisonna le feu, s'assit lentement et se mit à regarder le jardin. La terre retournée pour l'hiver était noire. Nue. Toute gorgée d'eau.

Mais, entre le père Dubois et cette terre qu'il

fixait sans la voir vraiment, il y avait Julien. Maigre. Le visage barbu, les cheveux trop longs. L'air triste et pauvre. Non pas la pauvreté de ceux qui n'ont ni foyer, ni table, ni argent, mais une pauvreté indéfinissable. C'était ainsi. Pour le père, Julien était pauvre. Et il le revoyait riche. Riche de tout ce qu'il possédait autrefois. La force. Une santé. Une allure d'homme solide. Modelé par le sport et le travail manuel. Il semblait au père qu'on lui avait changé son garçon. Certes, ils ne s'étaient jamais très bien compris, il y avait toujours eu entre eux un fossé mal défini qui empêchait les mots de passer librement. Et pourtant, quand Julien était rentré de son apprentissage, avec un métier en main et des bras solides de bon ouvrier, malgré tous ses défauts et toutes ses bizarreries de caractère, le père s'était senti plus proche de lui. Aujourd'hui, c'était un autre garçon. Un garçon qui allait repartir sans savoir où diriger ses pas.

— Est-ce que tu préférerais le voir partir pour le maquis, ou bien le sentir dans une ville, à mener cette existence de rapin qu'il menait à Marseille?

Cette question était là, comme si elle eût été posée sans répit par la terre morte du jardin ou le feu qui pleurait doucement derrière la grille. Elle était là, et le père refusait d'y répondre. Il lui semblait qu'elle appelait une espèce de verdict qu'il ne se reconnaissait pas le droit de prononcer. L'idée qu'il se faisait de l'existence des artistes était telle que, tout au fond de lui, naissait peu à peu la certitude que rien ne pouvait être pire. C'était comme une eau qui cherche son chemin dans la terre et bute soudain contre le roc. Dès qu'il avait rejeté cette perspective de la vie en ville pour Julien, il se heurtait à l'idée du maquis. Et il s'arrêtait. Le maquis, c'était l'illégalité. Le risque d'être pris, condamné, fusillé, ou tué dans un combat en montagne. Les Allemands partaient, ils fusillaient ceux qu'ils pouvaient prendre et, par représailles, ils brûlaient des fermes dont les propriétaires n'étaient souvent que des paysans innocents. Est-ce qu'un père pouvait conseiller à son garçon de suivre ce chemin? Vaintrenier était un brave homme, mais avec des idées très à gauche. Le maquis, c'était une poignée de communistes!

Alors, il restait cette autre solution qui consistait à expédier Julien dans une ferme.

Peu à peu, à force de retourner tous ces pour et ces contre dans sa tête bourdonnante comme une ruche, le père finit par ne plus voir que la terre. La terre, c'était encore ce qui restait le plus propre. La guerre avait sali même le métier de boulanger en obligeant les mitrons à pétrir cette espèce de saloperie qu'on ne pouvait plus appeler de la farine. Elle avait contraint les meilleurs artisans à tricher sur tout et les commerçants les plus honnêtes à vendre la pire cochonnerie à prix d'or. Bien sûr, en ville, on accusait les paysans de s'enrichir en vendant leur production au marché noir, mais s'il partait à la campagne, Julien ne serait qu'un ouvrier agricole. Il n'aurait rien à vendre. Il aurait à retourner la terre, et la terre restait la terre. C'est-à-dire la seule chose qui résiste à toutes les souillures de la guerre.

Sans même se rendre compte que son cerveau travaillait exactement comme si Julien eût déjà pris la décision de se réfugier dans une ferme, le père se mit à passer en revue ses vieux camarades habitant la campagne.

Il en découvrait partout. A Courbouzon, à Gevingey, à Cousance, à Saint-Maur, à Vernantois. C'était toute une géographie de l'amitié qui s'élaborait peu à peu. Des visages aux traits incertains émergeaient lentement du passé; d'autres, plus nets, surgissaient soudain, aussi proches de lui que s'il les eût quittés la veille au soir. Camarades de régiment ou de guerre, clients au temps où il allait livrer le pain avec son cheval, vignerons chez qui il avait longtemps acheté du vin. Chacun arrivait, traînant derrière lui le souvenir de leur première rencontre, le souvenir des retrouvailles, tout un bagage serré de mille faits insignifiants dont il conservait pourtant chaque détail au fond de sa mémoire. Une vie, c'est fait de tout cela. Et la sienne était pleine à craquer de ces contacts qui s'inscrivent en vous. On les oublie, et puis un jour, pour une raison ou pour une autre, les voilà qui vous remontent à la tête tous en même temps. Et cette foule vous envahit le cerveau et le cœur comme elle ferait de la place Lecourbe un jour de grosse foire.

Et le matin barbouillé des cendres de l'hiver s'éclairait. Autour du père, cette foule qui montait du passé comme une eau qui grossit à la fonte des neiges se mit à vivre. Elle menait grand tapage. Elle versait en lui un vin clair. Un de ces vins qui ont su garder longtemps le soleil prisonnier dans l'obscurité de la cave.

Son visage se détendit. Il se surprit soudain à humer l'air de la pièce, comme il faisait les jours de fête, lorsqu'il venait de déboucher une de ses meilleures bouteilles.

30

Une bonne tiédeur s'était installée dans la pièce. Le père y demeura longtemps. Il ne bougeait pas. Il se recroquevillait. Il laissait aller ses souvenirs, redoutant seulement l'instant où le présent s'imposerait de nouveau.

Et cet instant arriva lorsque la mère descendit. Le père tenta encore de s'accrocher à tout ce qui s'était mis à vivre autour de lui, mais ce n'était plus possible. La seule présence de sa femme suffisait à effrayer ces gens venus de si loin pour lui seul.

— Alors? demanda-t-il.

— Il va partir.

— Où veut-il aller?

— Il prétend qu'il connaît assez de monde à Lyon pour trouver à se loger. Et il est certain de pouvoir y travailler.

Le père venait de demander de quel travail il s'agissait, lorsque Julien descendit pour prendre une valise qu'il avait posée dans la salle à manger. Il avait entendu la question et il dit :

— J'ai un métier, il n'y a pas de raison que je ne me débrouille pas aussi bien qu'un autre.

Le père sentit une bouffée de chaleur l'envahir. Alors, Julien allait donc reprendre une vie de travail. Retrouver ce métier de pâtissier qu'il avait appris puis abandonné? Le père eut pourtant une inquiétude et demanda :

— Mais tu es sûr de trouver de l'embauche? Avec les restrictions, la pâtisserie ça ne va plus très fort.

Le garçon parut tout d'abord complètement décontenancé, puis son visage se détendit brusquement et il se mit à rire.

— Mais qui t'a parlé de ça! dit-il. Mon métier, c'est la peinture. La pâtisserie, merde alors, si c'est ça que tu appelles un métier!

Il souleva sa valise, et grimpa l'escalier en continuant de rire.

Le père n'avait pas eu le temps de répondre, et il n'eût peut-être rien trouvé à dire tant ce rire lui avait fait mal. Un simple mot peut vous blesser si grièvement que vous perdez tous vos moyens. Un métier! C'est ce que tu appelles un métier! Julien avait dit cela avec tant de mépris, tant de dégoût, que le père en fut comme assommé. La mère baissa les yeux et dit :

— Il faut que je lui prépare son linge.

Elle disparut sans que le père eût trouvé une parole à prononcer. Il était encore sous le coup. Ses mains tremblaient. Sa gorge lui faisait mal. Et puis, peu à peu, quelque chose s'ouvrit en lui, libérant un flot de mots qui lui montaient à la tête.

Le métier, Bon Dieu, et alors quoi? Il le méprisait à ce point? C'était donc qu'il les méprisait tous. Y compris celui que le père avait exercé avec tant d'amour durant la plus longue partie de son existence! Et lui qui s'apprêtait à parler de la terre. Du départ possible pour une ferme. Quelle affaire! Est-ce que c'était l'époque qui voulait cela, ou bien tout simplement ce garçon qui était un monstre?

La mère allait-elle enfin comprendre que son garçon manquait de bon sens, de logique, de courage, de tout ce qui permet à un homme de mener à terme une existence honnête? Paul? Mais lui au moins, il avait un métier. Il avait réussi.

La peinture, un métier? Un métier qui consistait à se laisser pousser le poil et à se promener avec un vieux mort sous son bras?

Le père grommelait sans cesse. Il libérait ainsi une partie de sa colère et, à mesure qu'elle sortait de lui, il se persuadait que le mieux était de ne rien dire. Provoquer une dispute avant le départ de Julien ne servirait à rien. Julien allait partir, et peut-être alors la paix reviendrait-elle sur la maison.

31

Le départ de Julien fut plus rapide et plus facile que ne l'avait espéré le père Dubois.

Le soir même M. Vaintrenier apporta les cartes d'identité et d'alimentation. Il ne reparla pas du maquis. Sans doute avait-il compris que ni la mère ni le fils n'y tenaient vraiment. D'une voix posée, presque morne, il expliqua seulement :

— Tu as changé de nom et d'âge. Ta carte a été établie ici parce que tu as résidé dans la ville après la débâcle, mais tu es né à Philippeville que tu as quittée tout petit parce que tes parents se sont installés ici. Donc, tu ne te souviens de rien, et c'est normal. Nous agissons ainsi uniquement pour que les vérifications soient impossibles.

— Et quel nom lui donnez-vous, sur cette carte? demanda la mère.

— Vous me pardonnerez, madame Dubois, mais je crois qu'il est préférable que personne ne le sache. Je sais bien que vous n'irez pas le chanter sur les toits, mais c'est une règle de sécurité.

La mère ne broncha pas. Le père observa Vaintrenier, mais le regard du conseiller n'exprimait rien de particulier. Il semblait se livrer là à une besogne toute naturelle.

— Vous savez, disait-il, c'est une mesure que

même les épouses acceptent très bien. Vous ne pourrez pas écrire à votre fils, mais lui peut très bien vous donner des nouvelles de temps à autre, en vous expédiant des cartes chaque fois qu'il se déplacera.

Vaintrenier marqua un temps. Puis il finit par dire, d'une voix plus sèche :

— Julien n'est pas recherché par la Gestapo et la Milice comme le sont les gens qui sont soupçonnés d'appartenir à la Résistance. Il est seulement réfractaire au STO, et recherché par la gendarmerie à cause de son histoire de désertion... Par les temps qui courent, on ne va pas mobiliser une brigade de flics pour les lancer à ses trousses. S'il ne commet aucune imprudence, il ne risque absolument rien... Je me demande même si votre courrier est vraiment surveillé.

Il y avait quelque chose de moqueur dans le ton sur lequel il disait cela. Le père regarda Julien, mais le garçon ne bronchait pas. Il tenait les cartes dans sa main, et, sans oser les ouvrir, il les regardait de temps à autre.

Vaintrenier ne s'attarda pas. Il refusa de boire, leur serra la main à tous trois et sortit en disant à Julien :

— Je te dis merde tout de même.

Sur le palier, il se retourna pour ajouter :

— Bien entendu, au sujet des cartes, je compte sur vous... Vous savez ce que je risque.

Tout avait été si rapide que le père n'avait même pas eu le loisir de placer un mot. C'est tout juste si la mère avait eu le temps de remercier M. Vaintrenier. Et voilà qu'ils se retrouvaient tous les trois, sans geste ni parole. Julien qui ne s'appelait plus Julien tenait toujours les cartes sans oser les ouvrir. Il finit par les glisser dans sa poche avant de dire :

— C'est bon. Je partirai demain matin, au train de 6 heures. Il fera nuit, personne ne me verra partir.

La mère soupira :

— Mon Dieu, ce qu'il faut voir!

Le père toussa, se leva pour cracher dans le foyer puis reprit sa place.

Alors, ce fut le silence. Un silence troublé seulement par le bruit que faisait la mère en préparant le repas et en dressant le couvert. Accoudé à la table, Julien fumait. En face de lui, toujours de trois quarts et les pieds contre la cuisinière, le père fumait aussi une cigarette que Julien venait de lui donner.

Ils étaient là, avec cette dernière soirée à passer ensemble. Le silence les enveloppait. La nuit était autour de la maison. Dans le foyer, le bois brûlait sans ronfler. Il n'y avait pas de vent. Rien.

Et, lorsque le repas fut terminé et la table débarrassée, ce fut vraiment le vide.

Le père Dubois but son infusion, se leva et dit :

— Bonsoir.

Julien se leva aussi et dit :

— Je vais te dire au revoir.

— Non, je me lèverai avant que tu partes.

— C'est pas la peine.

— Si, je me lèverai.

Le père posa le pied sur la première marche de l'escalier intérieur, régla la flamme de sa lampe pigeon qu'il portait de la main droite, prit son vase de nuit dans la main gauche et répéta :

— Bonsoir.

Les autres répondirent, et il monta lentement se coucher.

32

Le père Dubois s'était à peine assoupi deux ou trois fois au cours de la nuit. Il avait entendu son garçon et sa femme monter se coucher plus de deux heures après lui. Il n'avait rien dit. Et, tout au long de la nuit, il avait bien senti que sa femme ne dormait pas non plus. Elle ne devait pas le croire endormi, mais elle ne parlait pas.

Ils étaient restés côte à côte, s'obligeant à l'immobilité. Tout proches l'un de l'autre et pourtant séparés par ce silence où ils s'enfermaient.

Le matin, la mère s'était levée longtemps avant l'heure, sans faire de bruit, pour descendre allumer le feu et préparer le petit déjeuner du garçon. Le père avait attendu que Julien fût debout pour descendre à son tour.

A présent, ils étaient tous trois dans la cuisine. La mère avait allumé la suspension, et, à cause de cela, ce matin ressemblait à une veillée.

Deux valises étaient posées à côté de la porte. Après la poignée de la plus petite, était ficelé un rouleau de papier journal qui devait contenir des dessins. Le manteau de Julien pendait au pommeau de la rampe d'escalier. Le père regardait tout. Et puis il regardait son fils qui mangeait lentement son pain trempé dans une bouillie d'orge où la mère avait râpé un carré de chocolat. La

cuisine était pleine de cette odeur de chocolat.
Le père but son bol de mauvais café, puis il sortit sa boîte à tabac et roula lentement une cigarette.
— Il est trop tôt pour fumer, dit la mère.
— Je n'en fumerai pas une de plus pour autant, observa le père. Tu sais bien que je n'ai jamais, dans ma boîte, que ma ration de la journée.
Ils se turent. Julien n'avait même pas levé la tête.
— Pour monter à la gare, dit le père, il faudrait qu'il passe par le boulevard. C'est plus long, mais il risquera moins de rencontrer des gens qui le connaissent.
— A cette heure-ci... dit Julien.
— Ton père a raison, c'est une précaution.
— Bon. Je passerai par où vous voudrez.
Il y avait quelque chose de triste en lui. Une résignation qui semblait peser sur toute la maison. Le père eût aimé dire quelques mots pour réconforter son fils, mais il ne les trouva pas.
A plusieurs reprises, la mère répéta :
— Mon pauvre grand... Mon pauvre grand...
Elle lui recommanda aussi plusieurs fois d'être prudent et raisonnable. Julien disait :
— Oui, oui. Ne te fais pas de souci pour moi.
Et tout cela entrecoupé de silences qui n'en finissaient plus de compter d'interminables minutes.
Quand le moment fut venu, le père demanda :
— Est-ce que tu as de l'argent, au moins?
— Oui, j'ai ce qu'il faut.
Le père savait bien que la mère ne devait pas le laisser s'en aller les poches vides, mais c'était tout ce qu'il avait trouvé à dire. En embrassant le garçon qui se penchait sur lui, il ajouta seulement :
— Ne nous laisse pas trop longtemps sans nouvelles. Et tâche de ne pas faire de bêtises.
Ce fut tout. Julien prit ses valises, et il sortit derrière la mère qui voulait l'accompagner jusqu'à la grille du jardin.
Resté seul, le père prit la coquille Saint-Jacques

qui servait de cendrier, vida les cendres dans la cuisinière, et mit dans sa boîte à tabac le mégot que Julien avait laissé. Ensuite, il ouvrit les volets et éteignit la lampe. Il faisait encore nuit, mais la lueur du feu dansant derrière la grille jouait sur le lino. Le père s'assit à sa place, posa ses pieds sur la porte du four et regarda le feu.

Julien était parti. Il s'en allait vers la ville. Les vieux restaient seuls. La guerre était partout. On ne la voyait pas, mais on sentait sa présence même au cœur de cette nuit qui semblait demeurer collée à la terre. Le père tenta d'imaginer les rues sans lumières, la gare avec quelques lampes voilées de bleu, mais les images qui se présentaient à lui étaient celles d'une autre guerre qu'il avait vécue alors qu'il était encore un homme en pleine vigueur de l'âge.

A présent, il était un vieux que ses forces quittaient. Jamais il ne l'avait aussi bien ressenti que ce matin, dans cette nuit dont il se demandait si elle finirait par tirer une aube de derrière cette terre qu'il devinait à peine.

Quand la mère revint, elle dit simplement :

— Tiens, tu as déjà éteint la lampe?

— Oui, pour ce que nous avons à faire.

— C'est vrai... à présent.

Et ce mot resta suspendu, accroché à ce temps qui s'immobilisait.

La mère s'était assise à sa place, entre le fourneau et la table. Ils ne se voyaient pas. Le père savait qu'elle fixait comme lui la lueur du foyer. Sans doute essayait-elle également de suivre leur garçon par la pensée.

Des minutes coulèrent qu'il ne pouvait plus compter. Une demi-heure peut-être, puis la mère murmura :

— Ça y est, le train est parti.

— Tu l'as entendu?

— Oui.

Le père n'avait perçu aucun bruit.

— Il a eu largement le temps de le prendre.

— Bien sûr. Les trains ont constamment du retard, dit-elle.

Le jour ne venait toujours pas, et le silence reprit sa place. Une charge de bois s'épuisa sans que ni l'un ni l'autre prononçât une parole. Quand il n'y eut plus que quelques braises dans le foyer, la mère se leva pour y mettre deux bûches.

— Tout de même, soupira le père, nous vivons une drôle d'époque.

— Pour nous, ce n'est rien... Mais les jeunes.

Le père ne répondit pas. La mère referma le foyer, regagna sa place et ajouta :

— Ici, il aurait bien pu rester, si nous avions été certains que personne ne le dénonce.

Ces simples mots remuèrent dans le cœur du père tout un limon amer. Il serra ses lèvres sur des paroles acides qui venaient malgré lui. Sa main se crispa sur le rebord de la table. Il serra si fort que ses phalanges craquèrent. Il y eut jusqu'à son épaule un long élancement.

Rien. Il ne dit rien. Et la mère non plus n'ajouta pas un mot.

Le regard du père quitta la grille du foyer pour chercher vers la fenêtre le premier signe de ce jour qui ne se décidait pas à paraître. Désormais, il savait que la mère et lui demeureraient ainsi, côte à côte, mais plus éloignés l'un de l'autre qu'ils ne l'avaient jamais été.

Ils allaient vivre dans l'attente, mais que pourraient-ils encore attendre de bon de cette interminable nuit ouverte devant eux?

Ce ciel de suie écrasant l'aube sans chaleur n'annonçait pas de vraie lumière.

C'était l'hiver.

C'était le silence.

C'était partout sur la terre comme une odeur fade, pareille à celle qui vous pénètre et vous glace, lorsque vous entrez dans la chambre où repose un mort.

TROISIÈME PARTIE

LES FLEURS DE L'ÉTÉ

33

L'hiver avait passé lentement, sombre et mouillé. Puis le printemps était venu, sans apporter la vraie joie, sans rien offrir d'autre qu'un vague espoir. La guerre finirait-elle par se taire? Mais qui pouvait dire qu'il en verrait la fin? Car elle était là, sous une forme qui effrayait chaque jour davantage.

Les gens parlaient sans savoir exactement ce qui se passait, mais il était certain que l'on tuait partout, sans raison, un peu au hasard. On arrêtait aussi beaucoup de monde. Un matin, les hommes de la Milice ou de la Gestapo arrivaient, ils emmenaient des gens que l'on ne revoyait jamais. Certains jours, le couvre-feu avait été fixé à 6 heures du soir, et un retraité du Village Neuf qui se trouvait dans son jardin avait été abattu par une patrouille. Il fallait s'enfermer, boucler les portes et les fenêtres; demeurer dans la pénombre sans jamais se montrer. Il y avait eu l'arrivée des Mongols de Vlassov, l'incendie de plusieurs villages sur le premier plateau, et il ne passait pas de semaine, sans que l'on apprît la mort de quelques personnes de connaissance. En avril, les Allemands avaient assassiné le Dr Michel, tout simplement parce qu'il avait soigné des résistants.

Le père Dubois ne quittait plus son jardin que pour aller chercher de l'eau à la fontaine, et, lorsque la mère s'absentait pour acheter les quelques denrées auxquelles leur donnaient droit leurs tickets, le père était inquiet.

Les gendarmes étaient venus trois fois demander des nouvelles de Julien, mais ce n'était pas méchant.

Le brigadier disait :

— Vous savez, on le fait par routine. Parce qu'il faut le faire, mais à présent, l'administration sait bien qu'il ne reviendra pas traîner ses guêtres ici avant la fin de la guerre.

Le père et la mère Dubois répétaient chaque fois la même déclaration qu'ils signaient tous les deux et qui se limitait à ceci :

« Déclarent n'avoir pas revu leur fils Julien depuis sa disparition, et ignorer où il réside actuellement. »

C'était presque la vérité. Ils n'avaient même pas à mentir puisqu'on ne leur demandait pas s'il leur arrivait de recevoir de ses nouvelles. D'ailleurs pouvait-on appeler des nouvelles quelques mots griffonnés à la hâte, signés d'un nom illisible, et qui avaient été postés une fois à Lyon, une autre fois à Saint-Etienne, ou encore à Marseille? C'était presque le silence. A peine ce qu'il fallait pour rappeler de loin en loin que Julien n'était pas mort.

La dernière visite de Paul remontait au début de janvier. Il était venu souhaiter la bonne année. Il avait bu avec eux une tasse de mauvais café, affirmé qu'il croyait toujours en la victoire de l'Allemagne, laissé à son père deux paquets de tabac, puis il était parti sans même avoir fait la moindre allusion à la disparition de Julien.

Pour le père, la guerre était un long silence et une solitude que rien n'éclairait.

Les vieux avaient même cessé de se chamailler. Ils menaient leur petit travail dans ce jardin qui leur permettait de ne pas mourir de faim.

Les voisins continuaient d'acheter quelques légumes et apportaient aussi des nouvelles de la guerre. Mais la guerre ne les tira vraiment de leur solitude que le jour où ils eurent la certitude que le débarquement des Alliés en Normandie avait réussi.

Il y eut comme un souffle d'espoir qui passa sur le pays et vint remuer l'air tiède de ce début de juin jusqu'au cœur du jardin. Ce fut M. Robin qui leur apprit la nouvelle. Il avait un large sourire, et il dit que ce serait bientôt la fin de toute cette misère.

Mais, après ce souffle d'espoir, un vent d'angoisse reprit le dessus. Les Allemands devenaient de plus en plus durs, et on pouvait redouter que la guerre balayât tout le pays.

— En 18, dit le père, ce sont aussi les Américains qui ont donné le gros coup, mais ça ne s'est pas fait sans qu'il y ait de la casse dans les pays où on se battait.

Et l'angoisse du père augmenta lorsque, le 16 août, ils apprirent que d'autres troupes avaient débarqué à Cavalaire. Pour la première fois depuis des années, le père se pencha sur la carte de France qui se trouvait au dos du calendrier des Postes.

— S'ils montent du Sud, fit-il, nous risquons fort de nous trouver sur leur chemin.

Ils étaient sans nouvelles de Julien depuis quatre semaines, et la mère se contenta de dire :

— Si seulement je savais où il est.

Le père ne broncha pas. Ils n'avaient jamais parlé beaucoup, mais depuis des mois, ils avaient appris à se comprendre à demi-mots. Cette simple phrase de sa femme, il savait qu'elle signifiait : « Toi, tu seras toujours le même égoïste. Tu penses à ton jardin, à ta maison qui peut être détruite. Tu penses à ta propre vie, mais pour moi, rien de cela ne compte vraiment. Ce qui compte, c'est mon garçon. Ici, avec nous, il courrait certainement moins de risques. Mais il est seul. Il peut être tué dans un bombardement, arrêté, torturé, et nous ne savons même pas où il se trouve. »

Le père lisait cela dans son regard ou dans sa façon de hausser les épaules lorsqu'il lui parlait de leurs biens. Elle s'était complètement détachée de tout, et même de lui. Elle continuait de le soigner, elle continuait de partager avec lui cette misère de pain noir qu'on leur vendait, elle partageait aussi ces nuits interminables qu'ils passaient côte à côte à se jouer la comédie du sommeil; et tout cela par habitude. Parce qu'il était dit qu'ils iraient ainsi jusqu'au bout de leur existence.

Mais cette existence n'avait plus qu'un goût de mauvaise denrée. Elle n'avançait même plus au rythme des saisons dont on sait bien que la plus rude en annonce une meilleure. L'été était venu, il n'avait rien apporté de bon. On avait tant espéré en vain que l'espoir même s'était usé.

— Vous êtes trop pessimiste, disait M. Robin. Les Alliés avancent. En quelques semaines nous serons libérés.

Le père Dubois hochait la tête.

— En 17, disait-il, on nous chantait le même refrain. Je connais les Allemands, ils ne se laisseront pas faire comme ça.

Ce qu'il redoutait le plus, c'était de voir la guerre arriver jusqu'à eux et se stabiliser sur une ligne toute proche du Jura. Ce serait alors la fin de tout. La maison détruite, le jardin bouleversé, la fuite sans rien vers des pays inconnus et hostiles. Ils avaient été épargnés en 40. Longtemps, le père s'était accroché à l'idée que ce coin de terre où il vivait serait préservé, mais, à présent, sans qu'il parvînt à comprendre pourquoi, la peur lui venait. Il se voyait dépossédé. Il imaginait à sa vie de travail, cette fin lamentable où tout serait détruit et saccagé.

Il poursuivait sa tâche, mais il sentait ses forces diminuer, et, souvent, il regardait son jardin avec dégoût. L'herbe poussait le long des allées, elle envahissait même certains carrés, et il ne savait que répéter :

— J'ai beau me crever, je ne peux plus. Je ne peux plus tout faire...

Il avait parfois des sursauts d'orgueil, et, quand quelqu'un venait, il montrait d'un geste de colère son jardin moins bien soigné qu'autrefois, et il disait :

— Je le ferais. J'en ai encore la force, mais c'est le temps qui me manque. Quand ils nous mettent le couvre-feu de 6 heures du soir à 6 heures du matin, ça ne nous laisse plus des journées assez longues. Surtout qu'à mon âge, quand je travaille au gros soleil de midi, je n'avance pas et je fatigue vite.

Dans la deuxième semaine du mois d'août, un après-midi qu'il travaillait non loin de la rue, le père entendit cliqueter la grille. Il se redressa et s'appuya sur son outil. Une jeune fille était entrée qui semblait hésiter. Son regard fouillait le jardin entre les arbres. Quand elle découvrit le père Dubois, elle suivit l'allée jusqu'à sa hauteur et, de loin, elle demanda :

— Madame Dubois, s'il vous plaît?

Le père ne la connaissait pas. Elle était petite, avec de longs cheveux châtains, et vêtue d'une robe à manches courtes, très simple. Elle portait un petit cartable de cuir.

— C'est pour quoi? demanda le père.

— Je viens chercher des fleurs.

Depuis la guerre, les fleurs se vendaient moins, et le père en avait réduit la culture pour laisser plus de place au légumes.

— Allez jusqu'au fond. Elle doit être près de la

pompe... Mais les fleurs, vous savez, il n'y a pas grand-chose.

La jeune fille s'éloigna. Le père la suivit des yeux un instant, puis se remit au travail. Il besogna quelques minutes, mais la présence de cette inconnue l'inquiétait. D'où pouvait-elle venir? Il était certain de ne l'avoir jamais vue ici, et les clients inconnus étaient vraiment très rares. Posant sa pioche contre un poirier, il longea la barrière, lentement, prenant soin de se tenir constamment derrière la rangée d'arbres.

Lorsqu'il fut à une vingtaine de mètres de la pompe, il s'arrêta. Entre les branches de pêchers, il apercevait la visiteuse qui lui masquait un peu la mère. Il se déplaça vers la gauche. La mère lisait. La jeune fille se tenait immobile devant elle. Après un long moment, la mère releva la tête. Son visage était à l'ombre de son chapeau de toile, et le père ne pouvait voir son expression. Pourtant, il comprit qu'il se passait quelque chose de grave, car la mère enfouit le papier dans la poche de son tablier, et baissant soudain la tête, elle cacha son visage dans ses mains.

Le père lutta un instant contre l'envie de rejoindre les deux femmes, mais il ne bougea pas. L'air était lourd, immobile, et tout bruissant du vol de mille insectes. De l'autre côté du mur de l'Ecole Normale, un camion allemand manœuvrait.

Le camion se tut. A présent, la mère parlait, mais le père n'entendait pas ce qu'elle disait. Sachant qu'il ne pouvait s'approcher davantage sans être vu, il regagna le carré où il avait laissé sa pioche. Quelque chose venait de se passer. Quelque chose de grave sans doute, et la mère ne l'avait même pas appelé! S'agissait-il de Julien? Probablement. Mais pourquoi la mère voulait-elle garder cette nouvelle pour elle seule? Estimait-elle qu'il avait perdu jusqu'au droit de savoir ce que devenait ce garçon? Mais qu'avait-il donc fait pour mériter d'être traité ainsi?

Il avait repris son ouvrage, et, à cause de sa colère, il travaillait à une cadence qui n'était plus en rapport avec ses forces. Très vite sa chemise fut trempée de sueur. Des gouttes perlaient à son front et coulaient jusqu'au bout de son nez. Quand il se redressa, une quinte de toux le saisit, l'obligeant à lâcher son outil. Le regard embué de larmes, il vit passer la jeune fille. Elle le salua de la tête, mais c'est à peine s'il put répondre.

Elle n'emportait que quelques fleurs de pivoines.

34

Le père avait à peine retrouvé son souffle lorsque la mère le rejoignit.

— Tu tousses, dit-elle, et tu es trempé de chaud. Tu devrais bien t'arrêter un moment.

Il avait soif. Et il avait surtout envie de savoir qui était cette fille. Il dit pourtant :

— Non. Je veux finir cette planche aujourd'hui.

— Il faut tout de même que tu viennes une minute... Il y a des nouvelles de Julien... Et tu en profiteras pour changer de flanelle.

Il partit derrière elle. Sa gorge le brûlait, et il dut de nouveau s'essuyer les yeux. Sa femme avait parlé calmement, mais il avait remarqué son menton plissé, ses yeux rouges et son visage tendu. Etait-il arrivé quelque chose de grave au garçon? Il trouvait qu'elle marchait trop lentement, et cependant, il avait peur de savoir.

Dans la cuisine aux volets clos et au store baissé, il faisait presque frais. Un vol de mouches tourbillonnait sous la suspension.

Le père but un verre d'eau pendant que la mère montait lui chercher du linge sec. Quand il se fut changé et assis à sa place, la mère s'installa près de la table et sortit de sa poche la lettre de Julien. Elle la posa sur la table et, de sa main largement ouverte, elle repassa lentement le papier froissé.

Comme elle ne se décidait ni à parler ni à lire, le père finit par demander :

— Alors, qu'est-ce qu'il dit?

— Eh bien, ma foi...

Elle se tut. Sa bouche remuait, ses lèvres semblaient mâcher des mots qu'elle ne parvenait plus à articuler.

— Eh bien, grogna le père, lis-moi sa lettre. Il en a mis plus long que d'habitude, à ce que je vois.

— Oui... C'est qu'il a beaucoup à nous dire... Et puis, comme sa lettre ne venait pas par la poste, il pouvait écrire plus librement.

— Tu la connais, cette jeune fille qui l'a apportée?

La mère fit non de la tête. Laissa passer encore quelques instants puis, levant lentement ses yeux pleins de larmes, elle murmura :

— Je ne la connaissais pas... Mais... mais c'est sa fiancée.

C'était la seule nouvelle que le père n'avait pas prévue. Il avait imaginé le meilleur et le pire, mais cela, vraiment, c'était à cent lieues de sa pensée. Il ne put que murmurer :

— Sa fiancée, tu dis?

— Oui... Ils vont se marier.

— Mais qui est-elle?

Comme si cette question l'eût soulagée, la mère répondit très vite, d'une voix beaucoup plus assurée :

— C'est une jeune fille de Saint-Claude. Tu ne la connais pas. Bien entendu. Elle s'appelle Françoise... Françoise Jacquier... C'est un nom bien connu dans le pays. Son père est maçon... Elle avait connu Julien à Saint-Claude, au cours d'une fête de gymnastique... Ils ne s'étaient pas revus, et ils se sont rencontrés à Lyon... Elle travaille là-bas.

La mère se tut. Elle devait avoir dit tout ce qu'elle savait de cette fille. Elle respira profondément et baissa la tête. Le père sentit qu'elle lui cachait quelque chose qui ne devait pas être aussi facile à raconter.

— Et il l'a envoyée jusqu'ici pour nous annoncer ça? Je suppose pourtant qu'ils ne vont pas se marier tout de suite!

Comme la mère ne répondait pas, il demanda encore :

— Comment a-t-elle pu venir, ça fait au moins dix jours qu'il n'y a plus de trains que pour les Boches. M. Robin nous l'a dit encore ce matin.

— Elle n'est pas venue par le train. Et de toute façon, elle monte jusqu'à Saint-Claude. C'est pourquoi elle n'est pas restée plus longtemps. Si elle peut s'arrêter, elle repassera nous voir lundi, en repartant.

— Enfin, soupira le père, j'espère qu'il ne se mariera pas sans avoir trouvé une situation. Et avec les temps qui courent!

— D'après ce qu'il dit dans sa lettre, et d'après ce que cette petite m'a expliqué, jusqu'à présent, il ne gagnait pas trop mal sa vie.

— Avec sa peinture?

— Oui. Avec sa peinture.

Le père vit passer une lueur de triomphe dans les yeux de sa femme. Mais elle baissa les paupières très vite pour ajouter :

— Evidemment, depuis le débarquement, les gens ont autre chose à faire que d'acheter des tableaux.

— De toute façon, ce n'est pas une situation. Et même si la guerre se termine, il faudra qu'il attende d'avoir retrouvé du travail avant de penser à se marier. J'espère que cette fille est capable de le comprendre.

Tandis qu'il parlait, la mère avait retourné deux fois la lettre sur la table. Le père remarqua que ses mains tremblaient. Il allait l'interroger, mais, le devançant, elle dit d'une voix cassée :

— Ils ne pourront pas attendre... Ils... Ils ont fait des bêtises.

Il était visible qu'elle avait grand-peine à retenir ses larmes. Le père sentit monter en lui un flot de colère, mais le visage bouleversé de la mère lui donna la force de se contenir. Il se contenta de dire, sans élever le ton :

— Bon Dieu! Il ne manquait plus que ça!

Elle devait s'attendre à ce qu'il se fâche, car elle leva vers lui un regard étonné. Elle dut s'apercevoir qu'il hésitait encore sur sa colère mal réprimée, car elle s'empressa de dire :

— Ne te fâche pas, Gaston... Je t'en supplie, ne te fâche pas. J'ai déjà trop de peine.

— Je ne me fâche pas. Ça ne servirait à rien.

Qu'elle eût avoué sa faiblesse et sa douleur aussi spontanément réconfortait le père. S'il se mettait à crier, s'il la chargeait de tout en lui rappelant qu'elle avait toujours trop gâté, trop soutenu, trop protégé Julien, elle serait incapable de se défendre. Il hésita un moment, mais le poids des dernières années qu'ils venaient d'endurer ensemble lui imposa silence.

Ce n'était plus possible, une nouvelle guerre entre eux. Tout autour et par-dessus cette maison qui restait leur seul refuge contre la folie du dehors, il y avait déjà trop de mal à supporter, trop de menaces, trop d'angoisse. Il fallait au moins qu'ils puissent se regarder en face sans se détester, se parler sans se blesser.

— Ma pauvre femme, soupira-t-il, que pouvons-nous y faire?

Sans bruit, presque sans que son corps fût secoué par ses sanglots, elle s'était mise à pleurer.

Le père patienta un long moment avant de demander :

— C'est dans sa lettre qu'il te dit ça?

La mère s'essuya les yeux et lut lentement :

— « Ma chère maman. C'est Françoise qui va te porter cette lettre. Elle t'expliquera que nous devons nous marier dès que ce sera possible. Je sais que tu aurais toujours voulu avoir une fille. Je voudrais que tu accueilles Françoise comme si elle était ta fille. »

Sa voix se brisa. Après un long silence, elle ajouta :

— Ensuite, il parle de sa situation. Et il dit qu'avant la fin du mois, la guerre sera finie.

Le père eut un ricanement.
— Finie! Mais dans quelles conditions? Et que serons-nous devenus d'ici là?
— Cette petite Françoise m'a dit exactement comme M. Robin. Ça va être la débâcle pour les Allemands comme pour nous en 40. Ils ne vont penser qu'à se sauver le plus vite possible. A Lyon, il paraît que beaucoup sont déjà partis.
Tout se compliquait. Tout prenait une autre teinte. Ce n'était plus seulement le souci de la guerre. On savait que Julien vivait, mais voilà que cette fille de Saint-Claude arrivait pour leur jeter dans les jambes d'autres raisons de s'inquiéter.
— Et cette jeune fille t'a dit que vraiment ils doivent se marier?
— Oui.
— Et elle a osé te dire ça?
— Julien l'écrivait dans sa lettre. Je lui ai demandé si c'était vrai. Elle a rougi, mais elle m'a répondu oui... Et... Et je ne sais pas comment t'expliquer, mais ça m'a fait l'impression qu'elle n'était pas vraiment gênée pour me le dire.
— Bonsoir, nous vivons tout de même une drôle d'époque! Je te le répète souvent. Mais je ne me trompe pas.
Plus bas, la mère répondit :
— Justement. C'est un peu l'époque qui veut ça. Si Julien n'était pas obligé de vivre sous une fausse identité, ils seraient déjà mariés.
— Tout de même... tout de même... Venir t'annoncer une chose pareille. Il faut vraiment que cette fille soit... il faut qu'elle n'ait pas de honte.
Il avait failli dire : « que cette fille soit une pas grand-chose ». Mais il s'était retenu.
— Je ne l'ai pas vue longtemps, dit la mère, mais elle ne m'a pas laissé une mauvaise impression.
— Est-ce que... Est-ce...
Le père se tut. Devinant ce qu'il n'était pas parvenu à formuler, la mère expliqua :

— Bien sûr, j'aurais dû t'appeler. Mais... Mais je préférais t'en parler avant... Et puis, elle était si pressée... Et déjà si intimidée pour me parler...

La colère du père était tombée, et il se força un peu pour élever la voix :

— Julien a dû lui parler de moi comme d'un ours. Je n'ai pourtant jamais mangé personne.

La mère avait encore les yeux humides. Elle sourit pourtant, et, se penchant un peu vers le père, elle murmura :

— Mon Dieu, quand je pense aux nouvelles que l'on peut recevoir en ce moment... Mon Dieu... Tu ne crois pas que nous avons encore beaucoup de chance?

35

Cette nouvelle si inattendue n'avait rien changé au cours des événements, et pourtant l'angoisse qui oppressait le père Dubois depuis plusieurs semaines s'atténua un peu. Inexplicablement, il lui semblait que rien n'arriverait qui fût plus important. C'était un peu comme si la guerre eût réservé à chaque homme sa part de malheur. Le père Dubois avait touché le solde de la sienne. Son fardeau bouclé, il pouvait espérer mener sa route à peu près tranquille jusqu'au bout de l'aventure. Tout cela restait flou, mais il sentait que la visite de cette fille avait remis en marche le cours du temps si longtemps suspendu au bord d'un gouffre dont ni lui ni la mère n'osait interroger le fond.

Comme il n'avait montré qu'un peu de mécontentement, la mère parlait souvent de Julien, de cette Françoise, de ce qu'il faudrait faire pour eux. Ses propos agaçaient le père, mais, là encore, il faisait taire sa mauvaise humeur. La mère parlait, et c'était un peu de vie qui remuait l'eau morte de leur solitude.

Et puis, cette fois, la déroute allemande se précisait. Le quartier en ressentait la fièvre. Des convois passaient en grondant sur le boulevard ou dans la rue des Salines. A l'Ecole Normale, c'était un va-et-vient presque incessant que le père observait souvent par une fente des volets de la chambre. M. Robin venait quatre ou cinq fois le jour donner des nouvelles. A 10 heures, il annonçait que les Alliés étaient à Lyon. A midi il venait dire qu'ils n'étaient qu'à Valence. A 4 heures il affirmait que Paris allait être libéré dans la nuit. Puis, quelques minutes avant le couvre-feu, il venait en courant annoncer que du côté d'Alençon se livrait une bataille qui allait mettre fin à la guerre.

— Cet homme est fou, disait le père.

— C'est nous qui ne sommes pas comme les autres, prétendait la mère. Nous nous terrons ici. Sans nouvelles. Mais tout le monde est sur les nerfs.

— A quoi ça avance?

Pensant à la guerre, le père était sans cesse partagé entre le désir de la voir se terminer avant qu'une bataille ne s'engageât dans la région, et le souhait que les Allemands connaissent enfin la guerre dans leur pays.

Il savait que les Russes avaient déjà pénétré en Pologne, mais c'était trop loin. Trop loin pour qu'il puisse en avoir une idée précise.

A plusieurs reprises, M. Robin parla de combats du maquis dans le Haut-Jura. Après son départ, la mère disait :

— Pourvu que cette petite ne soit pas prise dans une histoire pareille!

— Aussi, quelle idée de se déplacer en ce moment!

— Elle devait le faire.

— J'aimerais savoir pour quoi!

— Elle ne me l'a pas dit, mais je crois que c'était important.

— En tout cas, il est bien certain qu'elle ne pourra pas retourner à Lyon à présent.

Lorsque le père dit cela, il vit le visage de la mère se crisper. Elle soupira plusieurs fois, puis, d'une voix sourde, comme si elle n'eût pas vraiment désiré que le père l'entendît, elle murmura :

— Je ne l'ai pas vue beaucoup, cette petite, mais

pourtant, je ne sais pas... Il me semble que si je l'avais sentie près de lui, j'aurais été plus tranquille.

Et puis, dans un souffle, elle ajouta ces quelques mots que le père dut presque deviner au mouvement de ses lèvres.

— Elle a l'air tellement plus raisonnable que lui.

36

Les nuits étaient interminables à cause de ce couvre-feu qui commençait à 6 heures du soir, alors que le soleil était encore très haut dans le ciel. Le père et la mère mangeaient dans la pénombre de la cuisine, laissant le volet à peine entrouvert. Quand ils avaient achevé leur bol de soupe, ils demeuraient un long moment immobiles, épiant les bruits, scrutant le mince filet de lumière où les feuillages encore écrasés de chaleur vivaient du vol zigzaguant des insectes et du chant des oiseaux. Il leur arrivait de rester plus d'une heure ainsi, sans un geste, sans un mot, avec seulement, de loin en loin, un soupir qui semblait renoncer à exprimer le poids du soir. Lorsqu'un coup de feu claquait, quelque part sur la ville ou les collines environnantes, ils tendaient l'oreille davantage, ils se regardaient, puis l'attente, de nouveau, les enveloppait d'un silence plus épais.

Un soir, ils avaient entendu tirer tout près de la maison. Le lendemain, M. Robin leur avait appris qu'un homme, habitant un immeuble du boulevard Jules-Ferry, avait été blessé alors qu'il entrouvrait une fenêtre donnant sur son jardin.

Après cette interminable attente, le père et la mère montaient se coucher. Il faisait encore jour. Le père collait un œil à un trou minuscule qu'un nœud jailli du bois avait percé dans le volet de la chambre. Il découvrait ainsi une grande partie du parc et du jardin de l'Ecole Normale où le couchant étirait sur le sable roux des allées l'ombre déformée des arbres et des buissons. Des sentinelles casquées, bottées et vêtues de vert se tenaient immobiles aux angles des bâtiments. D'autres marchaient le long des murs d'enceinte, là-bas, au pied de la fromagerie. Cela signifiait que d'autres encore marchaient à moins de trente mètres de la maison, au pied du mur qui séparait le jardin des Dubois du parc de l'école. Chaque soir, en pensant à cela, le père revoyait des images de l'autre guerre. Il avait trente ans de moins. Le monde était différent, sa vie aussi, et c'était avec des récits de ce temps-là qu'il essayait de s'endormir. Mais souvent, il ne trouvait le sommeil que très tard, alors qu'il avait plusieurs fois repris et épuisé le lot de ces souvenirs.

Dans la nuit du 24 au 25 août, le père fut réveillé en même temps par la mère qui le secouait, et par un crépitement pareil à celui d'un grand feu de bois vert.

Il se dressa sur son lit. On tirait.

Des mitrailleuses. Des détonations sèches. D'autres plus sourdes. Des éclatements d'obus de mortier.

Les mains crispées de la mère serraient son avant-bras.

— Gaston... Ça tire partout!

Un feu sans cesse grandissant dévorait la nuit.

— Il faut se lever, dit-il.

— Ne parle pas si fort.

— Que veux-tu que ça fasse?

La première émotion passée, le père se sentait très calme.

— Habille-toi, ordonna-t-il. Et surtout, n'allume rien.

— Je ne suis pas folle.

Il remarqua que sa voix était plus assurée que lorsqu'elle l'avait réveillé. Il passa son pantalon, ajusta ses bretelles et enfila ses pantoufles. Puis, à tâtons, il se dirigea vers le volet.

— Ne t'approche pas de la fenêtre, Gaston. Reste là!

— Laisse-moi faire. Je ne veux pas ouvrir, va!

De la main il chercha le trou et y colla son œil. Les détonations se succédaient à une cadence de plus en plus rapide, et il perçut très nettement des lueurs du côté de la gare et au pied de la colline de Montaigu.

— Ils sont près de la gare, dit-il. Ça doit être une attaque contre les voies.

— Ou contre l'hôtel de la Gestapo.

— C'est possible.

Ils se turent un moment. Les claquements se rapprochaient.

— On dirait que ça tire aussi du côté de Montciel, observa la mère.

Le père écouta. Ce pouvait être un effet d'écho contre le flanc de la colline, mais il semblait pourtant que des détonations partaient aux quatre coins de l'horizon. De ce côté-là, la maison était aveugle, et il n'était pas question de sortir pour voir quoi que ce fût.

— Descendons, dit le père, nous serons plus en sécurité en bas.

— Pourtant s'ils entraient dans la maison...

Il eut un ricanement.

— S'ils entraient, ce ne serait pas la peine de se cacher. Mais ce qui est surtout à craindre, c'est qu'un obus foute le feu à la toiture ou la fasse écrouler. S'il y a le feu, en bas, nous sortirons plus facilement.

Il passa le premier, tâtonnant de la main et du pied.

— Si seulement il ne fallait pas sortir de la maison pour aller à la cave, dit la mère.

— Bien sûr, mais il vaut mieux ne pas essayer.

Dans la cuisine, le père alluma son briquet.

— Non, dit la mère, n'allume pas.

— Qu'est-ce que tu me chantes? Tu sais très bien

qu'on ne voit absolument rien à travers les volets... Allons, ne t'affole pas comme ça, je veux simplement regarder l'heure.

Il leva la main pour approcher la flamme du réveil. Sa main ne tremblait pas. Il remarqua tout d'abord que la mère était livide. Son visage était bouleversé. La peur creusait chacune de ses rides. Elle avait jeté son châle sur ses épaules et le serrait sur sa poitrine de ses mains crispées.

Le père éteignit son briquet. Il était 3 heures moins le quart.

Dès que la flamme eut disparu, l'obscurité parut plus totale, avec, pourtant, le souvenir de cette lueur qui faisait comme un trou sans couleur dans la nuit. La fusillade ne cessait pas, mais elle était comme une eau agitée de vagues. Une eau tournant autour d'eux, approchant, reculant, revenant plus vite et plus près.

— Je crois bien qu'on se bat un peu partout, observa le père.

— Tu crois qu'ils auraient attaqué la ville?

— Probablement.

— Les Américains?

— Comment veux-tu que je sache?

Il y eut une accalmie puis, soudain, des détonations claquèrent beaucoup plus près de la maison.

— On ne peut pas rester comme ça, fit la mère.

— Si vraiment ils se battent dans les rues, ça va être la fin de tout!

Le père avait presque crié. Il ne sentait pas de peur en lui, mais une colère qui le faisait serrer les poings.

— Ne crie pas, implora la mère. Ne crie pas.

— Mais nous sommes foutus, lança-t-il. Tu ne comprends pas que tout va y passer!

— Mon Dieu... Mon Dieu!

Ils demeurèrent encore quelques instants ainsi, debout dans le noir, au pied de l'escalier. Puis, brusquement, le père chercha, trouva le bras de sa femme qu'il empoigna en disant :

— Viens, on ne sait jamais.
— Mais où veux-tu aller?
— A la cave.
— Tu veux sortir?
— Personne ne nous verra... Il fait trop nuit. Et ils ont autre chose à foutre.
— Tu es fou.
— Non, justement. Je sais où on risque le moins.
— Mon Dieu...
Le père tira sa femme en direction de la porte. Il chercha la serrure, tourna la clef, tira le verrou puis, avant d'ouvrir, il se reprit :
— Est-ce que tu as de l'argent, ici?
— Oui... Et les titres.
— Il faut tout prendre.
Ils allèrent jusqu'à la salle à manger. Le père alluma son briquet. La mère ouvrit le tiroir de gauche du vaisselier et se mit à fouiller. Ses mains tremblaient toujours. Elle sortit des papiers, des objets qu'elle posait n'importe comment sur le meuble. L'air qu'elle déplaçait faisait vaciller la flamme qui s'éteignit à trois reprises. Le père jura. Son briquet ne s'allumait plus.
— Il faut trouver une bougie.
— Tu sais bien qu'il y en a une à la cuisine, et il y a un briquet aussi.
Le père chercha, tâtonnant, heurtant des objets qu'il renversait.
— Bon Dieu de Bon Dieu! Nous perdons du temps...
Il y eut trois détonations plus sourdes que les autres et qui ébranlèrent la maison, faisant vibrer les vitres. Le crépitement d'un fusil mitrailleur s'était rapproché. Le père alluma la bougie et retourna vers la mère qui n'avait pas bougé.
Elle approcha des papiers de la flamme qui dansait à leur souffle.
— Ne va pas foutre le feu, ricana le père. Ils s'en chargeront bien sans nous!

— Dans quoi je vais les mettre?
— Tu n'as pas un sac?
— Un sac?
— Oui, n'importe quoi.
Ils s'énervaient tous les deux. Le père sentait que la bataille se rapprochait. S'ils ne sortaient pas à présent, dans quelques minutes ce serait trop tard. Des hommes pouvaient envahir le jardin pour attaquer ou défendre l'Ecole Normale.
Il retourna à la cuisine, ouvrit la souillarde et décrocha un cabas de grosse toile pendu derrière la porte.
— Fourre tout dedans, dit-il.
Il décrocha aussi sa montre pendue près de la fenêtre et l'enfouit dans sa poche.
— Faudrait prendre des vêtements, dit la mère.
Elle sortit le manteau qu'elle s'était taillé dans la capote du soldat qu'ils avaient recueilli au moment de la débâcle, jeta sa pèlerine sur ses épaules. Ils allèrent jusqu'à la porte et le père éteignit la bougie qu'il mit dans sa poche avec les deux briquets.
Les coups de feu et les grenades claquaient de plus en plus près.
Le père tendit l'oreille, entrouvrit lentement la porte et se retourna pour demander :
— Tu n'entends rien bouger près d'ici?
La mère s'avança.
— Non.
— Alors il faut y aller. Tu te baisseras le plus possible. Et si ça tire tout près, tu te couches et tu bouges plus.
Il ouvrit de façon à ce qu'ils puissent passer. Il se courba en deux, retrouvant un vieux geste oublié. Il fit un pas sur le palier et sentit que la mère le tenait par sa pèlerine.
Au moment où il se retournait pour dire : « Ferme la porte sans la taper », une série de détonations déchira la nuit comme si on eût tiré sous leurs pieds. Entre les branches, le père vit courir des lueurs sur

les façades bordant la rue des Ecoles. Bousculant la mère, il se retourna en rugissant :

— Bon Dieu, c'est trop tard!

Ils s'étaient heurtés tous les deux. Le père sentit que sa femme perdait l'équilibre et s'agrippait à lui. Il essaya de la retenir, mais l'élan qu'il avait pris en se retournant le gagna. Ils tombèrent tous les deux dans la cuisine, ouvrant toute grande la porte qui cogna contre le chambranle.

Plus proches encore, des grenades explosèrent, et quatre lueurs rouges éclairèrent la pièce.

Le père se mit à genoux, aida sa femme à se déplacer sur le lino, et referma la porte.

37

— Bonsoir, grogne le père... Bonsoir... nous sommes foutus.

La porte est refermée. Ils sont là, tous les deux, côte à côte sur le lino froid de la cuisine. La mère ne dit rien.

— Tu t'es fait mal? demande le père.

— Non... Et toi?

— Non... Le sac n'est pas tombé dehors?

— Non. Je le tiens.

— Nous ne pouvons pas... rester là.

Le bruit est si proche qu'ils doivent parler fort et choisir les moments où le tir se calme un peu.

— Mais où veux-tu aller?

— Pas derrière la porte... Je vais monter chercher un matelas... Il faut se mettre dans la salle à manger, devant le meuble, comme ça on sera loin de la fenêtre.

Il sent que la mère se déplace. Il l'accompagne à la salle à manger. Ils vont à quatre pattes, comme des enfants qui jouent.

— Là... C'est le meilleur endroit... Couche-toi contre le meuble... Je vais monter.

— Non, reste là.

— Mais je ne risque rien. Je monte chercher un matelas.

Sa voix est ferme. Autoritaire. Pourtant, la mère dit encore :

— Je vais avec toi.

— Non. Reste là!

Il s'éloigne. Il trouve son chemin sans peine tant il connaît chaque recoin de cette maison. Il n'irait guère plus vite s'il faisait jour. Il n'éprouve ni fatigue ni essoufflement.

Arrivé dans la chambre, il va jusqu'à la fenêtre. Au passage, sa main cherche sur le marbre frais du guéridon où il pose chaque soir sa boîte à tabac. Il la glisse dans la poche de son pantalon. Il se penche vers la fenêtre et colle son œil au trou. La nuit est toujours sillonnée d'éclairs. On tire vers la gare. On tire vers la fromagerie, vers le Village Neuf. Des lueurs brèves détachent les silhouettes des arbres et des maisons.

Le père revient vers le lit et c'est là seulement qu'il pense que sa pèlerine va le gêner. Il en rejette les pans sur ses épaules, tire les draps vers le pied du lit et plie en trois le matelas qu'il prend à bras-le-corps. Il a retrouvé sa force de trente ans. Il soulève sans peine, il marche sans tituber. Son avant-bras heurte le pommeau de la porte, mais il n'éprouve aucune douleur. Il descend calmement l'escalier.

— Tu veux que je t'aide? demande la mère.

— Ecarte-toi.

Un temps.

— Pose, dit-elle.

Il laisse glisser le matelas et le couche le long du meuble.

— Pour le moment, dit-il, on va s'allonger dessus. Si ça se rapproche trop, on se mettra contre le meuble, et on dressera le matelas devant nous.

Les jambes allongées, ils se sont adossés côte à côte aux portes du meuble. Ainsi, ils ne sont pas en face de la fenêtre. Ils ont toute la largeur de la pièce entre eux et le mur très épais. Derrière, ils ont le meuble, puis la cloison, puis la cuisine et un autre mur. Derrière la cloison, il y a même la cuisinière de fonte. Le père n'a guère perçu que quelques coups qui font penser à des tirs de mortier. Mais tout le reste n'est que fusillade, tir de mitrailleuse et grenades. Les balles peuvent trouer les volets, mais pas les murs. Seuls les obus sont à craindre, mais pour le moment, il n'y a pas de tir d'artillerie.

— Tu as pris chaud, dit la mère, en descendant ce matelas. Enveloppe-toi dans ta pèlerine.

— Ne t'inquiète pas.

Lui, ce qu'il redoute surtout, c'est le feu. Il sait qu'une balle peut suffire à mettre le feu à la toiture. Entre les tuiles et le plafond, dans ce faux grenier où l'on ne monte jamais, il doit y avoir de la poussière facilement inflammable. Et le hangar, avec le foin, les cagettes sèches. Bon Dieu, tout pourrait griller comme une torche!

Le père s'étonne d'avoir pu conserver un tel calme. Il sent qu'il doit s'y accrocher. Il tire de sa poche la bougie, le briquet, sa boîte de tabac qu'il pose à côté de lui. Il bat le briquet.

— Tu allumes? Mais qu'est-ce que tu veux faire?

— Rouler une cigarette.

— Mon Dieu.

Il allume la bougie et la tend à la mère.

— Tiens voir ça.

La main de la mère tremble.

— Tu sais bien qu'on ne voit absolument rien du dehors. Allons, éclaire-moi.

Elle s'approche de lui. Le temps qu'il ait défait quelques mégots et roulé une cigarette, leurs deux visages restent tout près l'un de l'autre, éclairés par cette flamme qui fait luire le métal poli de la boîte à tabac. Le père referme sa boîte qu'il pose sur le matelas. C'est un peu comme s'ils étaient tous les deux sur le front, dans une tranchée. Il allume sa cigarette à la flamme de la bougie.

— Je suis sûre que ça se bat devant chez nous, dit la mère.

Le père écoute un moment. On doit tirer aussi bien sur le boulevard que dans la rue des Ecoles, c'est-à-dire de chaque côté de la maison.

— Mais qu'est-ce qu'il se passe. Qu'est-ce qu'il se passe donc? sanglote la mère.

— A présent, il n'y a plus de doute. C'est sûrement le maquis. Si c'était les Américains, ils auraient des canons... Il faut qu'ils se sentent forts... Il y a des barrages à toutes les entrées de la ville...

— Mais puisque je te dis qu'ils sont déjà dans notre rue.

— C'est peut-être les Boches, qui tirent d'ici.

Ils parlent vite. Et puis, durant de longues minutes, ils s'arrêtent pour écouter, pour tenter de suivre le combat par la pensée.

— Savoir ce qui se passe à Lyon, dit la mère... Savoir si cette petite a pu retourner là-bas.

Deux explosions de mortier ébranlent la maison. Le père se lève.

— Ne bouge pas, crie la mère.

— Laisse-moi. Je vais ouvrir une fenêtre. Sinon, toutes les vitres vont tomber.

Il va ouvrir la fenêtre de la cuisine et le vacarme est soudain plus proche encore. De la cuisine, le père demande :

— Est-ce que tu as du café de fait?

— Oui, mais il est froid.

Le père revient chercher la bougie. La mère est recroquevillée dans l'angle du mur et du meuble.

— Ne bouge pas, lui dit-il. Je reviens.

Il apporte la lampe à alcool et une petite casserole où il a versé du café.

— Tu es fou, dit la mère.

— Non. Si on doit y passer, j'aimerais boire mon café avant.

A présent, il doit déjà y avoir des hommes dans le jardin. Tout sera saccagé, c'est certain. Durant l'autre guerre, le père a trop vu de villages où l'on s'est battu, pour croire encore que son jardin, sa maison et son hangar conservent une chance d'être épargnés. Mais que peut-il faire? Rien. Sortir et leur crier qu'ils sont fous! Qu'ils n'ont pas le droit de venir se battre chez lui! Qu'il est en dehors de tout cela et qu'il ne manque pas de place ailleurs pour aller se battre!

N'y a-t-il pas des centaines d'hommes, dans toutes les guerres, qui ont eu envie d'agir ainsi?

Tant que la guerre vous tourne autour comme une ronde grinçante et grimaçante mais qui se tient à distance, il reste toujours un espoir. Mais le jour que la ronde se resserre, qu'elle entre dans le jardin et piétine tout en faisant le siège de la maison, que convient-il de faire?

Le père serre les poings. Il tire nerveusement sur sa cigarette. Bon Dieu, avoir un fusil, se mettre à une fenêtre et en tuer au moins quelques-uns avant d'y passer!

Il sent monter tour à tour en lui des ondes de haine et de tendresse. Il voudrait dire mille choses à la mère qui se serre contre son bras et sanglote.

— Ma pauvre femme... On s'en est pourtant vu, dans la vie... Des fois, on s'est engueulés; on aurait pas dû... J'ai sûrement eu des torts.

— Tais-toi, murmure-t-elle... Moi aussi, j'en ai eu.

— Là où on va se retrouver, on sera sûrement tous d'accord.

Des coups de feu claquent si près que c'est un peu comme si une grêle énorme et rageuse fouettait de toutes parts la petite maison.

Ils se taisent.

Ils repoussent le matelas, s'allongent sur le plancher froid, et tirent le matelas sur eux comme ils feraient d'un gros édredon.

A présent, ils n'ont plus qu'à attendre.

38

Ils restèrent longtemps ainsi. Le plancher était dur, le froid gagnait peu à peu le corps du père qui finit par se lever. La fusillade était moins intense.

— Je ne sais pas où ça en est, dit-il, mais on dirait que ça s'éloigne un peu.

— On ne sait même pas l'heure.

Le père tira sa montre de sa poche et alluma son briquet. Il était presque 5 heures.

Le bruit décrut encore, puis il n'y eut plus bientôt que quelques coups de feu.

— Reste ici, dit le père. Je vais monter voir ce qui se passe.

— Fais attention.

Il monta dans la chambre et regarda par le trou du volet. Le jour était là, mais le soleil n'avait pas encore dépassé les toits. Dans les allées du jardin de l'Ecole Normale, les Allemands étaient allongés ou assis à côté de leurs armes posées à terre. Ils bavardaient. Certains portaient leur casque, mais d'autres étaient tête nue ou coiffés de calots. L'un d'eux se leva, marcha jusqu'à un prunier où il grimpa. Le père pensa qu'il voulait observer ce qui se passait par-delà le mur, mais il comprit bientôt que l'homme était seulement occupé à cueillir des prunes. Quand son casque fut plein, il descendit, porta des fruits à ses camarades et revint vers un fusil mitrailleur dont le canon reposait sur une souche. Un autre soldat était assis sur la souche. On tiraillait encore çà et là, mais il y avait de longs moments de répit où le silence était seulement troublé par le grondement de quelques moteurs.

Les deux soldats mangèrent des prunes, lançant les noyaux en direction d'un autre groupe de soldats qui riaient. Quand le casque fut vide, l'homme qui était allé cueillir les fruits le remit sur sa tête, se coucha derrière la souche et déplaça son arme. Le canon du fusil se mit à cracher de petites flammes rouges et le père, instinctivement, s'accroupit sur le sol. Il y eut une première rafale. Le père se releva et regarda l'homme qui se tenait à côté du tireur recharger calmement son arme. Pour la deuxième rafale, le père ne bougea pas. Les Allemands tiraient en direction du coteau de Montciel. Ils vidèrent ainsi quatre chargeurs, puis le tireur retourna cueillir des prunes. Il faisait tout cela calmement, comme s'il se fût agi d'un travail de routine ne présentant aucun risque.

— Qu'est-ce que tu fais? cria la mère depuis le bas.

— J'y vais.

Le père descendit.

— On a tiré tout près, dit-elle, j'ai eu peur que ce soit sur toi.

— Non, ils se foutent pas mal de nous. Ils tirent sur Montciel.

— Sur Montciel?

— Oui, et ça veut dire que s'ils ont vraiment été attaqués, cette attaque n'a pas réussi... Et si tu les voyais faire... Vraiment, ce sont des gens habitués à la guerre... Il en faut plus que ça pour leur faire peur. On dit qu'ils sont foutus, mais ils n'en ont pas l'air.

Le père avait été fortement impressionné par le calme de ces soldats. Tout, dans leur attitude, lui laissait à penser qu'ils étaient encore là pour long temps.

Comme on ne tirait presque plus, la mère demanda :

— Qu'est-ce qu'ils vont faire, à présent?

— Bien malin qui pourrait le dire.

Le père avait à peine fini de parler, qu'il y eut une autre fusillade, toute proche, et, presque en même temps, des cris et des crépitements. Ils écoutèrent un moment, puis le père dit :

— Ça brûle quelque part.

Ils n'osaient toujours pas ouvrir les volets. Dans l'obscurité, ils remontèrent au premier étage. L'œil collé à la planche, le père vit un épais nuage de fumée qui montait devant le soleil. Un autre nuage noircissait le ciel en direction de la gare. Il n'y avait plus que quelques soldats dans le jardin de l'Ecole. Le père observa tout cela en quelques secondes, puis, se reculant pour céder sa place à la mère, il dit :

— Nom de Dieu, ils ont foutu le feu aux quatre coins de la ville.

— Mon Dieu, mais c'est toute la rue des Ecoles qui brûle.

Ils restèrent un moment comme interdits, puis ils gagnèrent la montée d'escalier. Là, le jour entrait par la lucarne donnant sur le toit.

— Si je pouvais monter, dit le père, de là-haut, je verrais.

— C'est impossible, l'échelle est au hangar.

Le père évalua la distance.

— Si la lucarne n'était pas au-dessus de l'escalier, avec une table...

Il s'arrêta. Il venait de penser à la même lucarne qui donnait dans la petite chambre de Julien. La mère y avait pensé en même temps que lui. Ils entrèrent et poussèrent sous la lucarne le bureau où Julien avait laissé des cahiers et quelques livres que la mère posa sur son lit. Le père monta sur la table et arracha le rideau à fleurs et le papier noir aveuglant la lucarne. Debout sur la pointe des pieds, il découvrait le haut des maisons qui faisaient face au jardin. Pour voir la rue, il fallait ouvrir et sortir la tête.

— Donne-moi la chaise, dit-il.

— Tu ne vas pas ouvrir!

— Donne-moi la chaise, je te dis.

— Gaston, ce n'est pas prudent.

— Personne ne peut me voir!

Il avait crié. La mère posa la chaise sur la table. Le père y monta. Une fois dessus, il était un peu trop grand et il dut se pencher sur le côté et fléchir les genoux. Lentement, maîtrisant ses nerfs, il empoigna la crémaillère de métal, la dégagea du crochet qui la maintenait. Il y eut un grincement. Le père arrêta son geste quelques instants, puis leva doucement le châssis vitré et accrocha la crémaillère au deuxième cran. Il attendit une dizaine de secondes. Les crépitements de l'incendie étaient plus proches. Une odeur de fumée entrait déjà par l'étroite ouverture. Quand il eut compté dix, le père avança prudemment la tête jusqu'à toucher la vitre du front. Ainsi, il découvrait toute une partie de la rue et du jardin.

Le feu n'était pas aux maisons d'en face, mais à celles qui se trouvaient un peu plus à droite, au niveau de l'Ecole. Les flammes montaient très haut, labourant et tailladant les remous de fumée grise et noire qui, maintenant, voilaient tout un pan de ciel. Quelques rafales de mitraillettes se mêlaient au bruit du feu.

A hauteur du jardin, la rue était déserte. La barrière était intacte et la grille semblait toujours fermée. Les volets de toutes les maisons étaient clos. Personne.

— Alors? demanda la mère.

Le père ne put rien dire. Il regarda encore en direction de l'incendie puis descendit.

— Monte, dit-il, tu verras.

La mère monta. Quand elle fut en haut, le père grogna :

— Ils sont capables de foutre le feu à toute la ville.

La mère ne disait rien. Ses mains cramponnées au châssis de fer tremblaient. Soudain, en même temps qu'il entendait l'aboiement rauque d'un fusil mitrailleur, le père vit la main droite de sa femme se détacher du châssis et se porter à sa bouche.

— Mon Dieu, cria-t-elle.

— Qu'est-ce qu'il y a?

Elle descendit si vite que le père dut la retenir pour l'empêcher de tomber. Son visage pâle était couvert de sueur.

— Je l'ai vu... bredouilla-t-elle... Je l'ai vu tomber... les mains à son ventre...

Elle fit le geste et se laissa aller sur le lit de Julien. Le père grimpa sur la table, puis sur la chaise. Comme il arrivait en haut, la mère ajouta :

— Le mitron... Je ne trouve plus son nom... Celui qui nous a aidés pour le bois... Devant la porte du couloir... Je l'ai vu...

Elle répéta plusieurs fois cette phrase. Le père regarda en direction de cette maison qui était la sienne aussi, et qui se trouvait en face du jardin. Une forme blanche était recroquevillée devant la porte, mais les arbres la dissimulaient en partie. Sans quitter sa place, le père demanda :

— Mais qu'est-ce qu'il a fait?

— Je ne sais pas, je l'ai vu sortir, et, tout de suite il y a eu ces coups de fusil, et il est tombé... je l'ai vu... Il a mis ses mains à son ventre, et il est tombé.

— Il ne bouge pas... Il s'est salement fait moucher.

La mère se leva.

— Et s'il n'est pas mort? Il va rester là?

— Bonsoir, pauvre garçon...

Le père fixait toujours la forme blanche et la porte ouverte sur le couloir sombre. Le vent pourtant faible rabattait parfois la fumée jusque sur le jardin. L'odeur était de plus en plus forte. A travers la fumée, le père distingua une autre forme blanche qui avançait dans l'ombre du couloir. La forme se baissa, et le père comprit que le boulanger, sans se montrer, tirait son commis vers l'intérieur. Bientôt, la porte du couloir se referma.

Le père descendit et expliqua ce qu'il venait de voir. Puis il s'assit sur le lit à côté de la mère.

A présent, ses jambes tremblaient. Il sentait la sueur perler sur son visage et couler le long de son dos... La mère demeurait immobile, les coudes sur les genoux; le regard fixe et murmurant de loin en loin :

— Mon Dieu... pauvre garçon... Pauvre garçon... Je l'ai vu tomber... Il a mis ses mains à son ventre, et il est tombé...

39

La matinée fut interminable. Ils passèrent la plupart du temps dans la chambre de Julien qui était la seule pièce éclairée. La mère descendit seulement chercher la lampe à alcool, des bols et du café. Elle monta également du pain, mais ils ne purent rien manger ni l'un ni l'autre.

Le père sentait bien que la peur l'avait empoigné. Cette force qui s'était levée en lui quand il avait été tiré de son sommeil par la fusillade s'en était allée, le laissant avec son corps moulu, sa tête vide. Ses jambes ne le portaient qu'à grand-peine. De temps à autre, au prix d'un effort considérable, il se hissait jusqu'à la lucarne pour voir si l'incendie se propageait. Pendant longtemps il crut que toute la rue allait brûler, mais, dans le milieu de la matinée, il fut rassuré. Le feu diminuait d'intensité, et le foyer semblait être à peu près limité au niveau de l'orphelinat Saint-Joseph. La rue était déserte. A un certain moment, ayant entendu des cris, il monta, mais lorsqu'il put regarder, il vit seulement un groupe de soldats allemands qui couraient vers le bas de la rue. Peu de temps après, il y eut quelques salves, puis ce fut tout. Des voitures et des camions ronronnaient. Retournant dans la chambre, il put constater que le jardin de l'Ecole Normale était désert.

Ils restèrent là toute la matinée.

A midi, n'osant allumer du feu, la mère fit tiédir une petite casserole de soupe sur ce qu'il restait d'alcool dans la lampe. Quand la flamme se fut éteinte, ils mangèrent lentement ce bouillon où les légumes étaient complètement froids.

Ensuite, le père s'étendit sur le lit de Julien. Il ne voulait pas dormir, et pourtant, il céda au sommeil. Lorsqu'il se réveilla, la mère n'était plus dans la chambre. Il s'assit sur le lit et tendit l'oreille. On parlait dans la cuisine.

Il se leva sans bruit et dut descendre quelques marches avant de reconnaître la voix de M. Robin. Il entra en disant :

— Quelle nuit nous avons passée!

La mère avait entrebâillé les volets. La porte était grande ouverte et le store baissé.

— Vous avez pu sortir? demanda le père.

— Oui, pour venir jusqu'ici parce qu'il n'y a pas de rue à traverser, mais autrement, je ne m'y serais pas risqué.

M. Robin expliqua que les forces du maquis avaient attaqué la ville. Les Allemands s'étaient repliés vers le centre, puis ils avaient contre-attaqué et les assaillants s'étaient enfuis. Après leur départ, les Allemands avaient incendié de nombreuses maisons, tuant les habitants qui tentaient d'en sortir. Ils avaient emmené une vingtaine de personnes qu'ils avaient fusillées devant l'hospice des vieillards, au pied de la colline de Montciel.

M. Robin avait appris cela par un infirmier de l'hôpital qui avait pu circuler.

— Nous ne sommes pas encore tirés d'affaires, soupira le père.

— On ne sait pas, mais il paraît que les Fritz s'en vont par la route de Besançon. En tout cas, il n'y en a plus un seul à l'Ecole Normale.

Il faisait bon, dans la cuisine. Ils restèrent un moment sans parler. Puis le père dit :

— J'ai envic d'aller voir jusqu'au bout du jardin.
— Non, dit M. Robin. N'y allez pas. Ce n'est pas encore très prudent.

La mère remit à M. Robin la moitié de ce qu'il lui restait de pain.

— Je crois que beaucoup de gens se passeront de pain ce soir, dit M. Robin.

— Est-ce qu'on a envie de manger? dit la mère.

Ils parlèrent encore du mitron tué simplement parce qu'il essayait de voir ce qui se passait dans la rue, puis M. Robin s'en alla.

— Je viendrai demain matin, promit-il, pour vous dire s'ils ont parlé de Lyon à la radio.

Quand il fut parti, la mère descendit à la cave chercher des fruits et le litre d'alcool à brûler. Ensuite, ils portèrent leur chaise près de la porte et ils s'installèrent sans rien dire.

Ainsi, ils pouvaient voir, à travers le store, un peu du jardin et de la rue où rien ne vivait.

C'était l'été. Il y avait les oiseaux et les insectes, mais sous le soleil, la ville blessée dormait.

40

La ville fut encore secouée de remous. Les troupes d'occupation parties, on vit fleurir des drapeaux à toutes les fenêtres. Ils y restèrent une journée et demie. Le père alla voir la rue des Salines où il y en avait à chaque maison, à chaque étage. Puis, le deuxième jour, le bruit courut qu'une colonne blindée allemande montant vers le nord se dirigeait droit sur la ville. En quelques minutes les drapeaux disparurent. Les rues se vidèrent et les maisons tirèrent leurs volets. Quelques F.F.I. qui se trouvaient là reprirent le chemin des bois.

Le père était rentré en courant pour retirer le drapeau que la mère avait accroché à la fenêtre de la chambre.

Aucun Allemand ne vint, mais la ville demeura ainsi dans la crainte jusqu'à l'arrivée des premiers contingents américains.

D'un seul coup, la vie changea.

Le père passa des demi-journées entières à regarder défiler les camions, les chars et les engins de toute sorte. Il rentrait les poches bourrées de cigarettes qu'il ne parvenait pas à fumer.

— C'est pas du tabac, disait-il. C'est du pain d'épice... Mais c'est égal, ils ont une sacrée armée... Et ils ne manquent de rien... Ça fera comme en 19, dix ans après leur départ, on vendra encore des stocks américains.

La mère avait réussi à se procurer du café, du chocolat, et des conserves de viande qu'ils ne purent manger tant elles étaient sucrées.

— Ce n'est pas du mauvais monde, répétait le père, mais tout de même, ils ont de drôles de façons.

M. Robin avait annoncé que la libération de Lyon était terminée. Tous les ponts avaient sauté, mais il n'y avait pas trop de victimes. Malgré tout, la mère demeurait inquiète et parlait sans cesse de Julien et de Françoise.

— Il viendra peut-être avec un camion, disait-elle.

Le père ne répondait pas, mais le plus souvent possible il se rendait jusqu'à l'angle de la rue des Ecoles et de la rue des Salines pour voir arriver les convois. Il en descendait parfois des civils. D'autres montaient dans les camions. Et les Américains riaient en embrassant les filles et en claquant le dos des hommes.

Il passa aussi plusieurs régiments de soldats français qui portaient le même uniforme que les Américains. Ils étaient plus discrets, et le public les accueillait avec moins d'enthousiasme.

Le père parlait avec les badauds, mais il ne quittait pas des yeux les véhicules qui débouchaient de la route de Lyon.

Quand il remontait, il ne rentrait jamais à la maison sans être allé jusque sur le lieu de l'incendie. Généralement, il n'y avait personne. A présent que la guerre s'était éloignée, on tournait un peu le dos au malheur. Et pourtant, dans ces maisons, des gens étaient morts, brûlés vifs ou abattus au moment où ils tentaient de sortir. Ceux qui avaient pu s'échapper avaient tout perdu.

Le père s'arrêtait parfois devant le couloir qui conduisait à ce fournil où il avait pétri le pain durant les plus belles années de sa vie. Il n'entrait pas. Il baissait les yeux et regardait le trottoir. Il y avait une large place propre. On avait lavé les dalles à l'endroit où le sang du mitron avait coulé. Avant que l'on puisse laver, quelqu'un avait répandu des cendres. Il en restait encore un peu dans la rigole. La première pluie les emporterait, elle ferait disparaître la tache plus propre et il ne resterait du mitron que le souvenir d'un gros garçon plein de force. Toujours prêt à rendre service. Il n'avait quitté son fournil que le temps de venir se faire tuer là. Il n'était ni résistant ni collaborateur, celui-là, il travaillait, tout simplement, pour que les gens continuent de manger du pain.

Il devait avoir à peu près le même âge que Julien. Et à Lyon aussi, on avait dû tuer des gens qui ne se mêlaient de rien.

Un soir, près des maisons brûlées, le père vit arriver une vieille femme, longue et sèche, un peu cassée des reins, et qui allait d'une démarche sautillante d'oiseau, les bras pendants devant elle. Il l'avait toujours vue dans le quartier. Elle était veuve depuis longtemps d'un nommé Hurtin qui avait été tué aux Salines, pendant son travail. La vieille s'approcha de lui. D'une voix fêlée, elle dit :

— Ce n'est pas beau à voir, hein!

Le père hocha la tête. La vieille regardait la dernière des maisons brûlées. Un pan de mur, le toit et les planchers s'étaient écroulés. Le reste était noir mais, par endroits, le papier peint des murs était encore intact. Un évier de pierre demeurait à sa place, suspendu dans le vide avec un bout de tuyau qui pendait. La vieille leva la main dans sa direction.

— Regardez bien, dit-elle, il y a encore ma bouilloire sur l'évier. Et je suis sûre qu'elle n'a pas de mal. Un homme qui aurait une échelle pourrait me l'attraper.

— Ce ne serait pas prudent, observa le père Dubois, les murs peuvent s'écrouler.

— Une bonne bouilloire, reprit-elle. Toute en alu. Elle chauffait vite... Je l'avais achetée l'année d'avant la guerre. Aujourd'hui, pour retrouver la pareille, il faudrait aller loin.

— Quand ils viendront déblayer, vous pourrez la récupérer.

— Si on ne me l'a pas volée d'ici là... Je suis déjà venue chercher pas mal de choses... Et je suis sûre qu'il en reste, mais le toit s'est écroulé dessus... Et moi, je ne peux pas déplacer les poutres et toutes ces tuiles.

— Vous avez eu de la chance de vous en tirer, fit le père.

La vieille partit d'un rire qui grinçait curieusement.

— Vous appelez ça de la chance... A soixante-seize ans, se retrouver sans rien? On était là depuis 1906. L'année que mon pauvre Firmin est entré aux Salines... Pour son malheur... On était venus là parce que ça ne lui faisait pas trop loin de son travail. Et moi, je trouvais facilement à faire des ménages dans le quartier. Pensez donc, il y a des gens chez qui je vais depuis avant l'autre guerre... Quand mon pauvre homme est mort, je voulais m'en aller... Et puis, vous savez ce que c'est, les années passent, on ne peut pas dire qu'on oublie, mais on s'habitue. Et puis, j'avais tant d'affaires ici, un déménagement me faisait peur.

Son ricanement qui faisait mal à entendre monta de nouveau.

— Le déménagement, il est tout fait, à présent!

Elle s'approcha du père, regarda autour d'elle, puis baissant la voix, elle dit en montrant du doigt une autre maison à demi détruite.

— Là, vous savez, c'était un jeune ménage... Les Pernin... Le mari était au maquis... La petite femme a été tuée avec son bébé... Il est revenu, le mari. Comme fou, il était. Il paraît qu'il est reparti en disant qu'il voulait tuer le chef du maquis. Il a dit : « S'ils avaient attendu que les Américains soient là, ça se serait fait sans un coup de fusil. Les Boches seraient partis... Et c'est tout. »

Elle se tut. Elle semblait un peu effrayée par ce qu'elle venait de dire. Comme le père ne répondait pas, elle demanda :

— Vous y croyez, vous, père Dubois?

Il eut un geste vague :

— Moi, vous savez, je n'en sais pas plus que vous.

La vieille parla encore de sa bouilloire, et le père lui promit de venir, le lendemain matin, avec son échelle, pour essayer de la récupérer. Elle remercia et se mit à expliquer qu'elle logeait chez des gens où elle faisait le ménage depuis plus de dix ans.

— Mais ce n'est pas chez moi, disait-elle. C'est mieux, ils sont gentils, mais ce n'est pas chez moi.

Elle se rapprocha encore de lui, baissa la voix et demanda :

— Vous savez pourquoi je ne suis pas morte comme les autres?

— Non.

— Ça fait plus de vingt ans que le propriétaire nous promet de faire installer des cabinets dans la maison. Il ne l'a jamais fait. Il faut descendre, traverser la cour et aller dans ceux de l'autre maison, celle qui donne sur la rue des Salines... Eh bien, quand ça a tiré, j'ai eu tellement peur que ça m'a donné la colique... J'y suis allée... Et les gens qui sont là-bas, vous savez, les Champeau, ils m'ont fait rester chez eux... C'était juste à côté des cabinets... Voilà, c'est tout simple... Et quand j'ai vu que tout allait y passer... Je n'ai même pas pleuré. Fallait voir comment ça brûlait! Si les autres maisons avaient été comme la mienne, avec une sortie par-derrière, les gens auraient pu s'échapper... Mais non. Et il fallait voir comment ça brûlait...

Elle répéta cela plusieurs fois encore, avec toujours ce mauvais rire qui faisait mal à entendre.

Elle n'avait plus rien que les quelques bricoles qu'elle avait pu récupérer dans les décombres. Tout le reste avait brûlé, excepté cette bouilloire qu'elle continuait de regarder avec envie.

Comme le jour faiblissait, le père dit :
— Vous devriez rentrer, à présent.
— Demain matin, vous apporterez votre échelle?
— Oui... je viendrai.
Elle s'éloigna de son pas sautillant, et le père l'entendit encore ricaner.
Quand elle eut disparu, il regagna lentement le jardin. Sa maison était là, sans une égratignure, sans une vitre brisée. La guerre avait passé tout près, mais elle n'avait même pas piétiné le jardin.

41

Le lendemain matin, le père prit son échelle et se dirigea vers les maisons brûlées. La mère l'accompagnait. Lorsqu'ils arrivèrent, la vieille était à l'intérieur de la maison, fouillant sous les gravats qu'elle retournait avec un pique-feu. Elle portait un grand cabas.

— Vous n'êtes pas prudente, dit la mère, on ne sait jamais, ça peut s'écrouler.

La vieille répondit par un ricanement et un geste qui signifiait que sa vie n'avait plus aucune importance.

Le père déplaça quelques tuiles, et cala un morceau de chevron à demi calciné pour préparer une assise horizontale. La mère l'aida à y dresser son échelle qu'elle continua de tenir tandis que le père montait jusqu'à hauteur de cet évier. La bouilloire n'était ni cabossée ni percée. Elle contenait encore de l'eau. Il y avait également, sur la pierre d'évier, une louche et deux cuillères que le père descendit.

La vieille vida l'eau de la bouilloire, mit les autres objets dans son sac et recommença de rire.

— Ma bouilloire, répétait-elle... Pas une bosse. C'est une bonne bouilloire... Vous pouvez pas savoir comme l'eau est vite chaude.

Elle remercia, prit la bouilloire dans le creux de

son bras comme elle eût fait d'un nourrisson, et s'éloigna rapidement en la serrant sur son cœur.

— Tout de même, murmura la mère, pauvre femme. Nous pouvons nous estimer heureux.

Ils revinrent avec l'échelle, puis le père dit :

— J'ai envie de faire un tour jusqu'en ville. On ne sait jamais, je pourrais rencontrer des gens qui viennent de Lyon.

— Mon Dieu, si seulement nous avions des nouvelles!

Le père passa un tablier propre, changea de casquette et partit vers le centre de la ville. Il n'avait guère quitté le quartier durant ces derniers mois, et il regardait tout en cherchant ce qui avait changé. En dehors des bâtiments incendiés, quelques maisons avaient souffert des combats livrés dans les rues, mais il ne s'agissait que de blessures sans gravité.

Dans la rue Lecourbe, sur la place et sous les Arcades, il y avait beaucoup de monde. A l'entrée de la rue du Commerce, un attroupement s'était formé. Le père pensa qu'on vendait des denrées sans tickets, et il regretta de n'avoir pas d'argent sur lui. Il approcha pourtant et, ne parvenant pas à voir par-dessus les têtes, il demanda :

— Qu'est-ce qu'il y a, ici?

— Ils sont en train de tondre les poules qui ont frayé avec les Fritz.

Des cris et des éclats de rire montaient de la foule. Des noms couraient de bouche en bouche accompagnés de commentaires sur les familles.

— Ils vont les faire monter sur un camion pour les promener dans la ville, dit une femme.

— Non, ils vont les faire marcher à pied, et pieds nus, à ce qu'il paraît.

— A poil! hurla une femme.

Il y eut un grand rire, et plusieurs voix se mirent à répéter :

— A poil!... A poil!

La foule s'agitait. A présent, c'était à qui proposerait un petit supplément.

— Rasez-lui aussi la chatte!

— Faut lui tatouer une croix gammée sur les seins!

On se bousculait pour voir. On criait plus fort que les autres. Le père était toujours assez loin mais, sans avoir rien fait pour avancer, il se trouvait au milieu de la foule qui augmentait. Autour de lui, on parlait sans arrêt.

— Les putains, c'est les hors-d'œuvre, mais demain, ils vont faire défiler tous les collabos.

— Et il en reste encore des tas à foutre en taule.

— Tous ceux qui ont trafiqué avec les Fritz et gagné des fortunes sur notre dos.

— Et les conseillers...

— Et les miliciens.

— Ceux-là, ils ont mis les voiles.

— On les retrouvera, même à Berlin!

Le père pensa soudain à Paul. Il se sentait prisonnier de cette foule, et la peur le prit. Est-ce que son garçon était arrêté? Est-ce qu'il était parti? Si Paul avait disparu, n'allait-on pas s'en prendre à son père? Le montrer comme une bête curieuse avant de le jeter en prison et de foutre le feu à sa maison? Mais aussi, qu'était-il venu faire ici? Durant des mois, il était resté terré dans son coin, et aujourd'hui, bêtement, il venait se fourrer en plein guêpier.

Il lui semblait que les regards se portaient tous sur lui et qu'on cherchait à l'identifier.

Pressé de toute part, bousculé, le souffle coupé et la sueur au front, le père joua des coudes et parvint enfin à se libérer de la foule. Personne ne prêtait attention à lui. Cependant, il emprunta un itinéraire compliqué de couloirs et de ruelles pour regagner la rue des Ecoles en évitant les artères les plus fréquentées. L'idée lui vint de passer chez Paul pour avoir des nouvelles, mais il ne put s'y résoudre.

Il marchait le plus vite possible, surveillant la rue, se retournant à chaque instant, sans cesse persuadé qu'une main allait le saisir au collet tandis qu'une voix crierait :

— C'est le père Dubois... Venez voir ce vieux salaud. Il n'a rien fait pour empêcher son fils de faire du commerce avec les Fritz!

Arrivé à la grille du jardin, il hésita quelques instants. N'était-on pas venu le chercher ici durant son absence? Il avait cru que le départ des Allemands marquait pour lui la fin de la peur, des misères, de cette hantise de tout perdre, et voilà qu'il se retrouvait avec une autre peur.

Il entra sans faire claquer la grille. La mère n'était pas dans le jardin. Il avança lentement dans l'allée où l'ombre des arbres tout habités de vent semblait pousser devant lui des nuées d'insectes dorés.

A l'angle de la petite allée qui conduit à la maison, il s'arrêta. On parlait dans la cuisine. Il sentit que le souffle allait lui manquer. Ses jambes s'étaient remises à trembler. Il avança pourtant, l'oreille tendue.

Enfin, comme il atteignait le pied de l'escalier, il reconnut la voix de Julien.

42

Lorsque le père entra, Julien et sa fiancée étaient à table. Une bonne odeur de lard grillé emplissait la cuisine. Julien embrassa le père, puis, poussant la jeune fille qui se tenait un peu en retrait, il dit :

— C'est Françoise... Tu peux l'embrasser, tu sais.

Le père embrassa la jeune fille.

— Tu as bien chaud, observa Julien. Et tu as l'air épuisé.

— Je n'ai plus l'habitude de marcher.

Le père s'assit.

— Je leur ai fait à manger, dit la mère. Ils sont partis à 5 heures du matin, et ils ont changé trois fois de camion pour arriver ici.

Le père regardait la table où il y avait un petit morceau de beurre sur une assiette, le pain, de la confiture et une corbeille de fruits.

— Julien a apporté du lard américain, dit la mère, est-ce que tu veux le goûter?

— Fais-lui des œufs comme tu nous as fait, proposa Julien.

Le père hésitait. Il regardait Françoise, puis son garçon, puis la table.

— C'est pas du lard, précisa Julien. C'est du bécon.

Françoise dit :

— C'est toujours du lard, tu sais, il n'y a que le nom qui change.

— Après tout, fit le père, ça ne me fera pas de mal de manger un peu. Et puis, il est 11 heures passées, ça ne fera jamais qu'un peu d'avance.

— Veux-tu un œuf, ou bien deux? demanda la mère.

— En as-tu tant que ça?

— Il m'en reste quatre, mais Julien me dit qu'il ira en chercher demain.

Elle avait déjà mis dans sa poêle deux tranches de lard. L'odeur se répandait dans la pièce. Elle était déjà une nourriture, et le père sentait la salive lui envahir la bouche.

— Si tu peux en faire deux, dit le père, pour une fois...

Il s'interrompit, regarda la table et demanda :

— Et toi, tu ne manges pas?

— Non, dit la mère, je mangerai un peu de confiture et un fruit.

Elle cassa les œufs. La graisse grésilla. Le père suivait chacun de ses gestes. Il respirait à petits coups, savourant l'air de cette cuisine où il n'y avait eu, durant des mois, d'autre odeur que celle de la soupe aux légumes. Les œufs et le beurre étaient devenus si rares, que la mère avait pris l'habitude de les mettre dans la purée de pommes de terre.

Le père mangea lentement, se délectant de chaque bouchée. Pendant un moment, il ne pensa qu'à cela. Les œufs, la cuisine tranquille. Cette jeune fille silencieuse qui épluchait une grosse poire du jardin. Julien qui mangeait de la confiture. La mère qui les regardait. C'était le calme. La paix. Les œufs et le lard étaient très bons, et s'il y avait eu, pour les accompagner, un morceau de vrai pain blanc et bien levé...

Julien raconta comment ils avaient pu venir. Le père écoutait, mais insensiblement, les images de la ville telle qu'il l'avait vue le matin même lui revenaient. En regagnant la maison, il avait projeté de raconter cela à sa femme. A présent, il n'osait plus le faire. Ce n'était pas la présence de Julien qui le gênait, mais cette fille silencieuse dont il ignorait tout. Quand leurs regards se croisaient, la fille souriait timidement. Le père s'efforçait de répondre à son sourire, mais il se sentait mal à l'aise.

La mère demandait des détails sur tout : Comment la jeune fille avait pu aller jusque chez elle, puis regagner Lyon. Pourquoi elle avait fait ce voyage, comment s'était passée la libération de Lyon.

C'était presque toujours Julien qui répondait. Il riait. Il finit par expliquer que Françoise faisait partie de la Résistance.

— Elle avait un poste important, dit-il. Elle faisait la liaison entre un réseau de Lyon et le maquis du Haut-Jura. C'était dangereux. Elle avait toujours sur elle de quoi être fusillée dix fois si les Allemands l'avaient arrêtée. Seulement, elle ne pouvait pas vous le dire quand elle est venue la première fois.

La mère avait l'air d'admirer beaucoup cette jeune fille. Pourtant, elle demanda, à demi fâchée :

— Vous aviez peur que je ne sache pas tenir ma langue?

— Non, dit Julien, mais c'était une règle absolue. Même moi je ne savais rien de ce qu'elle faisait.

La mère paraissait incrédule.

— Tu n'étais pas de la Résistance?

— Non.

Françoise intervint.

— Il n'était d'aucun réseau. Mais il a tout de même travaillé pour nous. Et il risquait autant que ceux qui se battaient. Peut-être...

Julien l'interrompit :

— Tais-toi. Ce n'est pas la peine d'en parler.

Il y eut un silence. Le père vida son verre. Julien lui tendit une cigarette en disant :

— Tiens, ce ne sont pas des américaines.

— A propos, dit la mère, si tu en veux, des américaines, ton père en a rapporté, mais il ne peut pas les fumer.

— Non, garde-les. Tu m'en donneras seulement quelques paquets pour aller te chercher des œufs et du beurre.

Le silence revint. Un silence où le père croyait percevoir comme une menace en suspens.

— Comment avez-vous fait, pour entrer dans la Résistance? demanda la mère.

Françoise leva les yeux. Elle observa les deux vieux l'un après l'autre, puis, d'une voix calme, mais avec une certaine fermeté, elle dit :

— Mon frère aîné était au Parti communiste. Alors, je n'ai pas eu à chercher bien loin pour y entrer aussi.

43

Il était à peine plus de midi quand le père est monté se coucher. Il a prétexté la fatigue de cette sortie en ville. C'est vrai. Cette matinée lui a rompu les jambes, mais pas à cause des pas qu'il a faits. Et puis, il y a surtout ce coup de poing qu'il a reçu lorsqu'ils étaient à table.

Bon Dieu! Avoir tant lutté, tant trimé, tant souffert tout au long de cette garce de vie pour en arriver là! Un garçon qui tourne au communisme!

Il est allongé. Il a eu deux quintes de toux, et oppressé comme il ne l'avait pas été depuis des semaines, il se sent vidé de toutes ses forces.

Communiste! Ce mot est pareil à un boulet de fonte qui pèserait sur lui. Juste au creux de l'estomac. Pour l'écraser lentement.

Paul lui a expliqué dix fois ce qu'est le communisme. Alors, il le voit très bien. Dès que les Allemands seront battus, tous les communistes vont revenir. Avec leurs armes. Ils seront les maîtres. Ils entreront chez lui. Ils lui diront :

— Père Dubois, tu n'as plus rien. Voilà un bon pour entrer à l'hospice. Ta maison est à nous. Tes titres aussi, ton jardin, tes outils. Tout. Tu vas à l'hospice, tu n'as plus besoin de rien.

Ils viendront. Et parmi eux, il y aura Julien et

cette fille. Cette gamine avec son air de petite sainte. Une sainte qui fait la guerre. Qui couche avec son garçon avant d'être mariée, et qui le pousse vers le communisme après lui avoir mis le grappin dessus. Il faut dire qu'il avait des dispositions, le garçon!

Mais faut-il donc que la politique et la guerre pourrissent tout? On se croit sorti de la misère, mais rien n'est fait. Le mal entre dans la maison. Il est là, en bas. Il se tient prêt à tout prendre.

Le père pense à la vieille. L'incendie lui a laissé sa bouilloire, savoir si Julien et sa bande de voyous lui en laisseront autant?

Non. Ça ne paraît pas possible! Mais qu'est-ce qu'il a donc fait pour mériter d'être sans cesse poursuivi par la guigne? Rien... Une vie de travail. C'est tout. Il a peut-être trop travaillé et pas assez pensé à lui. S'il avait fait la vie, comme certains, il serait mort depuis des années, mais il aurait vécu de plaisir sans connaître cette guerre de malheur.

Cependant, son travail, c'est encore ce qu'il a fait avec le plus de joie. Alors?

Le père s'interroge. Il se tourne sur le côté droit, puis sur le gauche, puis il revient sur le dos et remonte ses oreillers. Il a laissé les volets légèrement entrebâillés. Il aperçoit un filet de ciel clair. L'air chaud monte du jardin qui dort sous le soleil. Rien ne bouge. La mère doit être seule car Françoise et Julien ont annoncé qu'ils devaient aller voir des amis. Des communistes, probablement.

Ainsi, la guerre terminée, une autre guerre se prépare. Elle est déjà là. Dans cette maison. Elle se lève entre eux et va les dresser face à face. Mais cette fois, s'ils doivent abandonner tous leurs biens, est-ce que la mère va encore soutenir ce garçon et ses idées de fou? Quand Julien est rentré d'apprentissage avec déjà ces idées-là dans le crâne, la mère disait :

— S'il n'avait pas été exploité par un patron qui l'a traité en esclave, il ne serait pas devenu ainsi.

Mais aujourd'hui, il n'a plus de patron pour l'exploiter. Il n'a plus que cette fille pour lui monter la tête. Mais c'est peut-être pire.

Et que va-t-il faire? De quoi vont-ils vivre? De la peinture? De la politique?

A mesure que le père tourne et retourne tout cela dans sa tête, cette douleur qui l'étreignait au point de l'empêcher de respirer se mue en colère. Ce qui le blesse le plus cruellement, c'est l'injustice dont il se sent victime. Lui qui n'a jamais fait de politique. Lui qui ignore tout des querelles et des partis, le voilà pris entre deux garçons qui ne s'aimaient déjà pas et qui vont se haïr encore davantage.

Et tout cela se trame en dehors de lui. Il y a comme une énorme roue qui se met en marche... Elle tourne, et voilà qu'il se sent pris, entraîné sans qu'il puisse rien tenter pour sauver quoi que ce soit.

Lui, il n'a rien. Il n'a que ses deux bras qui peuvent encore les nourrir, la mère et lui; il n'a que ce jardin qui l'attend sous le gros soleil. Il a peu travaillé ces jours derniers. L'herbe a poussé. Des allées, elle gagne les planches de légumes qu'il faudrait sarcler. Le soleil a cuit les dernières salades qu'il a repiquées. Il faudrait qu'il se lève, qu'il pompe de l'eau pour qu'elle ait le temps de tiédir un peu avant que l'heure ne vienne d'arroser. Il faudrait... Il faudrait qu'il retrouve la force et la volonté qu'il avait toujours eues. Mais ce soir, peut-être parce qu'il avait espéré que le retour de Julien serait le signe que la guerre est enfin terminée pour eux; ce soir, pour la première fois de sa vie, il n'a plus ni force, ni courage, ni même aucune envie de se remettre à sa tâche. Et c'est un peu comme s'il n'avait même plus envie de vivre.

44

Lorsque le père descendit, il n'y avait personne dans la cuisine au store baissé et aux volets clos. Il fit fondre un morceau de sucre et un comprimé d'aspirine dans un demi-verre d'eau. Il le but, prit son chapeau de toile et gagna le jardin.

La mère était assise sur le banc. Elle avait posé à côté d'elle un grand panier de prunes qu'elle prenait une à une pour les dénoyauter et couper les parties abîmées. Elle laissait tomber les déchets dans un saladier qu'elle tenait entre ses genoux, et jetait les fruits préparés dans une grande casserole posée à ses pieds. Quand le père arriva près d'elle, elle essuya la pointe de son couteau sur le rebord du saladier qu'elle posa sur le banc. Au regard qu'elle leva vers lui, le père comprit qu'elle avait quelque chose d'important à lui annoncer.

Il s'arrêta. Il y eut un silence seulement troublé par le bourdonnement des guêpes que les prunes attiraient. Comme la mère ne parlait pas, le père demanda :

— Tu veux les cuire?

— Oui. Julien les a cueillies avant de sortir.

— Tu ne jetteras pas les noyaux. Une fois bien secs, ils iront dans le feu.

— Je sais.

Silence.

Le père fit deux pas. La mère se leva et dit :

— Micheline est venue.

— Ah! Je ne l'ai pas entendue, et pourtant, je n'ai pas dormi du tout.

— Elle n'est pas entrée... Elle était pressée... Elle n'a pas voulu que je te dérange.

Le père venait de sentir sa gorge se nouer. Il dut faire un effort pour demander :

— Et alors?

La mère hésita, baissa les yeux, puis les releva pour murmurer :

— Ils ont arrêté Paul.

Le père serra les poings. Il s'éloigna de quelques pas, s'immobilisa, hésita, puis revint près de sa femme pour grogner :

— Qui ça, ils?

— Il y avait deux gendarmes et des hommes du maquis.

Elle avait marqué un temps avant de répondre, mais la phrase était venue d'une traite, comme si elle eût éprouvé le besoin de s'en débarrasser très vite.

— C'est du propre, dit le père.

Il se sentait désarmé. Depuis le matin, il pressentait cela, et pourtant, la nouvelle le laissait à peu près sans réaction.

— Il faudrait faire quelque chose, dit la mère. Après tout, ils ne peuvent lui reprocher qu'une seule chose : le commerce avec les Allemands... Ce n'est tout de même pas un crime.

Elle venait de dire là ce que le père avait envie de crier. Et c'était elle qui le disait. Sans colère. Avec, dans le regard, une petite lueur qui semblait ajouter :

— Je te plains, mon pauvre homme... C'est ton garçon.

— Mais qu'est-ce que je peux faire, moi?

— Rien... Micheline le sait bien. Mais elle a pensé qu'il fallait tout de même te le dire... Elle a pensé aussi que tu pourrais peut-être aller voir Vaintrenier.

Il paraît que c'est lui qui a pris la tête de la nouvelle municipalité.

Le père soupira. Il imaginait Vaintrenier à la mairie. Il essayait de se faire une idée de l'atmosphère qui devait régner dans ce secteur. Après ce qu'il avait vu en ville le matin...

— Et moi, dit la mère, j'ai pensé que, peut-être, Julien... Enfin, si sa fiancée connaît du monde dans la Résistance...

Elle se tut. Le père vit une myriade de points noirs danser devant ses yeux. Il se laissa tomber sur le banc.

— Tu n'es pas bien? demanda la mère.

— Si... Ça va aller.

— Veux-tu à boire?

— Non. Je viens de prendre un comprimé.

Il soupira. Demander à une communiste d'intervenir en faveur de Paul! Non. Il n'y avait pas pensé.

— Est-ce que tu as dit à Micheline que...

Il ne pouvait pas prononcer le mot. La mère dut le comprendre, car elle dit :

— Je lui ai seulement expliqué que cette petite fait partie de la Résistance.

— Et qu'est-ce qu'elle a dit?

— Rien... Elle pleurait...

La mère s'assit à côté du père. Il semblait que l'été se fût soudain épaissi. Le vent avait cessé. Les arbres fatigués se voûtaient sous le poids de l'après-midi. Les insectes n'étaient plus qu'un bourdonnement continu qui faisait partie de cette épaisseur oppressante du jour. Seules les guêpes vivaient. Agaçantes. Revenant sans trêve grésiller autour des visages. Se posant sur les mains de la mère chaque fois qu'elles s'immobilisaient sur son tablier.

Le regard perdu dans l'ombre de l'allée, le père ne voyait rien. Dans le vide qui venait de se creuser en lui, il n'y avait que ces mots, monotones, continus comme le bourdonnement des mouches :

— Ils ne voudront pas... Ils ne feront rien pour lui... Rien pour lui.

45

La mère Dubois avait préparé de la salade de tomates, elle avait fait cuire des haricots verts du jardin et ouvert un grand bocal où elle avait mis en conserve un pâté de lapin de sa fabrication. Une voisine lui avait avancé des œufs pour qu'elle puisse faire une crème avec une boîte de lait et du chocolat américain que Julien avait apportés. Le pain mis à part, c'était un vrai repas d'avant guerre. Le père avait quitté deux ou trois fois le jardin pour venir voir et sentir.

— Ce sera un vrai repas, disait-il. Mais il est écrit qu'il y aura toujours quelque chose pour gâcher notre plaisir.

— Tu verras que ça s'arrangera, disait la mère. Si les enfants ne peuvent rien, demain matin, tu iras voir Vaintrenier.

Le père essayait de se dominer, mais son inquiétude lui prenait ses forces. Il avait arrosé ce qui réclamait vraiment un peu d'eau, puis il était venu s'asseoir sur le banc. Il y était encore lorsque Françoise et Julien arrivèrent. Il se leva et s'efforça de sourire pour dire :

— Le dîner doit être prêt. Et je crois bien que la mère a mis les petits plats dans les grands. Montez devant.

Le père descendit à la cave et alluma son briquet. Il lui restait bon nombre de vieilles bouteilles. Il en chercha une de ce vin des côtes du Jura qu'il avait acheté plus de dix ans avant la guerre. Il leva la bouteille à hauteur de ses yeux et promena derrière la flamme de son briquet. Le vin avait laissé un peu de dépôt contre le verre, mais il était clair. Le bouchon devait être très bon car la bouteille était parfaitement pleine. Il la porta avec précaution, en la laissant couchée comme elle était dans le casier. Lorsqu'il entra, Françoise dit :

— Ce n'était pas la peine.

— Ah, tout de même, dit le père. Tout de même.

Il redressa lentement la bouteille qu'il posa sans heurt sur la table. Il essuya le goulot avec le coin de son tablier, chercha dans le tiroir du petit meuble le tire-bouchon à vis.

— Ça, dit-il, c'est très bien. Parce qu'on peut déboucher une bouteille sans la remuer... Du vin pareil, si on le bouscule, c'est un crime.

Quand il eut sorti le bouchon, il le flaira, puis le prit entre ses doigts pour en éprouver la qualité. Lorsqu'il leva la tête, son regard rencontra celui de Françoise qui l'observait en souriant. Il y avait une grande tendresse dans ce regard, et le père s'en trouva réconforté. C'était un peu comme si une bonne tiédeur se fût mêlée au parfum du vin qui commençait de se répandre dans la cuisine.

— Vous aimez bien soigner votre vin, dit la jeune fille.

— Oui. Et quand j'ai mis celui-là en bouteilles, Julien n'était pas plus haut que cette table.

— Je ne sais pas, dit Julien, tu en mettais chaque année, alors... Et d'ailleurs, je n'ai jamais compris comment tu t'y retrouves dans tes casiers, puisque tu n'as jamais mis d'étiquettes à tes bouteilles.

— Ne t'inquiète pas, je sais ce que j'ai.

Avant l'arrivée des jeunes gens, il s'était répété cent fois :

— Dès qu'ils seront là, je parlerai de Paul. Il faut en avoir le cœur net.

Et à présent, les choses tournaient de telle sorte qu'il ne parvenait pas à en parler. Pourtant, il y avait ce sourire et ce regard doux de Françoise. Il y revenait sans cesse pour se dire :

— Elle nous aidera... Si elle peut le faire, elle nous aidera.

Il avait redouté cette fille, et, à présent qu'elle était là, assise à la même table que lui, il eût presque préféré lui parler à elle seule. C'était pourtant elle, la communiste. Elle qui traînait ce mot effrayant qui allait si mal avec la douceur de ses yeux. Julien n'était pas inscrit à ce Parti. Il l'avait dit. Mais malgré tout, c'était sa réaction que le père redoutait le plus.

Ils mangèrent la salade de tomates où la mère avait émincé deux gros oignons et haché du persil. Personne ne parlait. Le père les observait à la dérobée, et chaque fois que son regard rencontrait celui de la mère, il essayait de lui faire comprendre que c'était à elle de parler. La mère soupirait. Elle partagea le reste de la salade entre Françoise et Julien.

— Il faut manger, dit-elle, on ne sait pas encore dans combien de temps le ravitaillement redeviendra normal.

— Avec les Américains, dit Julien, on risque bien d'être inondé de marchandises.

— Ça ne fait rien, soupira le père. La guerre n'est pas finie. Et puis, même la fin de la guerre ne voudrait pas dire que nos misères sont terminées.

Il versa une petite goutte de vin dans son verre, puis, sans redresser complètement la bouteille, il goûta.

— Il n'a pas faibli... Allons, soulevez vos verres, que je ne le remue pas trop.

Ils trinquèrent. La mère avait accepté un doigt de vin, juste de quoi trinquer au bonheur de Françoise et de Julien.

Le goût du vin s'alliait parfaitement avec celui

du pâté de lapin. Il y avait longtemps que le père n'avait pas mangé un plat aussi bon, et pourtant, il ne parvenait pas à y prendre un vrai plaisir. Il eût aimé savoir ce que son garçon allait dire de l'arrestation de Paul, et, en même temps, il redoutait cet instant parce qu'il avait le sentiment qu'à partir de là toute la quiétude de cette soirée serait éparpillée. Il ne savait plus très bien si ses regards suppliaient la mère de parler ou de se taire.

Elle parla pourtant. Elle avait pris très peu de pâté, et, quand elle eut soigneusement essuyé son assiette avec son pain, elle but une gorgée de vin et dit :

— Nous avons un gros ennui, tu sais, Julien.

Le garçon la regarda.

— Ah oui?

Il y eut un silence. Le père baissa la tête. La mère reprit :

— Micheline est venue cet après-midi... Ton frère a été arrêté.

La mère ne disait jamais « ton frère », elle disait : « Paul ». Julien eut un petit rire sec.

— C'est triste à dire, fit-il. Mais ça lui pendait au nez.

— Ne sois pas méchant, mon petit. Tu sais très bien qu'il n'a pas fait de mal.

Julien se redressa, mit ses coudes sur la table et croisa ses mains à hauteur de son menton. Après avoir hoché la tête en regardant sa mère, puis son père, il lança :

— Merde alors! Un mec qui a trafiqué avec les Fritz pendant toute l'occupation, et tu trouves qu'il n'a rien fait? Il a frayé avec la Milice. Balancé du fric à toutes les organisations plus ou moins nazies de Vichy, et tu voudrais qu'on lui file une médaille!

— Julien! cria la mère. Tais-toi.

Les mâchoires serrées, le père se contenait à grand-peine.

— Tais-toi, répéta la mère. Tu nous fais de la peine.

— De la peine? Mais crois-tu qu'il s'est demandé s'il allait vous en faire, lui, quand il est venu ici vous parler de la Milice et du sale déserteur que j'étais?

Le père allait éclater lorsqu'il vit la main de Françoise avancer lentement et se poser sur le bras de Julien.

— Mon chéri, dit-elle, je ne suis pas aussi bien placée que toi pour savoir ce qu'a fait ton frère. Je ne connais que ce que tu m'as dit. Je sais que même la collaboration économique est condamnable, mais tu ne devrais pas t'emporter comme ça. Tes parents ont de la peine... C'est normal.

— Tu ne vas pas tout de même le soutenir!

Julien avait parlé moins fort. Presque sans colère.

— Je ne le soutiens pas, mais toi, tu aurais plutôt tendance à l'accabler.

— C'est la vérité qui est accablante, pour lui. Et si on le juge, il vaut mieux qu'on ne me demande pas de témoigner, parce que je serais obligé de dire ce que j'ai entendu, un certain soir...

Depuis un moment, le père avait serré ses poings. Il cogna sur la table et cria :

— Nom de Dieu! Je savais bien... Je savais bien... Mais à quoi ça sert de lui en parler... Je savais bien...

Sa colère l'empêchait de trouver ses mots. Comme toujours, une quinte de toux le secoua, l'obligeant à se lever pour cracher dans le foyer.

Quand il put reprendre son souffle, il demeura debout devant la cuisinière, hésitant à regagner sa place.

— Allons, assieds-toi, dit la mère...

Dans la cuisine, il n'y avait plus rien de cette bonne tiédeur, de ces odeurs appétissantes qui avaient accompagné le début du repas. La soirée était lourde, toute imprégnée de la mauvaise chaleur du jour que le soir chassait du jardin pour la pousser à l'intérieur de la maison.

— Tu sais bien que je refuserais de témoigner contre lui, dit Julien. Mais je ne ferais pas non plus le moindre geste en sa faveur. Il a fait le con, il est normal qu'on le juge et qu'il paye.

— Il y a certainement des gens qui se sont trompés de bonne foi, dit Françoise. Avec ceux-là, les tribunaux...

Julien l'interrompit.

— De bonne foi! Tu rigoles. Par amour du fric, oui. Mais il sera encore assez malin pour s'en tirer à bon compte!

Pour le père, c'en était trop. La mère, qui était assise entre la table et la cuisinière, lui barrait le passage.

— Laisse-moi passer, grogna-t-il.

— Mais enfin, Gaston, tu ne vas pas...

— Laisse-moi passer, je te dis!

Il avait crié. La mère se leva et poussa sa chaise sous la table. Arrivé au pied de l'escalier, le père se retourna pour lancer à Julien :

— Je te remercie quand même... Je te remercie bien.

Il sentit que sa toux allait le reprendre. Il se tut, et il monta l'escalier le plus vite qu'il put.

46

Le père est resté un long moment devant la fenêtre grande ouverte sur la nuit qui envahit le jardin. Il avait besoin de respirer. Besoin de retrouver son souffle, d'attendre que son sang se remette à couler normalement dans ses veines.

Il s'est essuyé le front plusieurs fois avec son mouchoir.

Le soir est lourd, mais ce qui l'oppresse le plus est en lui. Et il sait à présent que le départ des Allemands, le droit retrouvé de laisser sa fenêtre ouverte, de se coucher quand il veut et de se lever avant l'aube ne compte plus pour lui. Il y a une autre paix qu'il ne retrouvera jamais.

Allongé sur son lit, couvert seulement du drap déjà trop lourd, il attend.

À plusieurs reprises, il a entendu qu'on parlait haut dans la cuisine. Est-ce que la mère essaie de raisonner Julien? Tenterait-elle vraiment de défendre Paul? Est-ce Françoise qui veut faire entendre raison à ce garçon obstiné?

Peine perdue. Le père le sait. Il a senti dans le regard de Julien une volonté bien arrêtée de ne rien tenter en faveur de Paul. Mais n'est-ce pas lui, le père, qui est un peu responsable de ce qui oppose ses deux fils? A-t-il un jour fait quoi que ce soit pour les rapprocher?

Non. Il n'a rien fait. Il a mené sa vie comme il devait la mener, sans cesse bousculé, talonné par son ouvrage. Et sa vie ne lui a jamais laissé le temps de penser vraiment à ce qui séparait ses deux garçons. Quoi? Une trop grande différence d'âge? Le fait qu'ils n'aient pas la même mère? L'indifférence de l'aîné?

Oui, tout cela et aussi autre chose. De ces choses qui sont en dehors des hommes et qui n'ont pas de nom. De ces choses qui vous échappent lorsqu'on n'est qu'un bon artisan rivé à sa tâche. Et ces choses-là sont sans importance jusqu'au jour où surviennent des événements qui dressent les hommes face à face.

Le vrai responsable, c'est la guerre. Le père le sait. Mais il ne comprend pas tout à fait pour quelle raison. A présent que la guerre est loin. A présent que les hommes peuvent recommencer de vivre, est-ce qu'il ne serait pas possible de tout oublier?

Si demain, on lui redonne du pain blanc et du tabac à volonté, le père peut recommencer de vivre, de travailler, comme avant.

Il se répète cela, mais voilà que lui revient l'image de la vieille avec sa bouilloire; l'image des maisons brûlées et du mitron tué devant la porte du couloir.

A qui peut-on reprocher tous ces crimes et toutes ces destructions? Qui peut payer pour les ruines et porter le poids de ces deuils?

L'idée est là, devant lui, comme si elle venait de pénétrer dans la chambre avec le souffle épais de la nuit d'été. Elle est comme une bête. Sa présence ne fait aucun doute, mais la main cherche maintenant à saisir le licou.

Jamais, peut-être, la chambre n'a été aussi habitée que ce soir. La guerre a quitté la ville devant l'invasion de cette nouvelle armée qui n'a plus le visage de la guerre. Ces soldats qui passent, qui rient avec les filles et ruminent comme des moutons en fumant des cigarettes de femme, ce n'est plus la guerre. Tout ce qui reste encore de son séjour dans la ville s'est réfugié ici, ce soir, pour peupler cette chambre où le père Dubois ne parvient plus à être seul. C'est sans doute que la nuit lui convient. Cette nuit où elle a plongé les hommes durant tant de mois échappés aux saisons.

Ce soir, de nouveau, c'est l'été.

Dehors, c'est l'été.

Un été qui respire si fort que son souffle fait frémir tous les arbres du jardin et battre le volet.

Le père se lève. Le plancher est frais sous ses pieds nus. Il marche jusqu'à la fenêtre, ouvre le volet, se penche pour l'accrocher et murmure :

— C'est le vent de la pluie... S'il se lève à pareille heure, il peut venir de l'eau avant le jour.

Il reste là un moment. Il aspire de longues goulées de ce vent qui vient de sauter la colline pour se laisser couler sur la ville comme une rivière jaillie d'entre ciel et terre. Déjà tout un pan de nuit a perdu ses étoiles. Les nuages sont invisibles, mais ils sont là. Ils portent cette eau que le jardin attend.

On parle encore dans la cuisine, mais le père n'a plus envie de descendre sans bruit pour tenter de surprendre ce qu'on dit de son fils.

L'air trop dense de la chambre s'anime de courants et de remous plus légers. Ce n'est pas encore la fraîcheur mais c'est déjà une promesse.

47

Il y eut alors trois journées interminables.

La première avec la pluie. Le père ne s'était pas soucié de savoir où Françoise allait coucher. En se levant, il demanda :

— Où sont-ils?

— Tu sais bien que cette petite ne pouvait pas loger ici.

— Et alors?

— Eh bien, elle a des amis en ville qui leur ont offert de les loger.

— C'est bien.

Il sc scntait dur. Fermé à tout comme la maison l'était à cette pluie qui venait interrompre l'été.

La mère dit encore :

— Ils ne mangeront pas ici à midi.

— Ma foi...

Et il sortit pour aller dans le hangar où il passa presque toute sa journée à bricoler. Ses mains allaient d'un travail à un autre, par habitude, mais sa tête allait de son côté, d'une idée à une autre.

Et puis, il surveillait l'allée. Dans l'après-midi, il vit arriver Françoise et Julien. Ils entrèrent dans la maison, mais le père continua son travail.

Ils restèrent une bonne heure avec la mère. Ensuite, ils vinrent jusqu'à lui. Ils l'embrassèrent et Julien dit :

— Ce soir, on est invités. On viendra demain.

Il fit un pas, s'arrêta et sortit de la poche de son imperméable un paquet de tabac gris.

— Tiens, dit-il, j'ai pu l'échanger contre des américaines.

— Mais non, commença le père, je n'ai pas besoin...

Mais déjà Julien s'éloignait.

Durant la deuxième journée, le père ne quitta le jardin que pour le repas et une très courte sieste. Le soleil était revenu, mais la pluie avait laissé une terre meuble et facile à travailler.

Julien et sa fiancée mangèrent avec eux. Presque en silence. A la fin du repas du soir, Julien annonça qu'ils avaient trouvé un camionneur qui les emmènerait à Lyon.

— Mon Dieu, vous ne serez pas restés longtemps, soupira la mère.

— Mais nous reviendrons, dit Françoise.

Ils partirent donc le matin du troisième jour.

La mère les accompagna jusqu'à la grille du jardin tandis que le père se remettait à son ouvrage interrompu le temps de leur dire au revoir.

Son garçon repartait avec cette fille dont il ne savait rien, sinon qu'elle était communiste, qu'elle avait une voix et un regard très doux.

Quand la mère revint, il se redressa, posa ses mains croisées sur le manche de sa triandine et dit avec un sourire un peu forcé :

— Au moins, ils ne nous auront pas embarrassés trop longtemps.

La mère ne répondit que par un geste de ses bras qui retombèrent le long de sa blouse. Elle pleurait en silence.

— Et nous ne savons toujours pas grand-chose de cette petite, reprit le père.

La mère le regarda. Et il comprit qu'elle pensait : « Toi, bien sûr. Parce que tu es monté te coucher comme un sauvage. Mais moi, j'ai parlé avec elle. »

Elle s'éloigna. Le père la laissa aller. Ses larmes ne l'avaient pas ému.

Un moment plus tard, la mère revint. Elle ne pleurait plus. Elle s'approcha de lui et demanda :

— Alors, tu ne veux vraiment pas aller trouver Vaintrenier?

Le père souleva sa casquette pour s'éponger le front et le crâne. Il se moucha, replia lentement son mouchoir et, l'ayant remis dans sa poche, il dit :

— Non... Ça ne servirait à rien. Ils sont tous du même tonneau. Et je ne veux pas essuyer un affront de plus.

Il marqua un temps. Comme la mère ne disait rien mais restait plantée à côté de lui, il éleva la voix pour ajouter :

— A présent, je voudrais qu'on me foute la paix... tu comprends! Qu'on pense ce qu'on voudra, mais qu'on me foute la paix... Qu'on me laisse travailler tranquille, et crever tranquille... C'est tout ce que je demande!

Elle le regarda encore quelques instants, puis elle s'éloigna sans un mot.

Et le père continua sa journée : travail, repas, sieste, travail, avec ces mots qu'il se répétait sans cesse : « Crever tranquille... Crever tranquille... »

Il alla ainsi jusqu'à la fin de l'après-midi, au moment où arriva un garçon d'une quinzaine d'années que Paul employait comme aide-livreur. Le garçon posa sa bicyclette contre le buis et se dirigea vers le père. La mère qui avait entendu claquer la grille accourut.

— Je viens de la part du patron, dit le garçon. Il vous fait savoir de ne pas vous faire du souci. Il est rentré à la maison tout à l'heure.

Les deux vieux se regardèrent. Le garçon ajouta :

— Tout va bien... Le patron viendra vous voir un de ces jours. Il vous expliquera... C'était une erreur.

Le garçon attendit quelques instants. Le père avait cru sentir un peu d'ironie dans sa dernière phrase, mais il ne dit rien.

— Vous n'avez pas de commission? demanda le garçon.

— Non, fit la mère... Dites-leur bien des choses.

Ils regardèrent le gamin reprendre sa bicyclette et s'éloigner. Puis, quand il eut atteint la grille, le père sortit sa boîte à tabac de sa poche, et se mit à rouler une cigarette en disant :

— Tu vois... C'était une erreur... Une erreur ou une saloperie de gens qui sont jaloux de sa réussite... Ah, ce n'est pas fini, il va s'en régler des comptes et des petites vengeances personnelles!

Il se tut pour allumer sa cigarette et la mère en profita pour s'éloigner. Le père ne la quitta des yeux qu'après avoir vu retomber derrière elle le store de perles de la cuisine.

Une main sur son outil, l'autre tenant sa cigarette, il resta longtemps à regarder du côté de la rue. Entre les arbres, il voyait passer des gens qu'il ne pouvait reconnaître. Il passait quelques voitures aussi. La ville recommençait à vivre à un rythme bien différent de celui qu'ils avaient connu durant l'occupation. Et pourtant, sur le jardin, il ne tombait qu'un soir d'été un peu morne. L'odeur de la terre déjà sèche en surface, mais dont il avait fouillé l'humidité du fer de son outil, était une odeur fade.

Julien était parti. Paul était sorti de prison. Ils allaient se retrouver seuls, la mère et lui, devant ce bout de chemin qu'il leur restait à parcourir pour se trouver au bout de leur rouleau. Il s'en irait le premier, c'était bien naturel, il était le plus vieux. Mais il avait toujours été le plus vieux. Ce n'était pas une nouveauté, et c'était pourtant la première fois qu'il pensait à ce départ avec autant de sérénité.

Après lui, il y aurait encore des soirs semblables sur le jardin et sur la ville, mais il y aurait aussi des querelles, des haines, des guerres, des poisons de la vie.

Ces poisons-là, il en avait eu sa bonne mesure. Ce qu'il avait le droit d'espérer à présent, c'était un peu de paix, même s'il devait s'isoler davantage.

Ici, au fond de ce jardin, ce devait être possible. Ce qu'il fallait, c'était vivre sur soi, sans penser ni aux autres ni à ce qu'il adviendrait de son bien lorsqu'il ne serait plus là.

Le père secoua l'engourdissement qui le gagnait. Le soleil avait disparu depuis longtemps derrière la colline. Il retira son outil de la terre, en nettoya les dents avec la petite raclette qu'il portait pendue au cordon de son tablier, puis, lentement, il se dirigea vers la maison d'où s'élevait la fumée d'une flambée qui réchauffait la soupe du soir.

QUATRIÈME PARTIE

SUR LA TERRE DU JARDIN

48

L'automne dépouillait lentement le jardin rouillé. Les coteaux de Monciel et de Montaigu aussi s'effeuillaient. De jour en jour la terre s'approchait de la nuit.

Le père Dubois connaissait bien cette nuit de l'hiver qui sourd du sol alors même que le ciel est encore plein de lumière et que le rouge et l'or sont partout sur les bois. Il en suivait l'approche de jour en jour à travers ses travaux. Il interrogeait le vent. Le nord dominait. C'était le signe certain qu'un mauvais hiver se préparait là-bas, très loin, où était encore vivante cette guerre qu'il avait à peine eu le temps de voir passer sur le pays.

Les journaux étaient pleins de cette guerre. Ils parlaient aussi de ce qu'elle avait laissé derrière elle. C'était comme un sillage de mal, de haine, de querelles que rien ne semblait pouvoir éteindre.

A mesure qu'avançait la saison et que les journées diminuaient, les veillées laissaient davantage de temps pour penser à tout cela. Le père regardait les titres des journaux, mais il avait du mal à lire les articles. Et puis, à vrai dire, il ne s'y intéressait guère. Alors, lorsque le couvert était levé, il s'accoudait à la table et buvait lentement l'infusion de tilleul ou de verveine que la mère lui avait préparée.

Les deux vieux parlaient peu. Lorsqu'une lettre de Julien était arrivée au courrier de l'après-midi, la mère attendait que le repas fût terminé pour la relire à haute voix. Parfois, elle s'arrêtait, semblait chercher un mot et disait :

— Ce pauvre grand écrit de plus en plus mal. Il y a toujours des choses que je n'arrive pas à lire.

Le père ne disait rien, mais il comprenait que sa femme ne lui lisait pas toujours tout ce qu'écrivait le garçon. Ces lettres étaient courtes, elles répétaient sans cesse que la vie en ville n'était pas facile. Lorsque la lecture était terminée, la mère allait dans la salle à manger et apportait sur la table de la cuisine un petit encrier, un porte-plume et une feuille de papier portant encore, au-dessus des colonnes réservées aux chiffres, l'en-tête de la boulangerie. Elle en avait conservé un gros paquet qui lui servait pour toutes ses lettres.

Le père la regardait écrire. Elle allait lentement, s'arrêtant souvent pour remettre en place, entre ses doigts de plus en plus déformés par le rhumatisme, le porte-plume qui glissait. Elle remarquait souvent :

— Il faudrait que j'aie un porte-plume un peu plus gros. Celui-là est vraiment trop petit. Je ne le sens plus dans mes doigts.

Un soir, le père lui dit :

— Tu devrais enrouler une ficelle autour. Ça ferait plus gros, et ça glisserait moins.

Elle suivit son conseil, et le père remarqua qu'elle écrivait avec moins de difficulté.

Chaque fois, lorsqu'elle reposait sa plume, le père demandait :

— Tu leur dis que je les embrasse, oui?

Et chaque fois, elle répondait :

— Bien entendu.

Il en allait ainsi pour tout. La vie poussait son petit train. Chaque journée s'épuisait lentement et débouchait sur une soirée sans surprise. A plusieurs reprises, durant le mois de septembre, Julien avait reparlé de son mariage en expliquant qu'il serait célébré en octobre, à Saint-Claude qui était le pays de Françoise. Et il disait : « Il n'y aura que vous deux et le père de Françoise. »

La mère avait paru se résigner. Le père avait soupiré :

— Ma foi, les temps sont tellement curieux...

C'était tout. Les vieux attendaient. Et puis, le 17 octobre une lettre arriva au courrier du matin.

Il faisait un beau soleil. Le père avait commencé depuis plus d'une heure de buter des cardons. Malgré la bise qui faisait courir les feuilles mortes tout au long de l'allée, le père transpirait. Il se redressait de temps à autre pour s'éponger le front et respirer un peu. Il vit la mère revenir lentement de la grille, lisant une lettre.

Elle s'arrêta avant d'être arrivée à sa hauteur. Le père cligna un œil pour la voir mieux. Il ne pouvait distinguer ses traits à cause de l'ombre qui baignait son visage incliné, mais il sentit pourtant qu'elle ne s'était pas arrêtée seulement pour lire plus facilement. Il n'arrivait guère d'autres lettres que celles de Julien. Ce fut à lui que le père pensa aussitôt, et il eut le pressentiment d'un malheur.

Il se sentit oppressé, et un frisson courut sous sa chemise. C'était peut-être le vent qui glaçait la sueur, mais c'était peut-être aussi une peur qu'il se refusait à reconnaître.

Il hésita. Puis, comme la mère se remettait à marcher, il posa sa pioche et partit à sa rencontre.

Ils s'arrêtèrent à un pas l'un de l'autre. La mère avait laissé aller sa main qui tenait la lettre contre son tablier. Son autre main pendait aussi. Elle leva la tête lentement. Sa bouche plissée tremblait. Des larmes coulaient sur ses joues.

Avant même que le père eût prononcé un mot, elle

ébaucha une espèce de sourire amer, sa tête alla de gauche à droite comme pour dire :

— Non... Ne te fais pas de souci, ce n'est pas grave.

Le père voyait sa pomme d'Adam monter et descendre. La peau de son cou se tendait parfois et les rides, en s'ouvrant, dessinaient des sillons plus pâles dans son hâle. Elle parut se reprendre et murmura enfin :

— Je suis stupide... Je suis stupide de pleurer pour ça... C'est aussi bien ainsi... C'est aussi bien...

— Mais qu'est-ce qu'il y a?

Elle montra la lettre.

— Ils vont se marier... Ils vont se marier à Lyon. Tout seuls... Pour faire moins de frais... Voilà... C'est tout.

Elle ajouta très vite, comme si elle eût redouté de ne pas pouvoir aller au bout de ce qu'elle avait à dire :

— Tu viendras, je te lirai sa lettre.

Elle fit un petit écart sur la droite pour éviter le père et partit en toute hâte vers la maison.

Le père n'éprouvait rien qu'un certain soulagement parce que, durant quelques instants, il avait redouté l'annonce d'un accident. Un certain soulagement aussi car la perspective d'un voyage à Saint-Claude l'avait beaucoup effrayé. Maintenant, c'était fait. Julien se mariait. On ne ferait rien à cette occasion, et il pensa seulement qu'il y avait encore, au fond de la cave, du vin qui avait l'âge du garçon et qu'il avait gardé pour cette occasion. Cette pensée ne lui procurait aucune émotion. Elle lui venait ainsi, parce qu'il était naturel, habituellement, de penser au vin lorsqu'on parlait de mariage. Mais après tout, plus rien ne se déroulait normalement en ce monde, et il fallait tout accepter sans étonnement.

Il savait que la mère pleurait. Il attendit un long moment avant de la rejoindre.

Il la trouva assise devant la table. Ses paupières étaient gonflées. Elle fixait la fenêtre. Pas un muscle de son visage ne tressaillait.

Le père s'assit en face d'elle, et attendit en silence qu'elle voulût bien lire la lettre. Un long moment passa. La porte était grande ouverte, et la bise soulevait le store dont les perles de bois s'entrechoquaient. Sur la cuisinière, une marmite où cuisaient des épluchures lâchait un petit jet de vapeur que les mouvements de l'air modelaient sans cesse.

Enfin, se tournant lentement vers la table, d'une voix faible mais qui tremblait à peine, la mère commença :

— Voici ce qu'il dit : « Chers Parents, je sais bien que cette nouvelle va vous faire de la peine, mais nous avons décidé de nous marier ici, sans inviter personne, pour faire l'économie du voyage et éviter les frais. Le papa de Françoise est malade, et, de toute façon, on ne pourrait pas se marier chez lui. Et puis, comme il n'y a qu'un an que la maman de Françoise est morte, on ne peut pas faire de noce... Nous avons déjà très peu d'argent. Françoise a trouvé une place de secrétaire chez un avocat que je connais pour lui avoir vendu des tableaux. Il lui est difficile de s'absenter plusieurs jours... Pour vous, je sais que le voyage vous fatiguerait. Et ici, on ne peut pas vous loger puisque nous n'avons qu'une pièce et un seul lit. J'ai demandé les papiers dont nous avons besoin. J'espère que dans quelque temps la peinture se vendra mieux et que nous aurons assez d'argent pour chercher un appartement. Ainsi, vous pourrez venir pour la naissance de votre petite-fille. Car j'espère que ce sera une fille. Ce sera plus important que notre mariage qui n'est qu'une formalité. Françoise est à son travail, mais elle m'a bien recommandé de vous embrasser très très fort tous les deux. Je vous embrasse aussi de tout cœur. »

La mère avait lu d'une seule traite, s'arrêtant seulement le temps de reprendre son souffle. Elle reposa la lettre sur la table :

— Voilà... Il donne aussi la date... C'est après-demain.

Le père soupira. Le calme de la mère ne l'abusait pas. Il sentait qu'elle luttait pour ne pas pleurer et il eût aimé lui dire un mot qui pût atténuer sa peine. Il chercha, mais il ne trouva rien. Alors il soupira, souleva sa main qu'il laissa retomber sur la toile cirée, puis, se levant lentement, il se dirigea vers la porte.

Au moment où il écartait le store pour sortir, une idée lui vint enfin.

— Il faudrait leur envoyer quelque chose, dit-il. Je ne sais pas, moi, un colis... Ou bien alors, un peu d'argent. Ils en auront sûrement besoin.

La mère leva la tête vers lui. Sa bouche ne souriait pas. Son visage demeurait fermé, mais ses yeux clairs disaient merci.

49

Dès le lendemain, la mère porta jusqu'à la gare un gros colis où elle avait mis des poires d'hiver, des boîtes de conserve, un petit pot de beurre fondu, de la confiture et du chocolat. C'était tout ce qu'elle avait pu trouver. Le père l'avait regardée préparer ce paquet en hochant la tête. Il savait qu'elle n'enverrait pas que cela. Ce n'était jamais lui qui s'occupait de l'argent, mais, durant l'été, ils avaient vendu des légumes et des fruits, et il se doutait bien que la mère n'avait pas porté tout l'argent à la Caisse d'Epargne.

Le matin du mariage, elle dit :

— Il faut que j'aille à la poste pour leur envoyer un télégramme.... Puisqu'on ne peut pas être là-bas, c'est bien naturel qu'ils aient un petit mot de nous.

Le père avait approuvé. C'était un peu comme si tout cela ne l'eût concerné que de très loin. Ce qu'il voyait surtout, c'était qu'après avoir subi le premier choc, la mère avait surtout réagi en disant :

— Pour nous, bien sûr, ce n'est pas drôle de les voir se marier seuls et si loin. Mais il faut penser à eux. Pour des jeunes, un mariage pareil, ce n'est pas bien réjouissant.

Une fois la date passée, elle se mit à attendre une lettre racontant ce pauvre mariage. Le père la sentait tendue, irritable, et il évitait de parler. La vie continuait de tourner lentement en rond dans le jardin et la maison. Il n'y avait aucun changement apparent, et pourtant, le père sentait que quelque chose demeurait suspendu, dans l'attente d'on ne savait quel autre événement.

La première lettre vint qui racontait brièvement la cérémonie. La mère pleura un peu en apprenant que Julien ne s'était pas marié à l'église. Le père dit :

— Ça ne... Ça ne fait rien... Mais enfin, ils ont tort. Il ne faut jamais se mettre mal avec personne. Dans la vie, on peut avoir besoin de tout le monde.

Il avait failli dire : « Ça ne m'étonne pas, une communiste! » Mais il s'était contenu. Plus il allait, plus le chagrin de sa femme le touchait.

Désormais, ils étaient vraiment isolés du reste du monde, et ce tête-à-tête des soirées comme ce côte-à-côte des journées de travail ne pouvait s'accommoder d'éternelles disputes. D'ailleurs, depuis quelque temps, la mère non plus ne se fâchait plus. Leur existence était un peu comme si le déclin de la saison l'eût engourdie. La mère s'était voûtée davantage. Son visage était plus creux et son regard trop souvent perdu dans le vague.

Durant tout le mois de novembre, il n'y eut entre eux qu'une seule dispute. C'était un jeudi. La mère était allée au marché, et, à 11 heures, lorsqu'elle revint, elle annonça :

— Je viens de rencontrer Mme Gresselin, la directrice de l'école maternelle... Il y a bien longtemps que je ne l'avais pas vue... Elle a vieilli.

Le père ne connaissait Mme Gresselin que pour l'avoir rencontrée et saluée de loin, dans la rue, mais la mère l'avait fréquentée de plus près lorsque Julien était à l'école.

— Elle ne doit pas être loin de la retraite, dit-il.

— Elle devrait déjà y être. Mais avec la guerre, elle a pu rester quelques années de plus... Que veux-tu, tous les gens cherchent à gagner un peu d'argent. La vie est si dure.

Elle se tut. Le père pensait que c'était une conversation comme ça, manière de dire quelque chose pour rompre un moment le silence. La mère rangea ce qu'elle avait apporté, alla suspendre son cabas derrière la porte de la souillarde, et revint en disant :

— A présent qu'il n'y a plus guère de travail au jardin, moi aussi je pourrais essayer de gagner un peu au-dehors.

Elle se tut. Le père la regarda en fronçant les sourcils. Comme elle n'ajoutait rien, il finit par demander :

— Au-dehors, mais que veux-tu dire par là?

— Eh bien, Mme Gresselin m'a dit que l'école recherche deux personnes pour la cantine. Pour servir les enfants et... et nettoyer.

— Bonsoir! lança le père. Nous ne sommes peut-être pas riches, mais tu ne vas pas aller faire la plonge comme si nous étions à la misère, non!

Il s'était senti fouaillé par cette idée de sa femme allant laver les casseroles, et il avait crié.

— Ne te fâche pas, dit-elle. Ce n'est pas déshonorant. Et le peu que je gagnerai me permettra d'aider les enfants.

— Les aider? Mais est-ce que quelqu'un nous a jamais aidés, nous autres? Est-ce que Julien ne pourrait pas reprendre son métier ou trouver un autre travail, plutôt que d'essayer de vivre de ses tableaux? Qu'est-ce qu'ils font, en ce moment? Ils vivent sur ce que sa femme gagne! Est-ce que tu trouves que c'est naturel? Et tu voudrais t'y mettre toi aussi. Il lui faudrait deux femmes pour le nourrir...

— Gaston! Tais-toi, tu es injuste. Tu sais très bien qu'il peut être mobilisé d'un moment à l'autre et que personne ne l'embauchera!

Elle aussi avait crié, et son attitude ne fit qu'attiser la colère du père qui frappa la table du poing.

— Je m'en fous. Mais je ne supporterai pas de te voir aller comme une mendigote torcher les gosses et tripoter les eaux grasses... C'est pour le coup que les gens se figureraient que je te fais trimer pour...

Comme chaque fois qu'il criait très fort, sa voix s'étrangla sur une toux grasse, venue du fond de ses bronches malades avec un flot de glaires. Lorsqu'il eut craché et bu le verre d'eau que la mère lui tendait, il regagna sa chaise où il se laissa tomber. Il y avait longtemps que pareille quinte ne l'avait secoué, et il demeurait sans force, le coude sur la table, la main gauche sur son genou, penché en avant à la recherche de son souffle. Tout un lot de fatigue endormie en lui venait de se réveiller d'un coup. Elle pesait sur lui. Elle semblait le pousser vers ce plancher qu'il fixait sans trouver le moindre mot à prononcer.

Le jour était gris et froid. Bientôt, l'hiver serait là. L'hiver qui l'effrayait tant depuis quelques années. Est-ce que vraiment son corps était usé au point qu'il ne pût plus supporter la moindre contrariété? A deux reprises déjà, au beau milieu d'hivers très durs, il avait été si grièvement atteint par son mal qu'il avait cru ne jamais revoir le printemps. Est-ce que l'hiver qui approchait serait sa dernière saison? L'idée lui vint que c'était peut-être en prévision de sa mort que la mère cherchait du travail. Avait-elle peur de Paul? Elle lui avait souvent dit :

— Tu devrais faire tes arrangements. Qu'est-ce que ça coûte?

Il leva la tête. La mère le regardait. Elle avait son visage triste et ses yeux semblaient dire : « Mon pauvre homme, dans quel état tu te mets pour si peu de chose. »

Mais elle se contenta de murmurer :

— Tout de même, tu devrais bien essayer de me comprendre.

Il se sentait trop las pour poursuivre la discussion. Il eut un mouvement de tête qui ne voulait dire ni oui ni non. Que devait-il comprendre? Il avait eu peur de le demander. Il redoutait d'entendre sa femme lui répéter qu'il n'était pas éternel et qu'il n'avait rien fait pour assurer son existence lorsqu'il ne serait plus là. Ce n'était peut-être pas ce qu'elle eût répondu, mais il préférait le doute... Et il préférait surtout le silence. Déjà il regrettait ce moment de colère qu'il n'avait pas su réprimer et qui éloignait cette paix où il se sentait pénétrer depuis quelques semaines comme on enfonce son corps perclus en un bon lit douillet.

Ce qu'il acheva de comprendre ce jour-là, c'est que la paix qu'il désirait tant était au prix de son silence. Il se résigna. La mère ne reparla pas de la cantine avant le lundi suivant, mais le père sentit bien qu'elle avait pris sa décision.

Le lundi matin, lorsqu'ils eurent achevé leur petit déjeuner, elle demanda :

— Est-ce que tu préfères que je te fasse manger avant de partir, ou si tu aimes mieux que je te prépare tout pour que tu manges à midi?

Il ne demanda même pas de quoi il s'agissait.

— Je ne veux pas changer mes heures, grogna-t-il. Mais je suis encore capable de me faire à manger.

Il ne lui demanda pas non plus à quelle heure elle partirait, si elle mangerait sur place, combien elle gagnerait, à quelle heure elle rentrerait. Toutes ces questions étaient en lui depuis qu'il avait acquis la conviction qu'elle suivrait son idée, mais il s'était juré de n'en pas parler. La mère voulait faire à sa tête. Elle voulait commencer de vivre comme elle le ferait une fois qu'il ne serait plus là, dans ce cas, le mieux était encore de laisser grandir lentement le silence qui était entre eux. Le jour où le silence définitif viendrait, tout serait plus facile.

L'automne n'avait pas encore tout à fait fini de dépouiller les arbres, mais la pluie, qui s'était installée entre la terre et le ciel bas depuis trois jours, éloignait encore la maison du reste de la ville.

Avec cette pluie, c'était l'hiver qui s'annonçait. Il secouait de loin en loin le volet, arrachait une feuille à la treille ou au poirier. Le père fixait tantôt le ciel, tantôt la terre luisante du jardin, et, jamais encore il n'avait éprouvé à ce point jusqu'au fond de lui cet assoupissement de la vie qui marque l'approche de la saison morte.

50

Novembre passa ainsi. La mère s'en allait chaque matin vers les 10 heures et demie pour rentrer quatre heures plus tard. Elle rapportait toujours dans son sac quelques croûtes de pain pour les lapins et un bidon de soupe qu'elle faisait réchauffer pour le repas du soir.

Il fallait accepter cela. Vivre un peu comme des pauvres. Et, somme toute, on était pauvre. Le père avait fini par l'admettre. Les maisons ne représentaient rien. La guerre avait absorbé les économies de tous les vieillards.

Alors la mère allait à la cantine. A l'âge du repos, elle devenait femme de service. Elle partait en souriant. Elle rentrait en souriant, mais chaque jour son teint devenait terreux. Son dos se voûtait davantage et ses reins se cassaient. Elle ne se plaignait jamais. Cependant, le père la voyait frotter l'une contre l'autre ses mains aux doigts tordus. Son index gauche chevauchait le majeur. Ses pouces restaient pliés même lorsqu'elle ouvrait les mains, et ses poignets avaient enflé.

— L'eau de cette plonge ne t'arrange pas.

Elle haussait les épaules.

— Ce n'est rien... Ce n'est rien. Tu sais bien que je suis comme ça tous les hivers.

Ce n'était pas vrai. Jamais le père ne l'avait vue aussi fatiguée, et surtout, jamais il ne l'avait entendue tousser comme elle le faisait à présent.

Lorsqu'il lui suggérait timidement de se reposer, elle disait :

— Laisse-moi aller seulement jusqu'à Pâques. Quand il y aura de l'ouvrage au jardin, je m'arrêterai. Mais leur petit viendra au monde vers la fin du mois de mars. A ce moment-là, je leur enverrai un peu d'argent... Pas avant. Il faut que ça serve pour le petit.

Lorsqu'elle parlait de ce petit, son visage s'éclairait. Sa fatigue semblait la quitter comme par enchantement. Alors le père la laissait dire.

Julien avait écrit pour annoncer qu'un ami lui avait trouvé un appartement de deux pièces tout près de Lyon. Seulement, cet appartement ne serait libre qu'en janvier, et il n'était pas meublé. Tout de suite, le père avait dit :

— Ils n'ont rien. Ils n'auront qu'à venir ici. Qu'est-ce que nous faisons de deux lits dans notre chambre? Ils en emmèneront un. Et nous trouverons bien autre chose. Il y a une table au hangar, et nous avons bien trop de chaises à la salle à manger.

Depuis ce jour-là, de loin en loin, l'un ou l'autre disait :

— Tiens, quand ils viendront, on pourra bien leur donner aussi un peu de vaisselle... ou ce petit meuble...

— Oui. Le tout sera de l'emmener.

— Même s'il faut qu'ils louent une camionnette, ça leur fera toujours moins cher que d'acheter.

Au début, le père avait fait cette proposition parce qu'il voulait être le premier à en parler. Mais il avait éprouvé un léger pincement au cœur à la pensée de se séparer de tant de choses qui tenaient leur place dans la maison. Puis, sans qu'il sût au juste pourquoi, il avait presque pris plaisir à découvrir de nouveaux objets à donner.

Durant les longues absences de la mère, il lui arrivait de se promener dans la maison et de chercher un objet auquel il venait de penser. Il lui arrivait aussi d'évoquer ce petit qui allait naître. Paul n'avait pas d'enfant, il n'avait plus guère d'espoir d'en avoir, alors, le petit Dubois qui allait venir, tout de même, c'était important.

Depuis la Libération, ni Paul ni sa femme n'avaient reparu chez les vieux, mais ce n'était pas la première fois qu'ils restaient plusieurs mois sans se montrer. Après tout, ils avaient leur ouvrage. Le commerce avait dû reprendre un peu. Le père se parlait ainsi pour ne pas laisser se développer en lui l'idée que les événements avaient pu séparer définitivement ses deux garçons et éloigner Paul de la maison. Le temps arrange bien des choses.

Mais le temps pousse également les saisons, et l'hiver avançait à grands pas.

Le quatrième jour de décembre, comme le ciel se décidait à peine à verser assez de lumière pour annoncer le matin, une lourde gifle de bise arriva. Il y eut un grand remuement de branches nues. Les sarments de la treille se dressèrent vers la fenêtre, la maison poussa un long soupir de douleur que prolongea la plainte du feu. Et puis ce fut le silence. Debout devant la fenêtre, le père interrogea les nuages durant quelques minutes, puis il dit :

— La bise va prendre. Et ce sera peut-être la neige.

— Je vais aller chercher un panier de bois, dit la mère. Si ça se met à tomber, il sera toujours là.

Elle sortit avec son panier vide. Une deuxième bourrasque siffla. Elle ne vint pas aussi brutalement que cette courte avant-garde qui avait tout affolé avant de s'éteindre. Ce fut d'abord un léger vent de rien, qui miaulait en frôlant les chéneaux. Puis ce vent prit de la force. Il enveloppa la maison et s'étala partout, couchant entre les toitures les fumées de la ville, malmenant les arbres et la treille.

Quand la mère revint, elle demeura un moment immobile, le dos contre la porte refermée, avant de pouvoir dire :

— Cette bise est de glace... J'ai cru que je ne pourrais pas ravoir mon souffle.

Le père commença d'empiler le bois à côté de la cuisinière.

— Tu remplis trop le panier. C'est trop lourd pour toi.

— Non... Mais cette bise m'a surprise... Je n'avais que ma veste de laine et mon châle. Je ne croyais pas qu'il faisait aussi froid.

Elle versa ce qui restait de café au lait du déjeuner, et, prenant le bol à deux mains pour se réchauffer les doigts, elle but à petites gorgées.

Lorsque le père eut vidé le panier et rechargé le feu, il s'approcha de la fenêtre.

— Bon Dieu, fit-il. Cette saloperie de bise a déjà arraché trois sacs à mes cardons... J'avais pourtant serré les ficelles. Il faut que j'aille...

La mère l'interrompit.

— Ne dis donc pas de bêtises. Tu sais bien que si tu sortais par ce temps, tu passerais le reste de l'hiver dans ton lit... Ce n'est pas la peine de courir après le mal, il vient toujours assez vite.

Elle posa son bol vide sur la table et ouvrit la porte de la salle à manger.

— Qu'est-ce que tu veux faire? demanda le père.

— Je vais mettre mon manteau. Et j'irai rattacher les sacs. J'ai largement le temps, avant d'aller à mon travail.

— Mon Dieu, gémit le père. Dire que je ne suis plus bon à rien lorsque le froid est en route!

La mère enfila le gros manteau qu'elle avait taillé dans la capote que leur avait laissée le soldat qu'ils avaient recueilli au moment de la débâcle. Elle l'avait teint elle-même, et le mélange du fond kaki et de la teinture noire avait donné à ce drap rêche une couleur marron, un peu délavée et toute sillonnée de traînées beiges. Elle releva le col, posa son châle sur sa tête et le noua sous son cou.

Toujours près de la fenêtre, le père la regardait, puis regardait ses cardons. D'autres sacs se soulevaient. Si le vent prenait de la force, il finirait par tout arracher.

— Tu devrais prendre de la ficelle et un couteau. Je crois que celle que j'ai utilisée n'est pas assez solide. Elle est trop vieille. Avec les pluies que nous avons eues, elle est déjà pourrie. Il y en a de la plus forte derrière la porte de la cave.

La mère prit un petit couteau pointu, elle ajusta encore son châle et sortit.

51

Dès que la mère fut dehors, le père regagna la fenêtre. Il l'entendit ouvrir la porte de la cave. Elle mettait bien du temps à trouver cette ficelle! Et le vent continuait sa mauvaise besogne. Il se couchait au ras du sol, remontait le talus de terre que le père avait fait au pied des cardons, cherchait à pénétrer sous les sacs et là, rassemblant sa force comme une bête sournoise, il se gonflait par à-coups. Les sacs se tordaient. Si la mère tardait trop, tous les liens finiraient par craquer!

Lorsqu'elle parut enfin à l'angle de la maison, le père entrouvrit la fenêtre et cria :

— Commence par remettre une ficelle à ceux qui tiennent encore... Tu feras les autres ensuite!

Elle lui fit oui de la tête et s'engagea dans le carré. La bise l'empoignait comme elle faisait des plantes. Son manteau flottait. Il se gonflait par moments, se soulevait sur sa jupe noire. A plusieurs reprises, le père la vit faire des écarts sur ses gros sabots et crut qu'elle allait tomber.

— C'est pas Dieu possible que ça souffle pareillement, grognait-il.

Quand la mère se baissait pour prendre les grosses plantes à bras-le-corps et passer le lien autour, on eût dit qu'elle s'agrippait pour ne pas être emportée.

Le père suivait chacun de ses gestes. Elle devait avoir les doigts engourdis, car, habituellement, elle travaillait plus vite et avec davantage d'adresse. Elle semblait peiner chaque fois qu'elle se redressait. Elle avait des moments d'immobilité que rien n'expliquait. Cassée en avant, elle tendait son dos rond à la bise, vacillait sur place, ébauchait un pas, se reprenait à la recherche de son équilibre.

Elle attacha ainsi quatre ou cinq pieds, puis, arrivée au suivant, au lieu de se baisser comme elle avait fait pour les autres, elle commença par se redresser en portant à sa poitrine sa main qui tenait le paquet de liens. Cette main s'ouvrit et des liens lui échappèrent pour filer au vent comme de petits serpentins clairs dans cet univers couleur de terre.

— Bon Dieu, les ficelles! grogna le père. Mais qu'est-ce qu'elle fait?

Elle avait amorcé un mouvement pour tenter de rattraper ses liens, mais sa main droite battit l'air, lâchant le couteau qui tomba. Elle demeura ainsi une ou deux secondes, pareille à un épouvantail à demi déraciné et qui résiste encore à la bourrasque. Puis ses genoux se plièrent lentement. Sa main droite voulut agripper au passage un plan de cardon, ses doigts glissèrent sur le sac trempé; elle tomba d'abord sur les genoux, eut encore une hésitation avant de se coucher lentement sur le côté gauche, le visage contre le petit talus.

— Bon Dieu, murmura le père. Mais qu'est-ce qu'elle a? Qu'est-ce qu'elle fait?

Il sentit sa gorge se serrer. Il voulut croire un instant que la mère avait perdu l'équilibre, mais elle demeurait immobile. Seul le bas de son manteau continuait de vivre, tout habité de vent glacé.

La main crispée sur l'espagnolette, le père haletait, cloué sur place par une immense peur.

52

Le père est resté immobile durant un laps de temps qu'il ne saurait évaluer. Il s'est produit en lui un phénomène qu'il ignorait. Détaché de la terre et du temps qui va, il était là, et il était ailleurs. Il voyait la mère couchée au pied des cardons et, en même temps, il se disait que ce n'était pas vrai, qu'elle allait entrer dans la cuisine en frottant l'une contre l'autre ses mains engourdies.

Et puis, sans qu'il pût comprendre non plus ce qui le poussait, il a quitté la fenêtre. Ses forces étaient revenues et sa lucidité aussi. Il a pris le temps d'enfiler sa grosse veste de velours et il est sorti.

Sur le palier, tandis qu'il quittait ses pantoufles pour enfiler ses sabots, il a senti l'air glacé l'envelopper et descendre en lui. Il s'est crispé, il s'est accroché à sa volonté d'aller en dominant ce corps qui se cabre chaque fois que le froid le saisit.

A présent, il traverse l'allée et s'engage dans le carré de terre. Son œil ne quitte pas le manteau de la mère. Il lui semble qu'elle bouge... Il voudrait courir, mais la crainte de tomber le retient.

Il se penche sur elle. Il la touche à peine. Il est là et il n'ose pas.

— Qu'est-ce que tu as? Tu m'entends... Tu m'entends?

Il a crié très fort.
Rien.
La mère ne bouge pas.
Le père s'agenouille et tente de passer son bras sous elle pour la soulever un peu... Elle râle... Elle a un hoquet qui se répète... Son visage est violacé... Ses yeux injectés de sang sont à demi ouverts sous ses paupières qui tremblent comme si la bise les soulevait.
— Bon Dieu... Bon Dieu, gémit le père.
Il se redresse. Il se sent perdu. Il regarde autour de lui... Personne. Il n'y a que cette bise qui lui coupe le souffle et lacère son visage de mille lames.
Il hésite un instant. Est-ce qu'il va lui aussi se laisser tomber là et crever avec sa vieille sur cette saloperie de terre?
Cette idée le fouette comme si elle appartenait à la bise. Une espèce de cri monte du fond de lui. Un cri qui se noue dans sa gorge et qui n'est qu'un appel inintelligible.
Alors il se baisse de nouveau. Il met un genou en terre, il empoigne la mère par le poignet, retrouvant un vieux geste appris à la guerre pour porter les blessés. Il tire. Le râle de la mère se fait plus fort. Il tire encore et parvient à la soulever assez pour engager son dos sous ce corps inerte. Dans un grand effort, il se lève.
Est-ce que ses jambes qui tremblent vont tenir?
Il fait un pas. Un deuxième. Les pieds de la mère traînent dans la terre. Elle a perdu un de ses sabots. Sa main gauche est crispée sur trois ficelles qui volent à la bise.
Le père atteint le bord de l'allée. Pour enjamber la dalle, il se penche davantage en avant, s'assure que le corps ne risque pas de basculer et, le lâchant de la main gauche, il se cramponne à un piquet de l'étendage.
Au pied de l'escalier, il doit s'arrêter. Malgré le froid, il est trempé de sueur. La main courante est à droite. Pour pouvoir s'y cramponner, il doit changer

la position de la mère sur ses épaules. Il la tient de la main gauche par son manteau trop raide. Sa main droite empoigne le métal glacé et il monte une marche.

Il y a dix marches. A chacune il s'arrête. Il essaie de respirer, de prendre un peu de force à ce vent fou qui vient heurter la maison de plein fouet, qui tourbillonne et repart.

Ces tourbillons de vent, c'est un peu comme s'il les voyait, là, devant lui, tout chargés d'une multitude de points noirs.

Ces points noirs, il les connaît. Il sait ce qu'ils annoncent et la peur le reprend. S'il tombe ici, ils rouleront tous deux au pied de l'escalier. A cause des buis, personne ne pourra les voir ni de la rue ni du chemin. Au grand vide qui était en lui tout à l'heure a succédé une étrange lucidité. Chaque pensée qui le traverse amène son lot d'images d'une étonnante précision.

Il s'arrête. Il faut qu'il sache s'arrêter suffisamment pour que ses forces se refassent. Il faut qu'il impose un rythme à sa respiration. Il faut qu'il évite les longues goulées d'air glacé qui pourraient l'abattre.

Il compte les marches. Encore quatre... Il rassemble tout ce qu'il peut trouver en lui de ressources, et il monte ces quatre marches sans s'arrêter.

Sur le palier, il chancelle et sa main tombe sur la poignée de la porte qu'il serre très fort.

Un temps. La poignée tourne, la porte s'ouvre et le chaud de la pièce lui saute au visage.

Il repousse la porte qui claque lourdement au nez de la bise.

Là, il pense à la chambre, au lit. Mais il n'y a pas de feu là-haut et il serait incapable d'y monter la mère.

C'est peut-être simplement un malaise. Il tente en vain de l'asseoir sur une chaise, mais le corps inerte verse à droite ou à gauche, se casse en avant, vidé de tout ressort.

Alors, à bout de forces, il l'allonge sur le lino.

53

Le père Dubois avait cru que la chaleur suffirait à ranimer sa femme. Comme elle restait inerte, il tenta de lui faire boire un peu d'eau-de-vie, mais sa main tremblait à tel point qu'il ne put y parvenir. Les larmes lui brûlaient les yeux. Tout était trouble et, lorsqu'il se redressa, il dut s'appuyer à la table pour ne pas tomber. A plusieurs reprises il regarda par la fenêtre, mais personne ne passait sur le chemin.

Il revint vers la mère. Se remit à lui parler, mais elle continuait de le fixer de son regard perdu, exhalant toujours ce râle venu du fond de sa gorge où roulaient des glaires.

De nouveau, la peur l'empoigna.

Il prit sur une chaise un petit coussin tout aplati qu'il glissa sous la tête de la mère, et il sortit. Où aller? Vers la rue? Peut-être aurait-il du mal à trouver du monde. Il pensa à Mlle Marthe qui habitait en face, mais elle était vieille et ne sortait presque plus. Il courut vers le fond du jardin, contourna le hangar et entra dans la cour de la maison qu'habitait M. Robin. Il regarda en direction de la fenêtre de cuisine, et, à travers cette brume de larmes et de froid qui brouillait son regard, il crut distinguer une forme claire. Il accéléra le pas, et, levant les bras il se mit à crier :

— Hé! Hé! Hé!

Sa voix s'étrangla et la toux le secoua, l'obligeant à s'arrêter. La fenêtre s'ouvrit et Mme Robin demanda :

— Qu'est-ce qu'il y a?

Le père fit un effort pour parler, mais la toux l'étranglait. Il ne put que gesticuler et c'est à peine s'il entendit :

— On descend!

La fenêtre se referma. Le père essayait de se maîtriser. Il voulait cracher mais la bise plaqua son crachat contre sa veste et il s'énerva, cherchant son mouchoir pour s'essuyer.

Quand M. Robin et sa femme arrivèrent, il avait cessé de tousser, mais il ne pouvait toujours rien articuler. Il les entraîna, et, c'est seulement lorsqu'ils arrivèrent dans le jardin qu'il put bredouiller :

— Allez vite... Ma femme... Ma femme... Je ne peux plus.

Mme Robin partit en courant vers la maison et le père sentit que M. Robin l'empoignait par le bras pour le soutenir. Un instant, il lui sembla qu'un grand vide s'ouvrait devant lui. Il s'arrêta, retint sa respiration quelques secondes, puis, lentement, il se remit à marcher.

Lorsqu'ils entrèrent, Mme Robin était agenouillée à côté de la mère dont elle soulevait la tête. Le visage de la mère était très rouge. On sentait que son souffle court passait à grand-peine ses lèvres violacées.

— Elle est très congestionnée, dit Mme Robin. Il faut appeler un docteur tout de suite... Et il faut la porter dans son lit.

— Mon Dieu... Mon Dieu, gémissait le père.

M. Robin l'aida à s'asseoir. Il semblait très calme.

— Je cours chez nous, dit-il. Je vous envoie notre femme de ménage, et je vais tout de suite téléphoner à votre fils. Il amènera un médecin... Vous n'avez pas son numéro?

Le père fit non de la tête et M. Robin partit très vite.

A présent, le père se sentait soulagé d'un grand poids. Il n'était plus seul... Ce n'était plus lui qui décidait. Il regardait aller et venir cette petite femme en manteau bleu dont les cheveux bruns défaits tombaient en vagues sur ses épaules.

Elle parlait. Il l'écoutait sans l'entendre vraiment.

— Je vais mettre chauffer de l'eau, disait-elle. Le docteur peut en avoir besoin... Est-ce qu'il y a du feu, dans votre chambre?

— Non... Mon Dieu...

— Je vais monter l'allumer... Est-ce qu'il y a du bois là-haut?

— Oui... Il doit y en avoir.

— Et du papier?

— Il y en a ici.

Le père lui tendit un journal et fouilla sa poche pour trouver son briquet.

— Je vais monter avec vous.

— Non non, restez là... Vous ne tenez plus debout. Quand la femme de ménage arrivera, nous coucherons Mme Dubois.

Mme Robin monta et le père l'entendit aller et venir dans la chambre. De sa place, à cause de la table où il s'accoudait, il ne voyait que la tête de la mère toujours allongée sur le sol. Elle paraissait un peu moins rouge, mais ses paupières demeuraient mi-closes sur son regard sans vie.

Privé de toute réaction, le père Dubois restait penché en avant, un coude sur la table, l'autre sur son genou, et fixait le visage de sa femme en répétant :

— C'est pas possible... C'est pas possible...

54

Lorsque M. Robin arriva, Mme Robin et la femme de ménage avaient déjà couché la mère Dubois.

La femme de ménage était une grande Italienne de quarante ans plus forte que bien des hommes. Elle avait soulevé la mère en la prenant sous les aisselles, et Mme Robin n'avait eu qu'à lui soutenir les jambes pour éviter que les pieds ne butent les marches d'escalier. Le père les avait suivies... Le feu ronflait dans la chambre où M. Robin les rejoignit.

— J'ai essayé d'appeler deux docteurs, dit-il. Ils étaient absents tous les deux. Alors j'ai appelé votre belle-fille. Elle va venir avec le Dr Letty qui habite à côté de chez eux.

— En attendant, observa Mme Robin, nous allons lui mettre un cataplasme.... C'est sûrement de la poitrine qu'elle est prise. Ça la dégagera toujours et ça fera tomber la fièvre.

Le père s'était assis dans le fauteuil, au pied du lit. Le jour gris qui entrait dans la pièce ne poussait jusqu'à la malade qu'une pauvre lueur froide qui permettait à peine de distinguer ses traits.

— On dirait qu'elle a moins de peine à respirer, observa le père.

— C'est vrai. Mais je ne crois pas que sa fièvre diminue.

M. Robin tenait le poignet de la mère. Il dit encore :

— Le pouls est régulier, mais très précipité.

Les deux femmes étaient descendues préparer le cataplasme. M. Robin s'assit en face du père, sur une petite chaise basse où la mère, le soir, posait ses vêtements avant de se coucher.

A présent, ses habits se trouvaient au pied du lit parallèle à celui où elle était allongée. Le père eut un geste dans cette direction, et il dit :

— C'était un manteau qu'elle s'était fait dans une capote de soldat... Vous savez, celle que nous avait laissée ce garçon de Villefranche... Guillemin si je me souviens bien... Il m'avait aidé à faire le pain, au moment de la débâcle... Un brave garçon... Je ne sais pas ce qu'il est devenu.

M. Robin hochait la tête.

Le père se tut. Il ne savait pas pourquoi il avait dit cela, mais le fait de parler calmement lui fit du bien.

M. Robin demanda :

— Elle était dans le jardin?

— Oui. Elle avait voulu sortir pour rattacher les sacs autour des cardons... Moi, je ne suis plus bon à rien... Mais je n'aurais pas dû la laisser faire. Seulement, vous la connaissez, pour l'empêcher de continuer son ouvrage!... C'est comme cette cantine. Je lui ai pourtant assez dit, qu'elle y laisserait sa santé pour gagner quatre sous

M. Robin se leva et alla jusqu'à la fenêtre.

— Son sabot est resté dans le jardin, dit-il. Quand je descendrai, j'irai le chercher.

— Bien sûr, fit le père. Je n'ai pas pensé à ça. J'ai cru que je ne pourrais jamais la ramener jusqu'ici...

M. Robin l'interrompit :

— Je crois que c'est le docteur.

Le père se leva et se dirigea vers la porte.

— Ce n'est pas la peine de descendre, dit M. Robin. Les femmes le feront bien monter.

Le père resta quelques instants indécis, l'oreille

tendue. Il ne percevait qu'un très lointain ronronnement de voix. Enfin, il y eut des pas dans l'escalier et la porte de la chambre s'ouvrit.

Le docteur était long et maigre. Il portait de grosses lunettes. Il dit bonjour et demanda de la lumière.

— C'est que nous n'avons pas l'électricité, dit le père.

Le docteur parut étonné.

— Alors ça ira comme ça, fit-il. J'ai une lampe de poche.

Il fouilla dans sa trousse et le père vit son dos se casser et sa tête plonger en direction du lit. L'auscultation fut très brève. Quand le médecin se retourna, ce fut pour dire :

— Il n'y a pas de doute. Congestion pulmonaire. Elle devait couver ça depuis quelques jours, et le froid de ce matin a fait le reste.

Ce fut seulement à ce moment-là que le père prit conscience de la présence de Micheline, sa belle-fille, demeurée vers la porte.

— Et qu'est-ce qu'il faut faire? demanda Micheline.

— Il faudrait lui faire tout de suite une piqûre pour le cœur. Je n'ai pas ce qu'il faut ici, mais les sœurs sont à deux pas. Pour le reste, nous allons descendre. Je vous ferai une ordonnance.

— J'avais préparé un cataplasme, dit Mme Robin.

— Il faut lui mettre. Ça ne peut que la soulager.

Il hésita un instant, regarda Micheline et dit encore :

— J'espère qu'une sœur pourra venir assez vite, autrement, je pourrais faire un saut chez moi et...

— Mais non, dit Micheline. Je vais m'occuper de tout. J'irai chercher la sœur. Je l'amènerai.

Elle ouvrit la porte et s'engagea dans le couloir en ajoutant :

— Allons, il faut la laisser se reposer.

Le père resta le dernier. Avant de sortir, il regarda encore sa femme et murmura :

— Mon Dieu... Ce que nous allons devenir!

55

Dans la cuisine minuscule, le père regardait ces cinq personnes qui occupaient toute la place. Il se tenait au pied de l'escalier, adossé à la porte de la salle à manger. Il dit :

— Il faudrait apporter des chaises d'à côté...

Mais personne ne prêtait plus attention à lui. Sur un coin de la table, le médecin rédigeait son ordonnance tout en donnant des explications à Micheline. En face, Mme Robin et sa femme de ménage préparaient le cataplasme.

Tout le monde parlait. Mais le père n'était plus en état de suivre ce qu'on disait. Il comprit seulement que M. Robin proposait d'aller chez les sœurs et à la pharmacie et que Micheline répondait :

— Laissez, laissez. Je vais m'en occuper.

Le docteur et Micheline s'en allèrent. Les deux voisines remontèrent dans la chambre avec le cataplasme. Le père alla s'asseoir.

M. Robin s'assit également.

— Ne vous faites pas trop de souci, dit-il. Ça se soigne bien, vous savez, la congestion... Voulez-vous que j'aille vous chercher du bois? Il vous en faudra pas mal, pour sa chambre.

Le père eut un geste de désespoir.

— Qu'est-ce que nous allons devenir... répéta-t-il.

— Nous allons vous aider, promit M. Robin. Ma femme viendra. Et puis vous avez votre belle-fille qui va revenir. Ça ne sera rien, vous verrez.

Il disait cela un peu comme s'il eût parlé à un enfant. Le père s'en rendait compte, et il lui semblait que si cet homme s'adressait à lui de la sorte, c'était la preuve que la mère était perdue. Il voulut le questionner, mais il recula devant les mots. Il avait le sentiment que s'il parlait de la mort en ce moment, il risquait de l'attirer. Il dit simplement :

— Je fumerais bien une cigarette, mais je crois que je serais incapable de la rouler.

M. Robin tira un paquet de sa poche, le père se servit. Ses mains tremblaient toujours, et même la cigarette tremblait entre ses lèvres lorsqu'il l'alluma au briquet de M. Robin.

— Je vous laisse le paquet.

— Merci. Merci bien.

— Mais il faut vous reprendre. Il faudrait boire quelque chose de chaud.

M. Robin s'approcha du fourneau. Mais la casserole qui s'y trouvait ne contenait que de l'eau.

— Quand les femmes seront descendues, dit le père, je monterai me changer. Ma flanelle est toute mouillée. Si je prenais du mal à présent, ce serait bien la fin de tout.

Les deux femmes revinrent et Mme Robin dit :

— Il faut lui laisser son cataplasme un bon moment. Je vais aller à la maison, et je vous rapporterai de quoi manger.

— Si vous croyez que j'ai le cœur à manger.

— Il faut vous forcer. Vous avez besoin de prendre. Ça vous remontera un peu.

— Je crois qu'un bol de soupe me suffirait.

— Nous allons vous laisser, dit Mme Robin... Mais ne vous faites pas de souci. Je vais revenir. Et s'il le faut, je vous enverrai Louisa cet après-midi.

L'Italienne approuva, et ils sortirent tous les trois. Le père ne savait que répéter :

— Quelle misère... Quelle misère... Qu'est-ce que nous allons devenir!

Dès qu'il fut de nouveau seul, il retrouva son angoisse. Il hésita longtemps avant de se décider à monter dans la chambre. Pourtant, il sentait le froid le gagner et la nécessité de changer de flanelle le poussa davantage que l'envie de voir la malade. Il avait un peu peur de se retrouver près d'elle.

Il monta l'escalier lentement. Il resta un moment avant d'oser pousser la porte, paralysé à l'idée qu'il allait peut-être la trouver morte. Mais, dès qu'il eut ouvert, le râle épais de la mère le rassura.

Il s'approcha d'elle, toucha sa main brûlante posée sur le drap et demanda :

— Tu ne m'entends pas?... Est-ce que tu me vois?

Ce regard vide lui faisait mal. Il lui paraissait impossible qu'elle eût pu changer ainsi en moins d'une heure. Il la revoyait au moment où elle avait quitté la cuisine pour gagner le jardin, et il demeura longtemps à chercher les mots qu'elle avait prononcés en passant la porte. Est-ce qu'elle avait parlé du froid?... Ou de la ficelle... Ou bien du couteau?... C'était vrai, le couteau avait dû rester dans le jardin avec son sabot. Tiens, le sabot, M. Robin avait promis de le rapporter. Il avait oublié. Les gens sont ainsi, ils promettent toujours. Et sa femme avait promis de revenir. Le cataplasme, on ne pouvait pas le laisser trop longtemps.

Il alla jusqu'à la fenêtre. Le sabot était toujours dans le jardin où il faisait une tache jaune sur la terre noire. Mais le couteau était invisible. Il avait un manche de bois noir. Si la lame s'était plantée dans la terre, on ne risquait pas de le voir d'ici. C'était un bon petit couteau comme il ne s'en faisait plus depuis la guerre.

Le père haussa les épaules et revint près du lit. Il cherchait toujours les mots que la mère avait prononcés en passant la porte. C'était sans importance, mais ce trou de mémoire l'agaçait.

Il chercha une flanelle dans l'armoire dont la porte couinait. Quand il l'eut trouvée, il la déplia et la tint un moment au-dessus du fourneau. Il en montait une bonne odeur de plantes. C'était sa manie, à la mère, les fleurs et les feuilles sèches dans le linge.

Le père était encore dans la chambre lorsque Mme Robin revint. Elle ôta le cataplasme puis elle demanda :

— Est-ce que vous avez remis du bois dans le feu?

Le père rechargea le fourneau.

— Il faut descendre, dit Mme Robin. Je vous ai apporté de quoi manger.

Ils descendirent. Il y avait sur la cuisinière un petit bidon en aluminium et une casserole en métal émaillé rouge et blanc.

— Vous allez manger, dit Mme Robin. Ça vous fera du bien. Elle se repose. Elle n'a pas besoin de vous et la sœur ne va pas tarder à venir. Moi je vais vous laisser, parce que mon mari doit partir très tôt pour être à Poligny avant 2 heures. Mais je reviendrai dès qu'il sera parti... Dans le bidon, c'est de la soupe aux légumes. Dans la casserole, je vous ai mis des petits pois et une tranche de viande.

— Mais je n'ai pas faim... Je n'ai pas faim.

La femme s'en fut après avoir encore insisté pour que le père Dubois se force à manger.

Il sortit du placard une assiette et une cuillère. C'était vrai qu'il n'avait guère envie de manger. Mais il savait qu'un peu de soupe lui ferait du bien. La soupe était bonne avec tous les légumes écrasés et un arrière-goût de saucisse fumée. Il mangea tout ce que contenait le bidon. Puis il attendit un moment avant de se décider à prendre une fourchette pour goûter aux petits pois. Il les goûta d'abord à même la casserole. Ils étaient bons et fondaient sur la langue. Il en prit trois cuillerées et coupa la moitié de la tranche de viande. Il se disait que ce n'était pas très convenable de manger de la sorte pendant que sa femme était malade, puis il se disait aussi qu'il devait à tout prix retrouver ses forces. S'il se trouvait condamné à tout faire lui-même, et encore monter cet escalier vingt fois par jour!... Il pensait à cet hiver où il avait eu lui aussi une congestion des poumons. Il était resté plus d'un mois là-haut. Et la mère l'avait soigné. Seulement elle, elle n'avait pas soixante et onze ans. Et pourtant, elle avait souvent dit que cet escalier lui brisait les jambes. Et puis, c'était une femme, elle savait soigner. Non, ce n'était pas lui qui pouvait envisager de s'occuper seul d'une malade, de la maison, des commissions...

Il se sentait accablé par tout ce qui l'attendait. Jusqu'à présent, il avait été trop assommé par cet accident si brutal pour pouvoir réfléchir. Mais à mesure qu'il reprenait des forces en mangeant, il imaginait ce que représenterait pour lui cette maladie de la mère si elle se prolongeait. Il se voyait seul. Est-ce que les voisins l'aideraient? Est-ce que Micheline viendrait souvent? Et cette Italienne de Mme Robin, elle était forte comme un bœuf, mais si elle venait régulièrement, il faudrait la payer.

Il avait fini de manger. Il se versa un demi-verre de vin. Il n'avait pas de café de fait, et il mit deux morceaux de sucre dans son vin où il ajouta un peu d'eau. C'était vrai, qu'il avait besoin de prendre.

Il but son vin, alluma une cigarette tirée du paquet que M. Robin lui avait laissé, puis il regarda le réveil. Il était midi et demi passé; et la sœur n'était pas encore là. Ça faisait bien long pour une chose dont le docteur avait dit qu'il fallait qu'elle fût faite le plus vite possible.

Il se hâta de débarrasser la table, éteignit sa cigarette qu'il mit dans sa boîte à tabac, et monta dans la chambre.

Le visage de la mère s'était métamorphosé. De très rouge il était devenu très pâle. Les joues terreuses s'étaient creusées, la lèvre inférieure pendait. Ses paupières étaient closes et, de sa bouche entrouverte, ne sortait plus qu'une plainte très faible.

Le père avança doucement sa main jusqu'à lui toucher l'épaule.

— Ça ne va pas?... Qu'est-ce que tu as?...

Il se pencha un peu et, élevant la voix il répéta :

— Qu'est-ce que tu as?...

Les paupières de la mère remuèrent à peine, mais sans s'ouvrir.

Le père eut encore une hésitation de quelques instants, puis, repris par la peur, il quitta la chambre, dégringola l'escalier et sortit sans même enfiler sa veste et ses sabots.

56

En pantoufles sur le sol que le gel commençait déjà de durcir, le père alla rapidement jusqu'au fond du jardin. Lorsqu'il entra dans la cour des voisins, il vit à la fenêtre le visage du garçon des Robin. L'enfant se retourna, et aussitôt, M. Robin vint ouvrir la fenêtre.

— Venez vite, cria le père, ça ne va pas bien!

— Ma femme descend!

Le père se retourna et revint vers la maison. Il était à peine à mi-chemin que Mme Robin le rattrapait.

— Qu'est-ce qu'il y a? demanda-t-elle.

— Je crois bien que ma pauvre femme est en train de passer.

Sa voix s'étrangla sur le dernier mot.

— La sœur n'est pas encore venue?

— Non... Non... Je n'ai vu personne... On nous laissera mourir tout seuls.

Mme Robin se remit à courir. Le père ne pouvait pas la suivre. En sortant, il n'avait pas senti le froid, mais, à présent, cette bise qui lui venait en pleine face l'empêchait de respirer. Il en sentait les aiguilles sur son visage et à travers son vêtement de laine. Le froid du sol avait traversé la semelle de ses pantoufles et lui glaçait les pieds.

A la cuisine, il dut s'arrêter un moment, une main sur la poitrine et l'autre posée à plat sur le bout de la table.

Il entendit le pas de Mme Robin au-dessus de sa tête, puis la porte s'ouvrit et la jeune femme appela :

— Monsieur Dubois! Il faut monter.

Il monta lentement l'escalier. Il ne pensait à rien. Il ne sentait même plus ni sa peur ni cette douleur que le froid avait poussée en lui.

La porte de la chambre était grande ouverte. Mme Robin qui se tenait immobile à côté du lit se tourna vers le père et fit deux pas dans sa direction. Comme il s'arrêtait, elle dit lentement :

— Monsieur Dubois... votre femme est partie.

Le père regarda vers le lit. La mère était toujours dans la même position. Elle avait seulement la bouche grande ouverte. Ses paupières étaient closes, et son visage plus livide encore que lorsqu'il l'avait quittée.

— Mon Dieu... murmura le père. Mon Dieu, s'en aller comme ça...

Mme Robin pleurait en silence.

Ils restèrent ainsi un long moment sans un mot, sans un geste, comme paralysés par la présence de la mère. Elle était morte. Toute seule. Pendant que le père courait dans le jardin. Et à présent c'était fini. Il n'y avait plus rien à faire. Il attendait. Et il ne savait même pas ce qu'il attendait.

Par la porte grande ouverte, le froid entrait qui envahissait la chambre. Enfin, Mme Robin ébaucha un mouvement en direction de la porte et murmura :

— Il faut descendre... Je vais aller téléphoner à votre belle-fille.

Elle descendit et le père la suivit. Ils avaient à peine atteint le pied de l'escalier intérieur qu'un pas grinça sur le palier. Mme Robin alla ouvrir.

Une religieuse en robe brune et en cornette blanche entra. Elle portait une petite sacoche de cuir qu'elle posa tout de suite sur la table en disant :

— On vient de nous appeler pour...
Mme Robin l'interrompit :
— C'est trop tard, ma sœur... Cette pauvre Mme Dubois est morte.
La sœur ne parut pas étonnée. Elle joignit les mains sous le chapelet qui pendait à son cou et demanda :
— Il y a longtemps?
— Non, quelques minutes, je pense.
Il y eut un silence. Les lèvres de la sœur remuaient. Le père pensa qu'elle devait prier.
Après un long moment, Mme Robin, d'une voix mal assurée, demanda :
— Je ne comprends pas pourquoi vous n'êtes pas venue plus tôt. Ce n'est pourtant pas loin.
— Plus tôt? Mais puisque je vous dis qu'il y a à peine dix minutes qu'on nous a téléphoné.
La sœur qui était petite et un peu boulotte avait un gros visage joufflu et rouge. Ses yeux bruns luisaient à l'ombre de sa cornette. Son regard vif allait sans cesse du père à Mme Robin.
Après une nouvelle hésitation, Mme Robin dit encore :
— Il n'y avait peut-être personne, chez vous, en fin de matinée.
— Personne? Mais il y a toujours quelqu'un, voyons. Vous savez bien.
Le regard du père rencontra celui de Mme Robin.
La petite femme brune ne pleurait plus. Son visage s'était durci. Le père sentit que ses jambes allaient fléchir et il se laissa tomber sur sa chaise en murmurant :
— Mon Dieu... Mon Dieu, mais ce n'est pas possible... S'en aller comme ça... s'en aller comme ça.
— Avez-vous besoin de nos services? demanda la sœur.
Le père eut un geste vague et un regard en direction de Mme Robin qui dit d'une voix un peu dure :

— Je pense que les religieuses ont l'habitude de faire ces choses...

— Bien sûr, dit le père, ça vaudrait mieux.

Mme Robin qui le fixait toujours demanda :

— Faut-il téléphoner à votre belle-fille?

— Si vous pouvez.

La petite femme se dirigeait vers la porte lorsque la sœur lui demanda :

— Auriez-vous l'obligeance également d'appeler notre Supérieure. Vous lui direz de quoi il s'agit, elle enverra une de nos sœurs pour m'aider. Comme ça, je ne serai pas obligée de retourner là-bas, et M. Dubois ne restera pas seul.

Elle précisa encore le numéro de téléphone, puis Mme Robin sortit sans se retourner.

57

Le père avait expliqué aux deux religieuses qu'elles trouveraient ce dont elles avaient besoin dans l'armoire de la chambre. Il ne se sentait plus la force de monter l'escalier. Il y avait des allées et venues. Mme Robin, l'Italienne. Puis ce fut l'arrivée de Paul et de Micheline qui se lamentait.

Le père comprit qu'elle parlait d'une infirmière demeurant rue de Valière et qui n'était pas chez elle ce jour-là. Elle parlait vite et fort. Elle s'arrêtait pour se lamenter et répondre aux questions de la sœur. A un certain moment, Paul s'approcha de son père et dit :

— On ne peut pas la laisser là-haut. Avec tous les gens qui vont venir, ce n'est pas pratique. Il faudrait l'installer dans la salle à manger.

— Mais il n'y a pas de lit, remarqua le père.

— Il y a bien un lit d'une place dans la chambre de Julien?

— Oui.

— Alors, nous allons le descendre.

— Mais comment veux-tu faire?

— Ne t'inquiète pas. Je vais m'occuper de tout.

Le père comprit qu'il n'avait plus rien à dire. Sa femme était morte depuis moins d'une heure, et déjà tout était bouleversé. Il sentit le monde lui manquer sous le pied. Autour de lui, tout n'était que bruit, parole, remuement. Comme si la mort eût entraîné un grand vertige, une espèce de ronde épouvantable à laquelle il était seul à ne pas se mêler.

Il vit Paul et l'Italienne sortir la table de la salle à manger dont ils avaient ôté le tapis à fleurs rouges et baissé les deux volets.

— Vous n'allez pas la laisser dehors, fit-il timidement.

— Mais non, lança Paul, ne te fais pas de souci pour la table. On va la mettre à la cave.

Ils sortirent tandis que le père murmurait :

— Oh, je ne me fais pas de souci, pour ce que j'en ferai, à présent, de cette table.

Tout ce chambardement, ces portes grandes ouvertes et qu'on ne refermait pas amenaient le froid de l'hiver dans la cuisine. Le père toussa plusieurs fois. Il avait beau recharger le feu et se tenir tout près de la cuisinière, il s'était mis à grelotter.

Mme Robin descendit de la chambre et lui offrit de l'accompagner jusque chez elle.

— Vous reviendrez quand tout sera arrangé, dit-elle.

— Non. Je veux rester là.

Lorsqu'il vit l'Italienne et la plus jeune des religieuses descendre la mère qu'elles avaient déjà habillée de noir et assise sur une chaise, sa gorge se serra. Il se leva, ôta machinalement sa casquette et fut secoué d'un gros sanglot qui libéra ses larmes.

— Mon Dieu... Mon Dieu, ma pauvre vieille... C'était pas à elle de s'en aller la première...

Paul s'approcha de lui :

— Allons, pleure pas, tu vas te faire tousser. Ça sert à rien de pleurer... On est tous pour y passer un jour ou l'autre.

— C'était tout de même plus de mon âge que du sien.

Il disait cela entre les sanglots qui lui râpaient la gorge.

Lorsque tout fut terminé, on le laissa entrer dans

la salle à manger. Le lit était au milieu de la pièce, à la place de la table. La mère y était allongée, dans sa robe noire sur le drap bien blanc. Elle était aussi pâle que la serviette qu'on avait nouée autour de son visage pour tenir son menton. Elle n'avait plus de lèvres et sa bouche n'était qu'un mince trait noir tout droit. On avait étendu un napperon sur la petite table de nuit. Une bougie brûlait, éclairant un côté du visage. Devant le bougeoir de cuivre une soucoupe était posée où les sœurs avaient placé un rameau de buis.

La plus âgée des religieuses s'approcha du père. Il la connaissait pour l'avoir souvent rencontrée dans la rue. Elle venait aussi au jardin chercher des fleurs ou des fruits que la mère donnait pour les orphelins.

— Elle n'a pas pu recevoir les derniers sacrements, dit la sœur, mais nous prierons pour le repos de son âme... Nous la connaissions. C'était une femme de grand cœur. Elle n'avait pas beaucoup, et pourtant, elle savait toujours où trouver plus pauvre qu'elle pour donner un peu... Le Bon Dieu saura bien la reconnaître.

Elle se tut. Le père leva les yeux vers elle. C'était une personne d'une cinquantaine d'années. Avec un visage un peu carré dont le blanc de la coiffe qui serrait le menton et les tempes accusait les traits déjà durs. Elle priait à mi-voix et son œil sombre quittait parfois la morte pour se poser sur le visage de Paul ou de Micheline qui se tenaient debout côte à côte de l'autre côté du lit. Le père ne la voyait que de trois quarts, mais il lui sembla pourtant que son regard, plein de miséricorde lorsqu'il se posait sur la mère, se chargeait de reproches quand il montait vers le visage de son garçon ou de sa belle-fille. Ces deux-là ne levaient pas les yeux.

Ils restèrent ainsi un long moment, puis, comme on frappait à la porte de la cuisine, Micheline sortit en disant :

— Ne vous dérangez pas, je vais voir ce que c'est.

Elle revint bientôt en compagnie de Mlle Marthe que soutenait une autre voisine. Mlle Marthe pleurait. Elle donna l'eau bénite et revint vers le père en murmurant :

— Doux Jésus, que nous sommes peu de chose sur cette terre... Je l'ai vue passer, samedi encore, quand elle allait à son travail... Elle n'avait pas l'air mal... Et aujourd'hui, voilà qu'elle n'est plus là... Que nous sommes peu de chose.

Elle se tut... Il y eut un long silence, puis la plus âgée des sœurs se signa et sortit.

Le père fixait les mains de la mère. Ses grosses mains aux jointures saillantes et aux doigts déformés étaient croisées sur le bas de sa poitrine. Ses doigts semblaient liés entre eux par un chapelet de perles violettes. La flamme vacillante de la bougie faisait danser une étincelle sur le métal blanc du petit crucifix terminant le chapelet.

Le père sentit qu'on le prenait par le bras.

— Venez, dit la sœur. Il va falloir que nous ouvrions la fenêtre... Venez, n'attendez pas de prendre froid.

58

Jusqu'à la tombée de nuit, le père resta sur sa chaise, regardant tour à tour ce coin de terre où la mère s'était affaissée et la grille du foyer. L'Italienne était allée chercher le sabot de la mère, et elle avait également retrouvé le couteau. La bise malmenait toujours les cardons. D'autres ficelles avaient cassé, et les sacs s'envolaient, roulant ou se traînant sur les carrés en direction de la pompe. La paille s'éparpillait. Il y avait sur tout le jardin une grande colère de l'hiver.

Dans la cuisine, des gens allaient et venaient. Le père ne se levait même pas.

Paul lui avait demandé le livret de famille pour les formalités, et l'adresse de Julien à qui il fallait expédier un télégramme. Le père avait dit :

— C'est dans le tiroir du meuble, à la salle à manger. Il doit y avoir des lettres de lui, et l'adresse est sur les enveloppes. Tu n'as qu'à apporter le tiroir ici, ce sera plus facile pour chercher.

Paul était allé à la salle à manger avec sa femme. Ils y étaient restés quelques minutes. Ils avaient trouvé le livret de famille et une enveloppe, et Paul était parti.

Le père se leva seulement lorsque le curé arriva. Il ôta sa casquette et se remit à pleurer.

La visite du curé fut brève. La nuit tombait. Micheline qui était sortie sur le palier pour l'accompagner rentra en annonçant :

— Voilà qu'il se met à neiger.

Le père dit :

— Il ne manquait plus que ça.

Et il se leva pour allumer la lampe à pétrole et fermer les volets. La bise portait de minuscules flocons qui couraient devant la fenêtre.

Paul revint un peu avant 7 heures du soir. Il avait le regard allumé et sentait le vin. Il expliqua que tout était fait.

— Est-ce que tu es allé à la maison? demanda Micheline.

— Evidemment. La bonne nous fera apporter de quoi manger. Le père mangera, et il ira se coucher. Nous veillerons tous les deux.

— Il y a aussi des voisins qui ont promis de venir, dit le père.

— Ce n'est pas la peine, lança Paul. On ne va pas emmerder les gens et les obliger à sortir en pleine nuit avec le temps qu'il fait. Ça ne ramène pas les morts.

Plusieurs personnes vinrent encore, puis ce fut le garçon de courses qui apporta un panier. Micheline fit chauffer le repas et ils mangèrent tous les trois. Avant de partir, l'Italienne avait rallumé le poêle de la chambre et fait le lit pour le père. Micheline monta deux fois avec la lampe pigeon pour remettre du bois. Chaque fois elle disait :

— Quelle idée de ne pas avoir l'électricité!

Le père ne répondait pas. Il avait eu à plusieurs reprises envie de demander à Micheline pour quelle raison elle n'avait pas prévenu la sœur en s'en allant, comme elle avait promis de le faire, mais il n'osait pas. Il se souvenait que lors de son retour, elle avait parlé d'une infirmière. Il n'avait pas très bien compris, mais il redoutait de fâcher sa belle-fille en posant cette question. Pourtant, chaque fois que leurs regards se croisaient, le père éprouvait une sorte de malaise.

Ils avaient fini de manger depuis un petit quart d'heure lorsque M. Robin arriva en compagnie de deux autres voisins. Ils allèrent donner l'eau bénite, puis Micheline et Paul apportèrent des chaises de la salle à manger.

— Vous allez bien boire quelque chose, dit Micheline.

Paul regarda son père et demanda :

— Tu as bien quelques bouteilles? Je vais descendre en chercher une.

Les hommes se récrièrent. Ils ne voulaient pas boire de vin à pareille heure.

— J'ai du café, dit Micheline.

— Voilà, fit M. Robin, pour veiller, c'est ce qui convient le mieux.

— Mais vous n'allez pas veiller, dit Paul... Pas du tout. Vous prendrez quelque chose avec nous, et puis tout le monde ira se coucher. Le père aussi... Moi et ma femme on restera ici, mais nous prendrons la chaise longue... Ça ne rime à rien, de passer une nuit blanche. Ce sont des coutumes qui se perdent.

Les voisins se regardaient entre eux, puis regardaient le père qui sentit dans leurs yeux une interrogation.

— Ma foi, fit-il... Puisque Paul et sa femme veulent rester, que voulez-vous, avec ce froid, il ne fait pas bon se promener la nuit.

Il y eut une gêne. Micheline servit du café à certains et une infusion à d'autres. Quelqu'un parla de la guerre. Et, durant un moment, la conversation s'anima. On parlait de la libération de Strasbourg et de la Première Armée Française engagée dans le Sundgau. Ce nom revint à plusieurs reprises, mais le père ne le connaissait pas. Il crut comprendre qu'il avait un rapport avec l'Alsace, mais il n'osa pas demander d'explication. Il écoutait. On parlait de la guerre et de l'hiver qui risquait de ralentir l'avance des Alliés, et pourtant, la guerre était bien éloignée de lui. C'était vrai que l'hiver était arrivé. On pouvait même dire qu'il était réellement arrivé le matin même. Le père avait à peine eu le temps de le sentir que déjà il lui avait pris sa femme. Et pourquoi? Pour quelques cardons qui finiraient par geler tout de même.

Le père cessa très vite de suivre les propos des voisins et de son garçon. Il revivait cette journée depuis l'heure de son lever. Il revoyait chaque événement avec une précision parfaite. Chaque geste de la mère. Chacune de ses paroles. Lorsqu'il en arriva au moment où elle avait revêtu son gros manteau pour sortir, les mots qu'elle avait prononcés lui arrivèrent tout naturellement, sans même qu'il eût à les chercher.

Alors, s'arrêtant de suivre le fil du temps, il reprit pied dans la soirée. Les autres parlaient d'une question de nationalisation des houillères du Nord. Le père n'écouta que quelques secondes puis, levant la main, il dit :

— Savez-vous ce qu'elle m'a dit?

Les autres se turent et le regardèrent; alors, plus bas et plus lentement il reprit :

— Savez-vous ce qu'elle m'a dit, juste avant de sortir?

Il marqua un léger temps, mais il n'attendait pas de réponse.

— Eh bien, elle m'a dit : « Je vais mettre mon gros manteau. Et j'irai rattacher les sacs. J'ai largement le temps, avant d'aller à mon travail. »

Il n'y eut aucun effet. Les voisins se regardèrent en hochant la tête. Et Paul lança :

— Eh bien, oui, quoi, tu nous l'as déjà dit : elle est sortie pour rattacher les cardons.

Le père éleva la voix :

— Je ne parle pas de ça. Mais je n'avais pas retrouvé les derniers mots qu'elle m'a dits. Et je viens de les retrouver. Elle m'a dit : « Avant d'aller à mon travail. »

Paul haussa les épaules.

— Tu devrais aller te coucher, dit-il. Tu es fatigué.

— Oui, je suis fatigué... Le travail... C'est le dernier mot qu'elle a dit, tu vois... Le dernier...

Le père se leva. Les voisins l'imitèrent en disant que puisqu'on n'avait pas besoin d'eux, ils ne s'attarderaient pas davantage.

Dès qu'ils furent sortis, le père alla jusqu'à la salle à manger et referma la porte derrière lui. Depuis que sa femme était morte, c'était la première fois qu'il se trouvait seul avec elle. Il faisait très froid dans la pièce, mais, malgré la fenêtre ouverte, l'odeur de la mort était déjà forte. Le père s'approcha du lit. La bougie avait beaucoup diminué et sa flamme vacillait sans cesse à cause de l'air qui entrait par les fentes des volets. Le père murmura :

— Mon pauvre petit... te voilà déjà dans l'hiver... Et voilà qu'avant de t'en aller, tu as parlé de travail... Et puis c'est fini.

Il ne savait plus prier, et il ajouta seulement :

— Mon Dieu, s'il y a un paradis, sa place doit y être réservée... Si elle n'allait pas à l'église, c'était toujours à cause du travail.

Il répéta ce mot plusieurs fois. Puis, comme il sentait le froid le gagner, il donna un peu d'eau bénite, et sortit sans bruit.

59

Dans la chambre, le lit où la mère était morte avait été entièrement défait. Il n'y avait plus que le matelas et l'édredon posé à cheval sur le pied de fer. L'autre lit avait été préparé pour le père, avec des draps propres et un seul oreiller au milieu.

Il posa la lampe pigeon sur le couvercle de noyer qui fermait la vieille maie séparant les deux lits, puis il revint près du fourneau. Il l'ouvrit, tisonna un peu les braises et remit une grosse bûche. La bise était moins agressive et le père pensa que la neige allait sûrement tomber beaucoup plus serrée. Demain, il risquait d'y en avoir un bon peu, et la mère ne serait pas là pour balayer l'escalier et semer des cendres. Elle ne serait pas là non plus pour aller chercher le bois au hangar et l'eau à la fontaine. Elle ne serait plus là pour rien. Ni la cuisine, ni les commissions, ni rien du tout. Bien entendu, tant qu'elle ne serait pas enterrée, il y aurait du monde pour tout faire, mais une fois qu'elle aurait quitté la maison, ce serait le grand vide. Il y avait eu trop de remuement aujourd'hui pour qu'il eût trouvé loisir d'y penser! Seulement, à présent qu'il était seul dans la chambre, voilà que tout lui envahissait la tête. Chaque élément de sa vie qu'il évoquait faisait apparaître un grand pan de vide. La mère partie, la vie deviendrait impossible.

Elle avait passé si vite! Et comme ça, en pleine force, et en pleine besogne. Et le dernier mot qu'elle avait prononcé, c'était encore pour parler de travail. Le travail avait pris tant de place dans leur existence commune, que c'était tout naturel, au fond, qu'elle s'en fût allée de cette façon. Mais c'était trop tôt. Elle avait l'âge de mener le père jusqu'au bout de sa vie. Restée seule, elle se serait arrangée mieux que lui pour continuer d'exister.

Elle l'avait laissé, et il ne savait même pas s'il avait de l'argent. C'était elle qui s'occupait de tout. Il y avait quelques titres à la banque, un livret de Caisse d'Epargne. Il devait y avoir dans le tiroir du meuble de salle à manger l'argent des fruits de l'été, et ce qu'elle avait gagné à cette cantine. L'enterrement coûterait sûrement beaucoup.

Le père s'était déshabillé lentement. Quand il entra dans le lit, il fut saisi aux jambes par le froid humide des draps. Ça aussi, c'était une chose qu'elle faisait : monter la bouillotte et venir la déplacer trois ou quatre fois avant que le père ne se couche. Ce soir, personne n'avait bassiné le lit, et malgré le feu, le père fut longtemps avant de parvenir à se réchauffer.

D'habitude, il éteignait la lampe pigeon avant même de se coucher. Mais ce soir, il ne se décidait pas à l'éteindre. Il fixait le plafond où dansait la lueur de cette petite flamme incertaine.

Et il se répétait que la mère était morte.

Elle l'avait laissé tout seul avec beaucoup de tracas en tête. Pour elle, les soucis avaient pris fin. Elle était encore dans sa maison, mais en bas, dans cette pièce glacée où l'on n'allait guère, en temps ordinaire, que pour chercher ce qui se trouvait dans les meubles.

On avait enlevé la table et mis la mère au milieu de la pièce, sur le lit de Julien. Elle était déjà raide et froide.

Le père se tourna un peu sur le côté et replia ses

jambes. Il était gêné de se trouver allongé dans la position des cadavres. Il sentait la fatigue le gagner, et le sommeil avancer lentement. Il se souleva sur le coude pour souffler la lampe, puis il se recoucha sur le côté.

Il pensait à la mère, et il pensait aussi à ce vieux mort tout desséché que Julien avait apporté un soir et qui se trouvait encore dans le grenier du hangar. La mère avait encore son visage de femme, mais au fond, elle n'était guère plus que ce squelette.

Elle était en bas, et le père pensa que ce serait sans doute là qu'on le coucherait aussi, un jour ou l'autre, quand il aurait fini d'user sa peine.

60

Le lendemain matin, lorsque le père Dubois se leva, Micheline était seule dans la cuisine. Elle avait fait chauffer du café et du lait.

— Paul est parti, dit-elle. Vous comprenez, il y a le travail. Il faut vérifier le chargement des camions. Nous avons deux chauffeurs qui s'en vont en tournée ce matin et un autre qui a dû rentrer de la Bresse hier au soir.

— Bien sûr. Je sais que la vie ne s'arrête pas parce que ma pauvre femme s'en est allée.

Le jour devait être levé, mais les volets étaient encore fermés et la lampe à pétrole allumée.

— Je vais ouvrir les volets, dit le père.

— Il y a de la neige. Et ça tombe toujours.

Il ouvrit. Le jardin était blanc et les cardons ressemblaient à de gros bonshommes de neige mal finis. La bise avait plaqué la neige sur les tiges et les feuilles aussi bien que sur les sacs qu'elle n'avait pas eu la force d'arracher. Elle avait cessé de souffler. Le ciel était très bas, et les flocons clairsemés qui tombaient encore voltigeaient en tous sens. C'était de la neige légère, comme seul le grand froid sait en préparer.

— Je vais m'en aller aussi pour faire ma toilette et me changer, dit Micheline. Mais je vais envoyer le petit commis pour qu'il nettoie un peu l'escalier et l'allée, sinon, ça va être le déluge dans la cuisine dès que les gens commenceront à défiler.

Elle parlait vite, et sa voix trahissait l'agacement.

— Je vous fais bien des misères, observa le père.

Sa belle-fille parut surprise. Elle hésita un moment avant de répondre :

— Ceux qui s'en vont sont bien tranquilles. Toute la misère est pour ceux qui restent.

Le père alla s'asseoir, et Micheline lui servit son café au lait. Il commença de casser du pain dans son bol puis, comme sa belle-fille enfilait son manteau, il dit :

— Il faudra payer ce docteur. Hier, je n'avais pas toute ma tête, je n'y ai pas pensé.

— Nous réglerons tout ça plus tard. Paul l'a payé hier après-midi, quand il est allé lui demander le certificat de décès. Ne vous faites pas de souci.

Elle se dirigea vers la porte et dit encore :

— Est-ce que vous avez de l'argent, au moins? Vous n'en aurez pas besoin, mais il faut tout de même en avoir un peu ici.

— Il y en a sûrement dans son porte-monnaie. Et il doit aussi y en avoir à la salle à manger. Je regarderai.

Elle ouvrit la porte et dit :

— Quand le commis viendra, dites-lui d'aller vous chercher du bois.

Elle sortit et le père commença de manger. Le café au lait n'avait pas le même goût que celui que préparait sa femme. Il mangea lentement le pain trempé, mais il eut du mal à boire tout ce que contenait le bol. Dès qu'il eut terminé, il roula une cigarette, puis, au moment de l'allumer, il se reprit. La posant sur le bord de la table, il entra dans la salle à manger. Une bougie presque neuve brûlait. Le visage de la mère s'était encore creusé, et son front luisait, comme couvert de givre.

— Mon pauvre petit, murmura-t-il. Il ne fait pas

chaud ici... C'est une mauvaise saison pour s'en aller.

Il ne resta là que quelques instants. Le froid et l'odeur étaient insupportables. Il tira le premier tiroir du meuble, et le sortit entièrement de sa gâche. Il le posa sur la table de la cuisine et referma la porte.

Quand ce fut fait, il alluma sa cigarette et regarda un moment le tiroir tout empli de papiers en désordre. Il ne connaissait rien à la paperasse, et il hésitait à y toucher. Sans doute Paul avait-il déclassé les papiers en cherchant le livret de famille et l'adresse de Julien. Il fallait pourtant regarder combien la mère avait laissé d'argent, car l'enterrement coûterait cher.

Le père sortit du tiroir des vieux calendriers des postes, des titres, un cahier de recettes de cuisine, plusieurs carnets à couverture bleue où la mère avait inscrit, depuis des années, ce qu'elle vendait : les lapins, les légumes, les fruits. Un autre carnet contenait des adresses que le père eut du mal à lire. Il mit le carnet de côté en pensant qu'il serait utile quand il faudrait adresser les faire-part. C'était vrai, il y avait encore cette question de faire-part, mais Paul avait dû s'en occuper. Ça se faisait avec l'enterrement. Il trouva un gros paquet de lettres, presque toutes de Julien. Le portefeuille était tout au fond du tiroir. Un grand portefeuille de cuir jaune un peu raide, avec une large agrafe à pression marron qui claquait fort quand on l'ouvrait. L'agrafe n'était pas fermée. Le père avait vu souvent sa femme mettre de l'argent dans ce portefeuille ou en prendre, quand il s'agissait de payer le bois, par exemple, ou un tonneau de vin.

Il l'ouvrit et en sortit trois billets de dix francs et deux de cinq. Le père réfléchit un moment. Il était impossible que la mère n'eût pas conservé davantage d'argent à la maison. Il savait qu'elle ne s'était pas rendue à la banque depuis plusieurs mois. Avait-elle tout donné à Julien? Elle répétait pourtant constamment qu'elle préférait attendre la naissance du petit. Avait-elle caché de l'argent ailleurs? Le père sortit les quelques papiers qui restaient encore là. C'était des polices d'assurances et des timbres de la Séquanaise. Il examina tout ce qu'il avait étalé sur la table, et ouvrit un petit coffret de carton recouvert d'un tissu jaune et blanc, très passé, avec de minuscules fleurs rouges et bleues. Le coffret contenait quelques pièces de monnaie plus ou moins anciennes mais qui n'avaient certainement plus cours. Le père y trouva aussi sa médaille du tirage au sort. C'était une médaille ronde, en fonte émaillée noir au dos et blanc sur la face. Tout autour, un double filet bleu et rouge. Au milieu, une inscription : « Vivent les Conscrits. Classe 1893 ». En caractères plus gros, le numéro « 156 ». A la médaille était encore attaché un bout de ruban tricolore défraîchi où demeurait piquée une énorme épingle de nourrice. Le père tourna et retourna la médaille dans sa main. Il revoyait ce jour de 1893. C'était le printemps. Avec un beau soleil et beaucoup de jeunes qui riaient. D'autres se plaignaient d'avoir tiré un mauvais numéro qui les obligerait à accomplir trois ou quatre années de service assez loin de France. Le père commença de se raconter l'histoire de son service militaire, mais il n'alla pas très loin. Ce n'était pas le moment. Il fallait chercher ailleurs. Il remit dans le petit coffret un Sacré-Cœur de velours rouge, sur fond de satin jaune, enfermé sous un verre très bombé et pris dans un cadre de cuivre oval. Un morceau de stylo. Un minuscule porte-monnaie à mailles fines qui ne contenait qu'un sou en bronze et deux médailles de la Vierge. Un vieux briquet sans molette et un autre petit porte-monnaie dont les flancs étaient en coquillages. Une inscription trop fine pour qu'il pût la déchiffrer sans lunettes était portée dessus, et il se souvint que c'était « Cette ». Il y était allé un jour pour un concours de gymnastique, et il en avait rapporté ce souvenir pour sa première femme avec qui il n'était encore que fiancé.

Ce n'était pas d'hier, mais il se souvenait fort bien de la plage où il s'était baigné après le concours. Il revoyait les femmes relevant leurs robes pour courir, pieds nus, ramasser des coquillages quand les vagues se retiraient. Il lui sembla un instant que le soleil de ce jour-là entrait dans la cuisine, et qu'il allait entendre les cris de ces femmes revenant vers le sable sec quand le flot déferlait.

Il respira profondément, baissa les paupières et demeura quelques secondes les yeux clos. Lorsqu'il les rouvrit, tout était trouble dans la cuisine, et il sentit des larmes couler le long de son nez.

Il s'essuya les yeux, se moucha et reporta le tiroir à sa place. Il avait seulement conservé le portefeuille qu'il réussit non sans peine à enfiler dans la poche de son pantalon. Il préférait avoir cet argent sur lui. Avec tous les gens qui allaient venir, on ne pouvait pas savoir. Il chercha ensuite le porte-monnaie de la mère dans le tiroir du meuble de cuisine. C'était un vieux porte-monnaie de toile cirée noir qu'elle avait maintes fois recousu et qu'un lacet de chaussure entourait. Il ne contenait qu'un billet de cinq francs et quelques pièces de monnaie. Dans une autre poche, il y avait des cartes d'alimentation et une photographie de Julien sur laquelle un morceau de papier collant maintenait un trèfle à quatre feuilles.

Le père pensa qu'elle pourrait avoir caché de l'argent dans l'armoire de la chambre. Il hésita. S'il montait, il ne pouvait pas fermer la porte du bas à clef, n'importe qui pouvait venir sans qu'il entendît ni entrer ni sortir. En temps ordinaire, il était moins méfiant, mais brusquement, voilà que lui venait le sentiment qu'on pouvait avoir l'idée de lui voler le peu qu'il possédait.

Il demeura indécis au pied de l'escalier, puis il se décida. Fouiller l'armoire prendrait du temps, mais il pouvait toujours la fermer à clef et conserver la clef sur lui.

Il eut du mal avec la serrure qui n'avait pas fonctionné depuis des années. Il avait chaud. Il était un peu comme un voleur qui veut se hâter de peur d'être surpris. C'était stupide. Il le savait et se répétait qu'il était chez lui et encore libre d'agir comme il l'entendait. Malgré tout, lorsqu'il eut réussi à fermer la porte, il se hâta de redescendre.

Personne n'était venu. Il retourna s'asseoir à sa place, roula une cigarette qu'il alluma en même temps qu'il rechargeait le feu, puis, s'étant installé, les deux pieds devant le foyer, il commença d'attendre.

61

Cette journée-là fut épuisante. La matinée s'étira en attente jusqu'à 11 heures. Le petit commis vint alors apporter une casserole de ragoût, un bidon de soupe et de la marmelade de pommes. Il balaya l'escalier et le père dut sortir deux fois pour lui dire de ne pas taper le balai contre la rambarde de fer. C'était un gamin effronté et le père hésita beaucoup avant de lui confier la clef du hangar pour qu'il aille y chercher deux paniers de bois.

Après le départ du gamin, le père eut la visite de M. Robin qui venait voir s'il avait besoin de quelque chose. Non, il n'avait besoin de rien, et s'il avait besoin, ses enfants l'aideraient. Il avait beaucoup pensé au regard de Mme Robin à propos de cette affaire d'infirmière et de sœur, et il se sentait mal à l'aise. M. Robin voulut donner l'eau bénite, et le père l'accompagna. Il répéta que c'était injuste que sa femme fût morte avant lui. Il le répétait à chaque visite.

Julien arriva un peu avant midi. Il avait pris le seul train de la matinée. Il embrassa le père en disant :

— Où est-elle?

Le père montra du menton la porte de la salle à manger où il entra derrière son garçon.

Julien se pencha, embrassa la mère sur le front, puis, s'agenouillant à côté du lit, il se mit à pleurer, le front sur le drap.

Le père l'observa un moment et les larmes lui montèrent aux yeux.

Quand ils revinrent à la cuisine, Julien demanda :

— Mais qu'est-ce qui s'est passé? Qu'est-ce qu'elle a eu? Un accident?

Le père raconta tout par le détail. La bise. Les cardons. La mère insistant pour sortir. La peine qu'il avait eue à la ramener. Sa course jusque chez les voisins. L'aide qu'il en avait reçue. La visite du docteur... Et là, il s'arrêta.

— Et qu'est-ce qu'il a dit, ce docteur?

Le père eut un geste des deux mains.

— Que veux-tu. Elle était à bout de forces... Il a dit, des piqûres... Je ne sais trop quoi... La sœur est bien venue, mais c'était trop tard. Elle devait traîner ça depuis des jours. Et tu sais bien qu'elle n'était pas de celles qui s'écoutent... Qui sont toujours à se plaindre de ci ou de ça... Pour elle, c'était comme pour moi, il n'y avait que le travail qui comptait... On était bien obligés. Il fallait vivre. Et cette guerre n'a pas arrangé les choses... Le travail, c'est le dernier mot qu'elle m'a dit.

Et le père répéta les dernières paroles de la mère. Puis il expliqua qu'elle allait tous les jours à la cantine. Il dit pour quelle raison et ce qu'elle espérait faire de l'argent qu'elle gagnait.

Là encore il s'arrêta. Julien l'écoutait, assis sur la deuxième marche de l'escalier, le dos voûté et la tête basse.

— Et le pire, dit le père, c'est que je ne sais même pas ce qu'elle a fait de cet argent.

Il sortit le portefeuille et montra ce qu'il contenait.

— Voilà. C'est tout... Mais elle a dû en cacher ailleurs.

Julien ne leva même pas la tête pour regarder les billets. Il dit simplement :

— Si tu savais ce que je m'en fous, de cet argent... C'est pas possible... Pas possible... Quand je pense qu'on l'a laissée en pleine santé... Mais enfin...

Il se tut. Il s'essuya les yeux et redressa la tête. Alors, seulement, le père constata qu'il avait rasé sa barbe et que ses cheveux étaient beaucoup plus courts. Il avait les joues creuses et les yeux cernés.

— Tu n'as pas bonne mine.

Le garçon haussa les épaules.

— Nous allons manger, reprit le père. Micheline m'a fait apporter de quoi. Et il reste encore des choses d'hier au soir. Nous aurons bien assez pour nous deux.

— Mange. Moi je n'ai pas faim.

— Moi non plus, mais il faut se soutenir. Et ce n'est pas la peine d'attendre qu'il commence de défiler du monde.

Ils se mirent à table, et, pendant qu'ils mangeaient, le père parla de ce petit commis qu'il n'aimait pas.

— Quand tu auras fini de manger, dit-il, tu iras jusqu'au hangar. Tu vérifieras s'il a bien refermé la porte. Et même, tu entreras et tu regarderas s'il n'a pas essayé de fouiller dans les placards à outils... Et j'avais deux serpes sur le plot, près des piles de bois, tu regarderas si elles y sont toujours. Ce sont de bonnes serpes. Pour en ravoir de pareilles au jour d'aujourd'hui, il faudrait y mettre un bon prix. Et encore, avec la guerre, ce n'est pas certain qu'on trouverait aussi bien... La plus petite, celle qui est presque droite vers le haut, tu sais, celle qui a le manche fendu. Ça fait des années que je veux le refaire. Et puis je n'ai jamais le temps. Quand il fait beau, le jardin me dévore les journées, et à la mauvaise saison, je ne peux pas aller travailler dans cet atelier qu'on ne peut pas chauffer. J'avais toujours dit que je voulais le fermer un peu mieux, mais ce n'est plus du travail de mon âge... Oui, qu'est-ce que je disais donc?... Ah oui, cette serpe-là, tu la connais, eh bien, je l'ai achetée à la vente de Raginot...

Tu devais avoir trois ou quatre ans... tu te souviens pas? Raginot, il habitait derrière le coteau de Mancy. Un brave bougre... Cette serpe, il y avait bien déjà trente ans qu'il s'en servait. Lui, je l'avais connu en rentrant de la guerre...

Julien ne bronchait pas. De loin en loin il faisait oui de la tête, et le père poursuivait un interminable récit dont la serpe restait le centre, mais d'où partaient d'innombrables histoires qui se rejoignaient, se recoupaient, se suivaient pour finir par rencontrer un chemin de traverse qui ramenait invariablement le récit de cette vieille serpe.

Le père allait, poussant son récit cahotant sur le chemin de ses souvenirs, et, à mesure qu'il avançait, il lui semblait que son angoisse diminuait un peu.

Elle revint pourtant avec les premières visites. Chaque fois, il devait recommencer le récit de la mort de la mère. Il le reprenait avec les mêmes mots, sur le même rythme, et tout allait bien jusqu'à la visite du docteur. Là, il éprouvait une grande difficulté à s'écarter de la vérité pour plonger dans une espèce de vague suite de mots. Il disait qu'elle était à bout de forces, que de toute façon il était trop tard, mais il sentait bien que quelque chose manquait à son récit. Il n'avait pas vraiment le sentiment de mentir, mais seulement la conviction de passer sur des détails qui ne pouvaient intéresser personne. Seulement, pour le faire, il devait, à un point précis de son cheminement, s'écarter du sentier tout jalonné de faits, pour en emprunter un où les mots ne représentaient plus rien qu'il pût voir et palper. Pour lui qui tenait au fond de sa mémoire plusieurs centaines de longs récits, c'était une attitude nouvelle, et il avait bien du mal à s'y faire. Jusqu'au moment de la visite du docteur, il reprenait chaque fois les mêmes mots, le même rythme, à un soupir près. A partir de là, il sentait son récit beaucoup plus mouvant, et la peur le prit bientôt que Julien ne vînt à lui poser quelques questions précises.

Il éprouva un certain soulagement, vers les 4 heures, lorsque Julien annonça :

— Il faut que je sorte un moment.

— Surtout, sois de retour à 5 heures, pour la mise en bière.

— Je n'en ai pas pour longtemps, je vais seulement voir M. Robin.

— Mais... mais...

Son angoisse un instant refoulée venait de renaître décuplée. Pourtant, il ne put rien dire. Il y avait en lui un grand trouble, qu'augmentait encore la présence de quelques amis qu'il n'avait pas vus depuis fort longtemps et qui prolongeaient leur visite. Pour chaque nouveau venu, il reprenait son récit, et ceux qui l'avaient déjà entendu le suivaient avec des hochements de tête et des gestes d'impuissance. Est-ce que l'un d'eux n'allait pas soudain lui faire remarquer qu'il y avait un passage où il ne semblait pas absolument maître de ce qu'il racontait?

Peu à peu, il s'épuisait. A plusieurs reprises, il fut secoué par des quintes de toux qui l'obligeaient à demeurer silencieux de longs moments.

Julien ne resta absent qu'une petite demi-heure. Quand il reparut, le père sonda son visage et il lui sembla qu'il était plus dur. Son regard ne disait rien de bon. Il hésita longtemps avant de demander :

— Alors, tu les as vus?

— Mme Robin était seule.

— Et qu'est-ce qu'elle t'a dit?

Le garçon eut un haussement d'épaules :

— Que veux-tu qu'elle dise! Ce qu'on dit toujours dans ces circonstances... Elle aimait bien maman, et je crois que ça l'a vraiment touchée.

Le père soupira. Est-ce que vraiment la petite Mme Robin s'était abstenue d'évoquer ce retard de la sœur? Est-ce que Julien voulait attendre qu'il n'y ait plus personne? Attendre l'arrivée de Paul? Attendre que la mère soit enterrée? N'était-ce pas lui, le père, qui exagérait? Après tout, que s'était-il passé? Une sœur devait venir, elle n'était pas venue tout de suite. On avait également parlé d'une infirmière. Et la mère était morte. Si le docteur n'avait rien fait, c'est qu'il n'y avait rien à faire. C'était la vie qui était ainsi, avec la mort au bout du rouleau. Et la mort venait le jour où les forces étaient usées. Voilà. Ils avaient usé leurs forces tous les deux, et peut-être que la mère en avait moins que lui. L'âge n'y était pour rien. Elle n'avait jamais voulu se soigner. Elle ne voulait pas donner ses sous aux médecins. Elle s'était même fabriqué elle-même, avec un vieux corset, un bandage pour ses hernies qui la faisaient tant souffrir. Voilà, tout ça pour quatre sous d'économies.

Et le père se disait tout cela, oui, par bribes, entre les allées et venues de gens qu'il ne reconnaissait pas toujours et qui l'obligeaient à recommencer le récit de la mort de sa femme.

A 5 heures du soir les croque-morts arrivèrent pour la mise en bière. La cuisine n'était déjà plus très chaude, mais la porte dut rester ouverte un long moment et tout l'hiver acheva d'envahir la maison. Le froid, la neige que l'on apportait collée aux semelles, la nuit tombante qui repoussait la lueur de sa lampe, tout l'hiver, vraiment, venait chercher la mère jusque-là.

Ce fut dans la salle à manger un grand remuement de meubles et d'escabeaux à cause des tentures noires que les croque-morts accrochaient partout.

Et puis vint le moment de mettre la mère dans son cercueil. Jusqu'alors, elle était restée là. Plus la même, mais présente malgré tout. Chaque fois que le père s'était trouvé seul avec elle dans la salle à manger, il lui avait parlé, presque comme si elle eût continué de vivre. A présent, elle s'en allait vraiment. Elle n'était déjà plus chez elle dans cette pièce métamorphosée, et on l'éloignait encore en posant sur elle ce couvercle que les hommes en noir se mettaient à visser très vite. Le père pleurait et il se disait aussi que ces hommes avaient de bons outils et une grande habitude de ce travail. Il sentit qu'on lui prenait le bras. C'était Julien qui pleurait à côté de lui.

Ils attendirent ainsi que la caisse de bois fût mise en place sur les tréteaux et recouverte d'un drap noir portant une grande croix en fil d'argent. Ensuite, les hommes allumèrent deux cierges de chaque côté, et les gens qui étaient là donnèrent l'eau bénite avec un gros goupillon qui trempait dans un seau de métal.

Et puis, comme tout le monde se retirait, le père regagna sa place à la cuisine.

62

Paul Dubois était venu assister à la mise en bière, et le père l'avait vu parler à Julien sans pouvoir entendre ce qu'il disait. Il était parti tout de suite après. Micheline s'en alla un peu plus tard, mais les visites se succédèrent jusqu'à 8 heures du soir.

La dernière fut celle de M. Vaintrenier qui dit :

— Vous m'excuserez de ne pas être venu plus tôt, mais la mairie me donne bien du tracas.

Il était à la tête du Conseil municipal depuis la Libération. Le père dit :

— Tu es tout excusé. Ce n'est pas parce que les uns s'en vont que la vie des autres s'arrête.

C'était une formule qu'il avait souvent répétée au cours de la journée. Et, invariablement il ajoutait, un ton plus bas :

— C'est bien malheureux, parce que moi qui te parle, je n'ai plus rien à faire en ce bas monde.

Les gens se récriaient, tentaient de trouver des propos réconfortants, mais le père les arrêtait en disant :

— Je me console tout seul, vous savez... Je me console en pensant que je n'en ai pas pour longtemps avant d'être à la suivre.

En les quittant, Micheline avait dit :

— Si ça ne vous fait rien, on ne viendra pas veiller

ce soir, comme nous avons déjà passé la nuit dernière...

Lorsqu'ils furent seuls, Julien dit au père :

— C'est étonnant que personne n'ait proposé de venir veiller?

Le père sentit renaître son embarras. Il bredouilla :

— Que veux-tu, ça se fait de moins en moins... Et puis, hier au soir, Paul et sa femme sont restés. Ce soir, du moment que tu es là... D'ailleurs, tu n'as pas à veiller. Surtout maintenant qu'elle est dans le cercueil. Si tu veux te coucher, nous ferons...

Julien l'interrompit.

— Ce n'est pas la peine. Si je veux me reposer, je prendrai la chaise longue.

Le père n'insista pas. Il avait mis chauffer les restes, et ils mangèrent tous les deux, presque en silence. La place de la mère était vide. Le père la regardait souvent. Il regardait aussi son garçon qui ne quittait guère des yeux le dossier de cette chaise où elle s'était assise durant tant d'années.

Lorsqu'ils eurent fini de manger, le père sortit sa boîte à tabac et roula une cigarette. Il l'alluma puis tira de sa poche de tablier le paquet que le voisin lui avait laissé la veille.

— Tiens. Si tu veux en fumer une, c'est M. Robin qui me les a données. Hier, je tremblais tellement que je n'aurais pas pu en rouler une.

Comme Julien ne réagissait pas, le père poussa un peu plus le paquet sur la toile cirée en ajoutant :

— Allons, prends.

— Non, merci. Je me suis arrêté de fumer.

— Ah oui?

— Je vends mes cigarettes. Ou je les échange contre du sucre.

— Ah!... Moi, c'est mon seul plaisir.

Il avait envie de demander à Julien quel travail il faisait, comment ils vivaient à Lyon, mais il n'osa pas. Il demanda simplement :

— Alors, comme ça, ta femme arrivera demain à 11 heures?

— Oui. Elle ne pouvait pas demander deux journées.

Julien demeurait immobile devant son assiette vide, les coudes sur la table, la tête appuyée sur sa main droite. Le père sentait le silence s'installer entre eux. Il avait mal de ce silence, mais en même temps, il redoutait que Julien ne se mît à parler. C'était une appréhension vague, mais qui l'habitait depuis l'arrivée du garçon. Il finit par dire :

— Je vais faire la vaisselle. Et je me ferai une infusion... Si tu en veux un bol?

— Non, mais laisse, je vais te la faire. Quant à la vaisselle, j'ai toute la nuit pour m'en occuper.

Dès qu'il eut bu sa verveine, le père se leva en soupirant :

— Je vais lui dire bonsoir. Et je monterai me coucher.

Julien l'accompagna dans la chambre mortuaire. Ils y restèrent quelques minutes en silence. Lorsqu'ils sortirent, le père dit :

— C'est la dernière nuit qu'elle passe dans sa maison. Bonsoir, que nous sommes peu de chose sur cette terre! Allons, je vais monter... Je ne tiens plus sur mes jambes.

63

Cette nuit-là, le père n'avait pas beaucoup dormi. Il avait même été tenté plusieurs fois de se lever. Il lui semblait que ce n'était pas convenable de laisser son garçon tout seul en bas avec la mère. Et puis, il se disait que c'était peut-être préférable. Ils avaient toujours eu de petits secrets entre eux. Lui, le vieux, il n'avait jamais vraiment fait partie de leur intimité. Sans doute Julien préférait-il passer cette nuit seul avec elle. Le père ne percevait aucun bruit, mais il imaginait le garçon ouvrant de temps en temps la porte et s'installant pour un petit moment à côté du cercueil. Il essayait de se rappeler la mort de sa propre mère, mais ça remontait à plus de quarante années, et bien des détails lui étaient sortis de la tête. Il se souvenait mieux de faits pourtant plus anciens et moins importants, sans doute parce qu'ils avaient trait à la vie.

Ce qui l'avait également tenu éveillé, c'était l'idée de sa solitude. Quand tout serait terminé, il resterait seul. Et s'il se trouvait réellement seul, il n'aurait plus qu'à se laisser mourir. Bien qu'il n'y eût jamais pensé auparavant, il avait à présent le sentiment que sa femme l'avait toujours préservé de la maladie et de la mort. Probablement, Paul et Micheline lui proposeraient d'aller vivre avec eux, mais il savait déjà qu'il refuserait. Il voulait mourir ici, dans sa maison, au milieu de son jardin. L'année de sa maladie, il avait refusé d'être transporté à l'hôpital précisément parce qu'il avait peur de mourir. C'était cela et la certitude que personne ne pourrait veiller sur lui comme l'avait fait sa femme. À ce moment-là, il n'avait pas vraiment pensé à cela, mais il sentait bien, cette nuit, que ç'avait été une des raisons obscures de son obstination à demeurer chez lui.

Le matin, en se levant, il avait la tête lourde et il dut prendre un comprimé d'aspirine. Il ne voyait plus guère devant lui qu'un crépuscule où il cheminait seul, sans point de repère, sans personne pour l'aider à se tenir debout au milieu d'un si mauvais chemin.

A 10 heures, Julien fut obligé d'aller en ville pour commander une couronne mortuaire. Il avait dit qu'il passerait attendre sa femme à la gare, mais il dut être retardé, car Françoise arriva seule. Elle resta longtemps à pleurer sans bruit devant le cercueil de la mère. Dès qu'elle eut quitté la pièce, le père se hâta de lui dire

— Je suis bien content, en un sens, que vous soyez arrivée avant Julien... Je voulais vous dire... Enfin, c'est que... Vous savez, la mère vous aimait bien.

Il cherchait ses mots. Talonné par son idée fixe d'échapper à sa solitude, il s'était lancé très vite dans cette proposition qu'il ne parvenait pas à formuler. Il n'avait pas espéré cette arrivée de Françoise seule, et rien n'était préparé dans sa tête.

La jeune femme le regardait. Malgré ses larmes, elle avait toujours dans les yeux cette douceur que le père savait apprécier. En arrivant, elle l'avait embrassé avec plus de tendresse que ne l'avait fait Julien.

Pressé par la crainte du retour de son garçon, il trouva enfin les mots qu'il cherchait.

— Ma foi, dit-il, si j'étais parti le premier, je suis bien certain que ma pauvre femme vous aurait demandé de venir vivre avec elle... Alors, vous comprenez...

Françoise eut un petit geste et un hochement de tête. Croyant qu'elle allait parler, le père se tut. Une minute peut-être s'écoula. Puis, comme elle ne disait rien, il reprit :

— La grande ville, ça n'est pas toujours facile... Et ici, quand vous aurez votre petit, il y aura au moins le jardin.

— Moi, finit par dire Françoise, je ne peux rien décider. Mais enfin, j'ai un emploi à Lyon. Et pour Julien, ici, je ne sais pas bien... Enfin, il faudrait voir avec lui.

Le père se tut. Un pas sonnait sur l'escalier. C'était une jeune fille qui apportait des fleurs. Quand elle fut sortie, le père dit :

— Il aurait peut-être été bon de lui donner quelque chose?

Françoise rappela la jeune fille et lui donna un peu de monnaie.

— Je vais vous rembourser, dit le père en plongeant la main dans la poche de son pantalon.

— Laissez donc.

Elle s'était assise au bout de la table, à la place qu'elle avait occupée lorsqu'elle avait mangé ici.

— Mettez-vous donc près du feu, proposa le père.

— Non, je n'ai pas froid.

Elle se tenait un peu raide sur sa chaise. Sa grossesse était à peine visible sous sa robe noire très ample. Comme Julien l'avait fait la veille, elle fixait le dossier de la chaise qui avait toujours été celle de la mère. C'était là que le père l'avait invitée à s'installer pour qu'elle fût plus près du feu. Malgré lui, il l'imaginait ici, remplaçant la mère et s'occupant de la maison.

Comme si elle eût deviné la pensée du père, elle se leva et dit :

— Il faudrait peut-être que je prépare à manger.

— Ce n'est pas la peine, le petit commis de Paul

doit apporter. Il y aura sûrement assez pour nous trois. Depuis hier, vous savez, j'ai beau me forcer, je n'ai pas d'appétit.

Il soupira. Regarda encore les yeux clairs de Françoise. Ils étaient d'un bleu gris, un peu comme ceux de la mère.

Il eût aimé lui parler encore de son projet, mais les mots ne lui venaient pas. A vrai dire, il ne cherchait pas tellement. Il avait déjà compris qu'elle ne pouvait rien décider. Face à Julien, elle devait être un peu comme avait toujours été la mère : prête à tout accepter, à l'approuver et le soutenir dans tout ce qu'il entreprenait, prête également à se sacrifier, et à béer d'admiration devant lui. C'était sans doute pour cela que la mère l'avait aimée tout de suite. Lorsqu'ils étaient partis, la mère avait dit : « Je serai tout de même plus tranquille de le savoir avec cette petite. » Voilà. C'était la mère qui avait vu juste. Et le père se dit que pour elle, ça devait être avant tout Julien qui comptait. Lui, le père, il n'était rien du tout pour cette petite. Elle devait être bonne, et généreuse, ses yeux le disaient, mais, comme il avait su le faire pour sa mère, Julien s'était installé en elle. A présent, il n'y avait plus de place pour personne d'autre.

Alors, plus que jamais, le père se sentit seul. D'une voix à peine perceptible, il dit :

— La mort, c'est bientôt fait pour ceux qui s'en vont, mais pour ceux qui restent, c'est autre chose.

64

L'enterrement de la mère a eu lieu à 3 heures de l'après-midi. Malgré la neige et le froid, il y avait beaucoup de monde et la maison est restée ouverte au vent glacé durant un temps interminable. Le père qui n'avait plus la force de se tenir debout est demeuré sur sa chaise où les gens sont venus lui serrer la main, si bien qu'ils ont apporté de la neige jusque devant la cuisinière.

Le père ne s'est levé qu'au moment où l'on emportait le corps. Il a ôté sa casquette, et il a murmuré :

— Ma pauvre vieille... Ma pauvre vieille...

Et un gros sanglot qui lui brûlait la poitrine depuis un moment a dévoré le reste de sa phrase.

Bien sûr, il ne pouvait pas suivre le cortège, dans le froid, et si loin, de l'autre bout de la ville. Alors, Mlle Marthe qui ne peut plus se déplacer non plus est restée près de lui. Elle a commencé par passer la serpillière partout, puis elle s'est assise à la place de la mère, et ils ont forcé un peu le feu pour réchauffer la maison.

Ensuite, ils ont parlé de la mère. Du temps d'avant guerre et des soirées passées à bavarder sur le banc du jardin. Ils ont revu tout cela, chacun apportant son petit lot de souvenirs. Et tout se complétait, s'imbriquait pour un récit monotone à deux voix, qui eût pu durer une éternité. Ils ont aussi parlé de la guerre. Pas du tout de ce qu'elle est en ce moment. Ce qui se passe si loin ne les concerne plus. Ils ont parlé de la guerre de 14-18, puis de celle qui, pour eux, s'est terminée le jour où les Allemands ont quitté la ville. Est-ce qu'ils auraient pu croire ça? Eux qui sont nés au lendemain de 70. Dans leur jeunesse, on parlait souvent des Prussiens occupant la ville.

Voilà, ils ont parlé comme ça, sans chagrin et sans joie, de tout un monde de souvenirs où la mère avait sa petite place. Et, de loin en loin, le père s'est arrêté pour dire :

— A présent, la voilà bien sans plus de soucis... Elle n'aura pas connu son petit-fils... Et moi, je ne le connaîtrai pas non plus.

La vieille fille qui est à peu près de l'âge du père n'a pas fait comme les autres. Elle ne s'est pas récriée. Elle a répété chaque fois :

— Que voulez-vous, on ne peut pas avoir deux existences sur cette terre.

Et lorsque les autres sont rentrés, Mlle Marthe a regagné son chez-elle où Françoise l'a raccompagnée.

Ensuite, le père a expliqué à Julien ce qu'il devait aller chercher. Julien a monté une bouteille de vin jaune que le père a débouchée avec soin et qui a empli la pièce d'une forte odeur de cave.

Et voilà qu'ils sont là, silencieux devant leur verre. Le père est à sa place, près de la fenêtre dont il a fermé les volets. Françoise est assise devant le placard, à la place que Julien occupe habituellement. Paul, au bout de la table, se tient de trois quarts pour ne pas tourner le dos à Julien qui est assis sur l'escalier. C'est Micheline qui occupe la chaise de la mère.

Paul dit :

— Heureusement que tu n'es pas venu. Il faisait un froid de canard dans ce cimetière. Et rester planté à la porte pour serrer la main des gens qui s'en foutent pas mal, ce n'est jamais drôle.

— C'est vrai, dit Micheline. Je n'arrive pas à me réchauffer les pieds.

— Vous devriez vous déchausser un moment, dit le père.

— Non. Il faut qu'on rentre. J'ai à faire.

— Tu n'as qu'à aller, dit Paul. Moi, je voudrais qu'on cause un peu avec le père, pendant que Julien est là.

Micheline vide son verre, puis elle se lève. Du bout des lèvres elle effleure la joue du père, heurtant de son chapeau le bord de sa casquette qui se tourne de travers sur son crâne. Avant de sortir, elle regarde Françoise, puis Julien et propose :

— Vous savez que vous pouvez venir coucher à la maison.

— Non, dit Julien, il faut qu'on rentre. Il y a un train qui part à 7 heures et demie, nous avons largement le temps de le prendre.

Paul émet un petit ricanement et demande :

— C'est ton travail qui te presse?

— Exactement!

Le ton sur lequel Julien a parlé inquiète le père qui se hâte de dire :

— S'il faut qu'ils rentrent, ça ne sert à rien qu'ils passent la nuit ici... Ça ne sert à rien.

Micheline est près de la porte. Julien se lève et s'avance. Françoise se lève aussi. Micheline lui tend la main en disant :

— Au revoir, petite.

— Au revoir, madame, dit Françoise.

Il y a un temps. Le père regarde Micheline. Leurs yeux se fouillent un instant. Micheline se tourne vers Julien et lui tend la main en disant :

— Au revoir.

— Au revoir.

Elle sort très vite.

Silence.

Les talons de Micheline claquent sur l'escalier, puis plus rien.

Françoise toussote et dit :

— Je vais peut-être partir devant. Si vous avez à parler...

— Ce n'est pas gênant de parler devant vous, dit Paul.

— Mais bien sûr, dit le père. Il n'y a rien à cacher. Micheline est partie parce qu'elle avait à faire... Mais...

Julien qui est toujours debout intervient :

— Françoise a raison. Elle va aller jusque chez Mme Robin. Il faut que je passe leur dire au revoir. Elle m'attendra là-bas.

Le père essaie de s'interposer, mais il ne fait que commencer une phrase qu'il ne finit pas.

— Mais enfin, pourquoi déranger les gens...

Il a vu que Françoise interrogeait Julien du regard. Elle se lève. C'est bien ce qu'il pensait. Elle est comme était la mère : même un regard suffit à la convaincre. Le père se sent perdu. Il se sent bête. Il ne sait plus pourquoi il avait espéré en cette fille, et il ne sait même plus au juste ce qu'il avait espéré.

Comme elle s'approche pour l'embrasser, il se lève et ôte sa casquette. Sa voix tremble lorsqu'il dit :

— Au revoir, petite. Au revoir... Vous savez, la mère, elle vous aimait bien... Elle... Enfin, pensez de temps en temps à moi... Pour des jeunes, Lyon, ce n'est pas au diable...

Il sent qu'il va se mettre à pleurer, et il se tait. Il voit que Paul l'observe avec un demi-sourire et il tousse pour cacher son trouble.

Françoise l'embrasse comme elle a fait le matin. Elle dit tout près de son oreille :

— Au revoir, papa. Au revoir... Et soignez-vous.

Elle enfile son manteau, prend son sac dont elle passe la bretelle sur son épaule, puis elle serre la main de Paul qui se soulève à demi sur sa chaise.

Avant de fermer la porte, elle a encore un regard pour le père. Un regard très doux, de ses yeux qui brillent beaucoup plus que d'habitude.

Dès qu'elle a passé la porte, Julien s'assied sur la chaise qu'elle vient de quitter et croise ses bras sur la table.

— Alors, dit-il à son demi-frère, qu'est-ce que tu avais à dire?

— Puisque tu es si pressé de partir, il nous faut bien parler de choses qui auraient dû au moins attendre un jour ou deux.

— C'est vrai, dit le père. Mais il sera bien de revenir, tout de même.

— Certainement pas tout de suite, dit Julien.

Il y a un bref silence. Le père regarde sans cesse ses deux garçons, et sa peur monte de les voir se sauter à la gorge.

— Ce que j'ai à dire est bien simple, commence Paul. Le père ne peut pas vivre seul. Alors, il faut qu'il vienne à la maison, et nous ferons un arrangement...

Le père se soulève sur sa chaise. Sa main qui s'est avancée au-dessus de la table fait : non non.

— Il n'est pas question que je quitte cette maison, dit-il fermement... Et si personne ne veut m'aider, je n'ai besoin de personne!

Il a presque crié cette dernière phrase. Il sent que ses forces ne le mèneront pas loin sur ce rythme, et il se hâte d'ajouter :

— S'il y a des choses à régler pour la succession de la mère, le notaire s'en chargera. Je ne connais rien aux paperasses, mais j'espère que j'ai de quoi aller jusqu'au bout sans rien demander à personne... Et si je vais plus loin que le bout de l'hiver, j'ai encore des bras pour faire le jardin.

Sa main dure s'abat sur la table et les verres vibrent.

— Ne crie pas, dit Julien, tu vas te faire tousser.

Le père le regarde, surpris. C'était une phrase de la

mère, et il l'a prononcée exactement comme elle l'eût fait.

Paul vide son verre, écrase sa cigarette dans le cendrier de cuivre et se lève en disant :

— Si c'est ainsi nous n'avons plus rien à discuter. Et pourtant, il y aura sûrement des choses à régler.

— Si c'est de l'enterrement, que tu veux parler, dit Julien, sois tranquille, je payerai ma part.

Paul ne répond que par un haussement d'épaules et le père s'empresse de dire :

— C'est à moi que ça revient. Je ne suis pas à la misère.

— Non, lance Julien, et je pense même que si tu as besoin d'argent, tu pourrais fort bien vendre la maison de la boulangerie et prendre quelqu'un ici pour te soigner.

Le père s'apprête à dire qu'il ne veut pour rien au monde vendre son bien, mais Paul le devance. Partant d'un mauvais rire, il dit :

— Celle-là, je l'attendais. Vendre et manger au bout. C'est bien une idée de bohème ou de communiste!

Julien se lève d'un bond et crie :

— Le bohème t'emmerde, et le communiste te pisse au cul!

— Julien! crie le père.

Mais Julien n'écoute pas. Comme Paul cherche sa réponse, il lui crie :

— Je préfère être fauché que de roupiller sur des piles de billets gagnés à fricoter avec les Fritz.

Le père voit le visage de Paul se décomposer. Il le voit serrer les poings. Il y a un silence qui lui paraît une éternité, puis, d'une voix très douce, que l'on entend à peine parce que la cuisine est encore vibrante de l'éclat de sa colère, Julien ajoute :

— J'ai honte de crier comme ça dans cette maison où maman vient de mourir, mais je ne supporterai pas tes ricanements. Ce que je fais ne te regarde pas.

Paul est toujours aussi pâle. Le regard qu'il lance au père est chargé de haine. D'un geste brutal il repousse sa chaise dont le dossier heurte le bord de la table. Puis, se dirigeant vers la porte, il l'ouvre et sort en disant :

— Bonsoir, père.

— Paul! crie le père.

Mais la porte claque et le pas rapide de Paul dévale l'escalier.

Le père attend. Il espère que Paul va revenir ou que Julien va ouvrir la porte pour le rappeler. Mais Julien se rassied lentement et pose sur la table ses mains qui tremblent.

— Je te demande pardon, papa... Mais... mais...

Il se tait. Le père laisse passer un moment, puis, comme la nuit reste silencieuse et que Julien demeure sans voix, il dit lentement :

— A présent, je sais ce qu'il me reste à faire. Crever... Crever tout seul... Et le plus vite possible... Et quand ce sera fait, comme vous ne serez pas foutus de vous entendre, vous bazarderez tout le fourbi pour vous partager quatre sous... Et nous aurons trimé toute notre vie, ta mère et moi, pour que tout soit éparpillé, et bouffé en quelques mois. Voilà... Voilà comment ça finira... Et sois tranquille, ça ne sera pas long.

Il se tait... Julien le regarde. Et le père constate qu'il a les yeux noyés de larmes, alors, au moment où il se croyait fort, et prêt à dominer ce garçon, voilà que lui aussi se met à pleurer. Julien bredouille :

— Mon pauvre papa... Mon pauvre papa...

Le père se mouche et tousse.

— Est-ce que tu veux que je reste ce soir? demande Julien.

Le père a envie de lui crier : « Oui. Reste avec ta femme. Et pas seulement ce soir. Pour que vous restiez, je suis prêt à tout vous donner. Tout. Mais je ne veux plus être seul. »

Il a envie de crier cela, mais il sait que s'il le

fait, il va de nouveau se mettre à pleurer. Alors, faisant appel à tout ce qu'il peut encore trouver de force au fond de lui, se raidissant, il dit d'une voix ferme, mais sans colère :

— Non... Ta femme t'attend. C'est vers elle qu'il te faut aller... Et tâcher de travailler pour ce gosse que ta pauvre mère aurait tant voulu voir... Moi, je n'ai plus besoin de personne... On n'a jamais besoin de personne... pour s'en aller où je vais.

CINQUIÈME PARTIE

LE CHEMIN SOLITAIRE

65

Cet hiver-là fut comme un long sommeil tout peuplé de rêve, où le père Dubois s'était cnfoncé dès après le départ de sa femme.

Au lendemain de l'enterrement, Micheline était venue avec une femme de ménage et le petit commis. Elle avait offert au père de s'en aller vivre avec eux, mais comme il refusait de quitter sa maison, elle n'avait pas insisté. La maison avait été nettoyée et remise en ordre. Comme le père se faisait du souci pour sa provision de bois et se plaignait d'avoir à monter un étage pour chauffer sa chambre, on avait installé son lit dans la salle à manger. Ainsi, en forçant un peu le feu et en tenant entrouverte la porte de communication, il pouvait se coucher dans un lit tiède, à trois pas de la cuisine où il passait ses journées. Le matin, à 11 heures, le commis lui apportait son repas, renouvelait la provision de bois et allait lui chercher tout ce dont il avait besoin. Presque chaque jour également, Paul ou Micheline venait le voir, s'inquiétant de ses moindres désirs et s'assurant qu'il ne manquait de rien.

Il avait très vite pris l'habitude d'être choyé ainsi, et l'absence de sa femme était supportable.

Le temps coulait doucement. Il n'y avait pour lui ni problème d'argent ni problème de nourriture. Au contraire, les repas qu'on lui apportait étaient beaucoup trop copieux pour son appétit. Souvent il répétait :

— Vous me gâtez trop... Je ne mange pas tant que ça.

Et Paul répondait :

— Tu as assez peiné dans ta vie. Et assez enduré. Il est bien naturel qu'on te soigne du mieux que nous pouvons. Tu sais bien qu'avec nous, tu ne manqueras jamais de rien.

Lorsque Paul ou un voisin venu lui rendre visite évoquait ainsi sa vie passée, le père avait plaisir à s'y attarder. Il aimait à en parler, et, quand il se retrouvait seul, il continuait de raconter ce qu'il avait vécu de plus heureux ou de plus dur. Même dans sa solitude il parlait comme si on l'eût écouté :

— Tiens, je me souviens, avant 14, quand je faisais les tournées avec le cheval... Je ne parle pas d'hier... Nous n'avions pas les routes qu'il y a de nos jours. Et les hivers étaient plus rudes. Des hivers comme voilà cette année, nous en avions bien trois sur quatre. Les chemins, ils n'étaient pas toujours faits. Ou alors, ils étaient faits par le passage des chevaux, la neige se tassait sur place, et c'était comme de la glace... Mais j'avais une bonne bête. Et je la tenais toujours ferrée de neuf. Et les crampons en hiver, et tout et tout. Eh bien, tiens, je me souviens, un soir que j'étais à Messia, je sors de chez la Toinon Vignet qui tenait le restaurant. Qu'est-ce que je vois? Un gamin de peut-être huit ans, qui hurlait près de ma voiture. Heureusement que j'avais une bête qui ne s'affolait pas. Et à côté du gamin, deux ivrognes qui rigolaient. « Qu'est-ce qu'il y a? » je demande. « Ce con de gosse, qu'ils me disent, on lui montre le fer de vos roues, et on lui dit de le lécher, pour voir comment ça fait. Il y pose sa langue. Et regardez, il y a laissé un bout de peau. » C'était deux carriers. Avec le froid, ils ne travaillaient pas, bien sûr. Ils avaient passé la journée à boire des chopines. Et de me raconter ça tout tranquillement. Moi, voilà que la colère me prend. « Les cons, que je leur dis, c'est pas ce gosse, mais c'est vous. » Et d'un mot à l'autre, et d'en venir au menaces. Je prends mon fouet par le petit bout. Bon Dieu, ça n'a pas traîné. Forts comme des bœufs, ces carriers, mais pour ce qui est d'être lestes, ils avaient oublié. L'un qui se sauve avec le nez qui lui pissait rouge sur sa vareuse, et l'autre à moitié assommé qui voulait se sauver aussi. « Pas si vite, que je dis. » Et je le rentre chez la Toinon pour avoir son nom et que les parents du gosse puissent savoir à qui s'en prendre. Eh bien, tu me croiras si tu veux, les parents, je n'ai même jamais eu un remerciement.

Il avait ainsi tout son lot de souvenirs qui s'égrenaient à longueur de jours, soit que l'un entraînât l'autre, soit qu'un lien même ténu les rattachât directement à un fait d'actualité qu'on venait de lui rapporter.

Lorsque vint l'offensive allemande des Ardennes, il sembla que la guerre allait prendre un visage par quelques traits semblable à celui des campagnes de 14-18. Alors, ce fut toute une période qui lui revint par bribes. C'était loin, et pourtant beaucoup plus proche que ce qui se passait à Bastogne.

Paul apportait souvent des journaux, mais la vue du père avait faibli à tel point qu'il se bornait à lire les titres. D'ailleurs, ces journaux-là l'intéressaient moins que ceux de son époque, c'est-à-dire celle d'avant 14. Il avait retrouvé, dans la chambre, deux gros volumes reliés de *L'Illustration*. L'un pour l'année 1890, l'autre pour 1897. Il ne passait guère d'après-midi sans qu'il ne reprît ces deux livres qu'il ouvrait sur la table. Il y avait toute une série d'images qu'il retrouvait aisément parce qu'il avait marqué les pages avec des feuillets de l'éphéméride. La première représentait les manœuvres militaires à la frontière, le 16 août 1890. On y voyait des chasseurs alpins à l'assaut du pic de Saint-Agnès, près de Menton. Les officiers sabre au clair, les soldats baïonnette au canon, les clairons. Quand il les regardait, c'était un autre régiment qu'il voyait, le 44, ce régiment de Sambre-et-Meuse dont la Marche se mettait à chanter en lui. Dans le numéro du 1er novembre, il y avait aussi une page qu'il regardait souvent. On y voyait l'installation du four crématoire et du colombarium du Père-Lachaise. Le père Dubois frémissait un instant, puis il se reprenait à l'idée du coin de terre où il dormirait un jour. Dans l'année 1897, celle de ses vingt-quatre ans, il y avait plusieurs pages en couleurs sur la vie des jeunes soldats. La chambrée, les soldats en pantalons rouges sautant le mur, l'exercice dans la cour, la revue de pieds par un médecin-major... tout cela était vrai, comme présent, daté d'hier à peine. Les grandes manœuvres de septembre retenaient aussi son attention. Une double page montrait la charge d'un régiment à travers un champ de blé. Cela, il l'avait vécu. Et, à vingt ans, parce qu'il avait déjà le respect de ce pain qui lui prenait ses nuits depuis sept années, il en avait souffert. Aujourd'hui encore il en souffrait. Mais, inexplicablement, c'était une douleur qu'il aimait à retrouver.

Dans ce volume de *L'Illustration*, quelqu'un de peu soigneux avait glissé une page arrachée à un numéro du *Petit Journal*. C'était une première page en couleurs, où l'on voyait une terrasse de café, à Paris, pendant l'été de la grosse canicule. Les clients comme les garçons en noir et blanc avaient très chaud. La page avait été déchirée, et la date manquait. C'était une chose qui le tracassait. Il cherchait dans sa mémoire l'année de cette terrible sécheresse, et, dès qu'il croyait l'avoir trouvée, un souvenir précis surgissait qui remettait tout en question.

— Mais non, ça ne peut pas être en 91, c'est l'année que nous avons acheté Ripan, ce gros cheval gris qu'on n'a gardé que trois mois parce qu'il mordait. Et je me souviens qu'il pleuvait tout le temps... En 92? Peut-être bien... Mais pourtant, 92, c'est l'année où mon père a planté les buis près de la pompe... Alors, ça ne peut être...

Ainsi passaient de longues heures qui finissaient par faire des jours et des semaines.

De tout cela, la mère n'était pas absente. Mais, très vite, elle était devenue un témoin silencieux, sans consistance et sans âge, qui savait s'effacer pour revenir au moindre appel. Le fait qu'un jour froid de décembre on eût emporté sa dépouille à l'autre bout de la ville ne l'avait pas chassée de la maison. C'était comme ça parce que ça devait être comme ça, et, sans se l'avouer vraiment, le père sentait fort bien qu'elle n'avait fait qu'emprunter avant lui un chemin où il était déjà engagé. Simplement, après avoir longtemps avancé du même pas que lui, elle avait soudain précipité l'allure et brûlé la dernière étape. Mais tout cela n'avait pas grande importance, puisqu'il ne s'agissait que d'une question de temps. Or, désormais, le temps ne comptait guère. Tout était là pour lui montrer à quel point le cours des ans est sans importance. Il vivait aussi bien l'âge de ses quinze ans avec le quinquet éclairant la voûte du four où son père lui apprenait à aligner les miches, qu'il vivait dans l'époque présente engluée dans un crépuscule de silence et de calme.

Les lettres de Julien toujours courtes et de plus en plus espacées étaient le seul courrier qu'il reçût encore. Il avait bien du mal à les lire, et il eût été bien empêché d'y répondre.

Après tout, ce garçon savait où le trouver s'il voulait le voir, et Lyon n'était pas si loin. Julien s'était mal conduit avec Paul, et, aujourd'hui, c'était Paul qui s'occupait du père. Et pourtant, la mère avait assez prétendu que Paul et sa femme étaient deux égoïstes. Aujourd'hui, si elle voyait ça de là-haut, elle devait bien reconnaître son erreur. Naturellement, c'était la présence de la mère et de Julien qui avait si longtemps éloigné Paul et sa femme de la maison. Julien avait fait sa vie comme il l'entendait. Il se tenait loin. Il avait, écrivait-il, trouvé un travail qui lui dévorait tout son temps. Si c'était un vrai travail, on ne pouvait que s'en réjouir. Son absence ne pesait pas. Pour le père Dubois, aucune absence n'était lourde à porter. Ou plutôt, il n'y avait pas d'absence. Il n'y avait de place que pour des êtres avec lesquels il poursuivait un interminable dialogue. Des êtres dont il ne se demandait même plus s'ils étaient déjà morts ou encore de ce monde.

66

Julien était vraiment un garçon qui ne ressemblait à personne. Lorsque le notaire lui avait écrit pour régler la succession de sa mère, il avait répondu qu'il s'en remettait à la volonté de son père et signerait les pièces qu'on lui communiquerait. Le notaire était donc venu, un après-midi, en compagnie de Paul. Il avait lu à haute voix un texte compliqué, et le père avait dû lutter pour ne pas s'endormir. Une fois cette lecture terminée, le père avait signé les actes, puis il avait demandé :

— Si je comprends bien, tout est réglé?

Le notaire lui avait alors expliqué que, selon la volonté qu'il avait exprimée, après sa mort, ses deux maisons resteraient à son fils Paul, moyennant le versement par ce dernier d'une certaine somme à Julien. Cette somme n'était pas très élevée, mais Paul s'engageait à subvenir aux besoins du père qui conservait la jouissance de ses biens.

— Comme ça, avait ajouté Paul, tu es certain que tes maisons ne seront pas vendues à des étrangers. Et puis Julien, il aura beaucoup plus besoin d'argent que de cailloux.

Ils avaient bu un verre de vin vieux, et le père avait parlé du temps où il allait faire les vendanges à Vernantois.

Quelques semaines avaient encore passé, puis, un après-midi, Paul était venu annoncer que le notaire de Lyon chargé de faire signer la donation par Julien avait retourné les papiers. A présent, tout était en règle. Et Paul avait expliqué :

— Tu vois, je me suis arrangé de tout. Ça t'a évité bien des tracas, et comme ça, te voilà tranquille. Tu n'auras même plus à faire ton jardin puisque tu es assuré de ne manquer de rien.

— Le jardin, je le ferai. Je me suis débarrassé des lapins, mais le jardin, tu ne te figures pas que je m'en vais le laisser en friche.

— Sans le laisser en friche, il y a moyen que tu t'arrêtes de te crever comme tu fais.

— Je ferai au bout. Et si je ne le faisais pas, je m'ennuierais.

— Tu t'ennuies parce que tu es seul, mais si tu n'étais pas aussi entêté, tu viendrais habiter chez nous, et tu serais beaucoup mieux.

— Non. J'ai dit non une fois pour toutes, je ne veux pas quitter ma maison.

Paul n'avait pas insisté, mais le père avait eu le sentiment qu'il était vraiment mécontent de son refus.

A partir de ce jour-là, les visites de Micheline et de Paul s'espacèrent, et il arriva que le père dût attendre ses repas jusqu'à 1 heure de l'après-midi. Lorsqu'il en fit la remarque au petit commis, ce garnement lui répondit de telle sorte que le père se leva, blême de colère, contourna la table et gifla le gamin en criant :

— Espèce de petit saligaud. Je vais t'apprendre...

Il ne put en dire davantage. Une quinte de toux le prit qui le contraignit à regagner sa chaise et le laissa sans force. Lorsqu'il se fut débarrassé des glaires qui l'étouffaient, il demeura longtemps immobile. Ses mains étaient secouées d'un tremblement qu'il ne parvenait pas à dominer. Le commis était parti en claquant la porte. Le père mit plus d'une heure à se reprendre, et, ce jour-là, il fut incapable de manger. Il ne cessait de répéter :

— Petit saligaud... Voilà qu'il traîne dans les rues. Et le dîner arrive tout froid... Et à des point d'heure... Il faut que je voie mon garçon.

Il répéta cela plus de vingt fois, cherchant un moyen d'atteindre son fils qui n'était pas venu le voir depuis plus de deux semaines. C'était le début de février, et il faisait encore trop froid pour qu'il pût se rendre jusque chez lui. Il observait le chemin, attendant le passage de M. Robin pour lui demander de téléphoner.

L'après-midi lui parut interminable. Il ne put se décider à fermer les volets qu'une fois la grande nuit tombée, alors qu'il eût été absolument impossible de voir un homme passer sur le chemin.

A 6 heures, comme il se sentait l'estomac vide, il posa sur le fourneau le chou-fleur en sauce blanche et le bidon de soupe que ce petit voyou lui avait apportés. Sa colère s'était refroidie, mais elle demeurait au fond de lui. Demain, le garnement reviendrait, avec son air sournois et cette espèce de sourire qu'il avait toujours et qui semblait dire :

— Tu peux causer, vieux con, moi, je t'emmerde.

C'était ce que le père avait lu souvent dans le regard gris de cette gouape, et la seule perspective de le voir entrer chez lui suffisait à faire trembler ses mains.

Son repas était presque chaud, lorsque Paul arriva. Il avait le visage rouge et l'œil allumé. Sans même saluer le père, il lança :

— Alors, qu'est-ce qui t'arrive. Voilà que tu calottes mon commis, à présent!

Sur le moment, le père en eut le souffle coupé. Est-ce que Paul plaisantait? Est-ce qu'il était venu pour savoir ce qui s'était passé, ou pour s'en prendre à son père?

Il y eut un silence durant lequel Paul s'assit au bout de la table, rejeta son chapeau en arrière et alluma une cigarette. Comme le père demeurait sans voix, ce fut le fils qui reprit :

— Alors quoi? Voilà que tu n'es pas content d'être servi à domicile comme un prince! On dirait bien que tu as toujours mené la vie de château... Peut-être que du temps où tu avais la boulangerie, tu faisais fonctionner tes mitrons à coups de pied au cul, mais figure-toi que les temps ont bigrement changé. On ne peut plus se permettre de traiter le personnel comme autrefois... Voilà un gamin de quinze ans. Tu le calottes, et une heure après sa mère est chez moi! Elle parle de me foutre le syndicat et l'inspection du travail sur le dos! Me voilà propre, moi... Si je n'ai pas envie de me retrouver devant le tribunal avec les pires emmerdements, je n'ai plus qu'à me débrouiller pour leur fermer la gueule. Et tu sais ce que ça veut dire? Tu sais ce que ça va me coûter?

Cette fois, le père ne comprenait plus. Ce gamin lui avait manqué de respect, il l'avait à peine touché et voilà qu'on l'accusait de... de... Il ne savait plus où il en était. Comme son garçon le regardait, semblant attendre une réponse, il ne put que bredouiller :

— Mais enfin... Cette petite gouape me...

Paul l'interrompit. Levant les bras au ciel et laissant ses mains retomber sur la table, il se mit à crier :

— Ah! Nom de Dieu! Si quelqu'un vient te trouver pour cette histoire, ne va pas dire des mots pareils. On te poursuivrait pour insulte. Et c'est encore moi qui trinquerais. Mais tu ne les connais pas. Le père a été fusillé par les Allemands. La mère est au Parti communiste. Ce sont les maîtres, aujourd'hui. Ils ont tous les droits. Même à ton âge, ils te feraient foutre en prison comme rien!

Le père Dubois s'était remis à trembler. Il ne pensait plus à tout ce qu'il avait préparé pour le dire à son garçon. Il ne savait que répéter :

— Mais enfin... Si ce garnement... Enfin, quoi, je ne comprends pas.

— Evidemment, tu ne peux pas comprendre. Tu t'obstines à vivre en dehors du monde. Je ne peux tout de même pas être constamment sur ton dos. Avoue que si tu acceptais de venir vivre avec nous, ça simplifierait bien les choses.

Le père n'avait plus assez de ressources pour se fâcher. Il se contenta de faire non de la tête, et Paul eut une mauvaise grimace.

— Tu es buté, dit-il. A croire que tu t'es mis dans la tête de me faire les pires ennuis pour me remercier d'avoir tout fait pour assurer ta tranquillité... Alors, comment allons-nous pouvoir nous arranger, à présent? Je te le demande. Tu n'as pas l'air de te douter que nous avons notre besogne. Le gamin ne voudra plus venir, il l'a dit. Et je ne peux pas l'obliger à le faire. Ce n'est pas son travail. Il n'a pas été embauché pour ça. Je vais donc être obligé de t'envoyer ton manger par la bonne. Seulement, comme elle ne peut être en même temps au four et au moulin, elle ne viendra que dans l'après-midi. Elle t'apportera pour le soir et le lendemain. Tu feras réchauffer... Je ne vois pas le moyen de faire autrement.

Le père demeurait muet. Il regardait ses mains posées sur la toile cirée et qui se remettaient à trembler dès qu'il les soulevait. Il se sentait écrasé. Comme si on eût jeté sa colère dans le fond d'un trou et lui par-dessus avant de refermer le trou. Il n'osait même pas regarder son garçon.

Il le sentait en face de lui, accroché à l'idée de l'emmener vivre dans son appartement; et lui, il s'accrochait aussi fort à l'idée de rester dans sa maison. L'hiver allait prendre fin, et il y aurait des journées de soleil qui l'appelleraient dans son jardin. Il connaissait l'appartement de son fils. Les pièces sombres donnant soit sur la rue soit sur une cour étroite. La grande cuisine où la bonne était toujours à remuer, à faire fonctionner le poste de radio. Il imaginait les allées et venues. Les repas qu'on ne prenait jamais à la même heure. Le bruit de la rue et le bruit des voisins. Non, il s'était fait à l'idée de rester chez lui, il y resterait. Après tout, si on lui apportait ses repas l'après-midi, il pouvait au moins les prendre quand bon lui semblerait. Et il ne verrait plus la tête de ce petit voyou.

Comme Paul se levait, le père demanda :

— Et le bois, elle pourra me l'apporter, votre bonne?

Paul eut encore un grand geste désespéré.

— Ah merde! C'est vrai, il y a encore cette histoire de bois. Tu avoueras que tu nous compliques vraiment l'existence à plaisir.

— Evidemment, grogna le père, quand j'aurai passé l'arme à gauche, ça vous simplifiera la vie.

Paul lui lança un regard dur et haussa les épaules.

— Ne dis donc pas de sottises... Pour le bois, j'espère que la bonne ne trouvera pas que c'est trop lourd... Mais c'est égal, quand je pense que tu pourrais être si bien à la maison!

67

Cette visite de Paul et sa colère avaient provoqué un malaise dont le père se ressentit durant plusieurs semaines. Il essayait de lutter contre l'idée que son garçon avait attendu que la donation fût signée pour lui faire sentir quelle charge il représentait. Il ne passait pas une journée sans que cette idée ne vînt le visiter plusieurs fois. Il la repoussait en disant :

— Ce n'est pas possible. Ils ont leur vie... Ils ne sont pas de la même génération que moi, et ils se figurent que je pourrais me faire à leur fourbi... Bien sûr, pour eux, ce serait plus simple.

Tout de suite après la mort de la mère, comme le commis ne travaillait pas le dimanche, c'était Micheline qui lui apportait ses repas. A présent, on lui apportait un peu plus le samedi, et il s'arrangeait pour le mieux. Parfois, la bonne était pressée. Elle disait :

— Vous avez encore du bois, j'irai vous en chercher demain.

Et, le lendemain, comme un fait exprès, elle tardait à venir. La nuit tombait. Elle arrivait tout essoufflée, posait son panier et repartait aussitôt en disant :

— Je me sauve, il y a du monde et mon dîner n'est pas fait.

Le lendemain matin, le père s'habillait chaudement, il mettait un gros fichu de laine devant sa bouche pour éviter de respirer l'air froid et humide qui réveillait son asthme, et il partait au hangar pour renouveler sa provision de bois. Il en profitait pour ouvrir les placards de son atelier et s'assurer que ses outils ne rouillaient pas trop. A chaque visite, il s'effrayait de voir baisser les piles de bûches. Cette question de chauffage l'inquiétait toujours. La mère n'était plus là pour écrire au forestier et commander le bois. Ni Paul ni sa femme ne venaient plus, et il dut demander à M. Robin de faire la lettre.

— Ce bois, il faudra que je le fabrique et que ce soit fini avant les froids, alors, pour bien faire, il faudrait lui demander de me le livrer au printemps.

Il dit cela, puis il ajouta :

— Je me demande si je passerai le prochain hiver, mais de toute façon, je ne veux pas manquer de chauffage.

M. Robin fit la lettre. Il rendait souvent service au père. Il demandait des nouvelles de Julien, mais il ne parlait jamais de Paul. Le père n'en parlait pas non plus. C'était entre eux comme un petit fossé que chacun jaugeait du regard sans oser s'y aventurer. Par une espèce de fierté qu'il avait du mal à définir, le père n'osait pas non plus demander à M. Robin d'écrire à Julien pour le prier de venir le voir dès qu'il en aurait la possibilité. C'était aussi qu'il désirait cette visite et qu'il la redoutait. Paul le délaissait, il ne remplissait même pas convenablement l'engagement qu'il avait pris en acceptant les conditions de la donation, mais il redoutait que Julien ne vienne à l'apprendre. Il s'accrochait à l'espoir qu'il mettait dans la venue du printemps. Il y aurait le jardin, le bois à fabriquer dès qu'il aurait été livré, et ce serait de quoi remplir ses journées. Les nuits seraient moins longues, il ferait chaud et il pourrait sortir de la maison, aller jusque dans la rue et bavarder un peu avec les voisins.

Le gros chêne têtard qui se trouvait à côté de la pompe, tout au fond du jardin, n'avait pas été élagué depuis cinq ou six ans. Toutes les branches qui avaient poussé représentaient pas mal de bois, et il s'était promis de s'y mettre dès que le temps le permettrait.

Au début du mois de mars, il y eut quelques journées de soleil. Il commença par tailler quelques arbres en bordure de l'allée, ramassant soigneusement les brindilles dont il faisait de petits fagots. Il se fatiguait vite, mais il en était de même après chaque hiver, et il savait que le travail lui permettrait rapidement de retrouver ses forces. Après quatre jours, comme le temps se maintenait au beau et que la terre s'était assez ressuyée pour qu'il pût poser une échelle sans qu'elle risque d'enfoncer, il se mit à élaguer son chêne. Il avait soigneusement affûté sa scie égoïne, et le travail allait bon train. Les branches tombaient une à une, et, tout en besognant, il pensait à son père, le petit ramoneur savoyard venu là vers les années 1840 et qui avait planté cet arbre pour que la pompe soit toujours à l'ombre.

Vers le milieu de la matinée, plus de la moitié des branches étaient par terre, et le père s'apprêtait à descendre pour changer son échelle de place, lorsqu'il vit son garçon entrer dans le jardin. Paul n'était pas seul. Il y avait avec lui deux hommes qui s'arrêtèrent à hauteur du premier carré tandis que lui se dirigeait droit vers le père.

Dès qu'il fut à portée de voix, il cria :

— Tu n'es pas fou. A ton âge, faire un travail pareil. Mais tu tomberais, tu pourrais te casser le col du fémur ou même te tuer.

— Tu ne vas pas m'engueuler, dit le père.

Paul eut un sourire.

— Bien sûr que non, mais tu m'as fait peur.

— Que veux-tu, il y a plus d'un mois que j'ai commandé du bois, on ne me livre pas. Le peu que je fais sera toujours fait.

— Ne t'inquiète pas pour ton bois. Tu sais bien qu'on ne te laissera pas geler.

Le père avait mis pied à terre devant son garçon. Il essayait de voir, entre les arbres encore nus, les deux hommes qui se trouvaient toujours à l'entrée du jardin.

— Qui est-ce qui est venu avec toi?

— Tu connais, c'est Valentini, l'entrepreneur. Il est avec un architecte.

— Ah!

— Oui, je les ai amenés pour jeter un coup d'œil sur le terrain. Tu sais qu'il y a une partie qui est frappée d'alignement, alors, il faut voir à partir de quel endroit on peut envisager de construire.

Le père eut une hésitation. Il souleva sa casquette pour s'éponger le crâne puis, presque timidement, il demanda :

— Construire?... Mais construire quoi?

— Eh bien, pour le moment, je ferai des garages pour mes camions, et par la suite, je pourrais monter dessus un ou deux étages.

Le père posa son égoïne au pied de l'échelle, puis, se grattant le menton, il réfléchit quelques instants avant de demander :

— Est-ce que tu veux dire que tu aurais l'intention de construire de mon vivant?

Paul eut un geste embarrassé.

— Enfin, dit-il... Je n'ai pas encore fait faire de plans, mais... J'ai des emmerdements avec mes entrepôts. Tu sais que c'est très vieux. Plein de rats... Et puis, je paie très cher de loyer. Alors, plus tôt je commencerai les travaux, mieux ça vaudra.

Le père se contenait. Il sentait que tout se mettait à remuer au fond de lui, que des mots lui venaient qu'il avait peine à retenir.

— Pour ton arbre, dit Paul, laisse ça. Je t'enverrai un de mes hommes pour le finir.

Ce fut peut-être cette tentative maladroite qui fit crever la colère du père.

— Tais-toi! cria-t-il. Je me fous pas mal de ça. Mais qu'est-ce que c'est que cette histoire de construction? Tu voudrais me bouleverser mon jardin! Foutre tout en l'air alors que je n'ai jamais rien voulu toucher même pour amener l'eau et l'électricité! Mais nom de Dieu, tu as juré de me faire crever avant l'heure!

Paul regardait autour d'eux. Le soleil avait attiré du monde dans les jardins voisins.

— Ne crie pas comme ça. Tu vas ameuter tout le quartier.

Mais le père ne se contrôlait plus. Il venait soudain de découvrir à son garçon un visage qu'il avait toujours refusé de lui voir.

— Je gueulerai si ça me plaît! Je suis encore chez moi, sacrebleu. Et tu vas me faire le plaisir de déguerpir avec tes guignols, sans ça, je saurai bien trouver un manche de fourche qui ne soit pas vermoulu!

Paul essaya mollement d'avancer quelques arguties que le père n'entendit même pas.

— Fous-moi le camp, répéta-t-il. Sinon, tout le quartier pourrait savoir que tu me laisses crever de faim, et que tu ne viens me voir que pour essayer de me faire crever plus vite!

Il s'était emporté, mais il lui restait assez de lucidité pour qu'il sentît se préparer une quinte. Il se tut, respira longuement, puis, ramassant une branche d'un mètre grosse comme le bras, il se dirigea vers les deux hommes. Paul le devança, et, très vite, il entraîna l'architecte et l'entrepreneur hors du jardin. Le père ne s'arrêta pas. Forçant l'allure, il alla jusqu'à la grille qu'il ferma à double tour. Le trio avait commencé de monter la rue des Ecoles. Brandissant la clef d'une main et sa trique de l'autre, le père hurla :

— Revenez-y! Et je vous fous les gendarmes aux trousses!

Mais les trois hommes continuèrent de marcher sans se retourner.

Essoufflé, le père resta un long moment adossé à la grille, puis, comme une fenêtre s'ouvrait à la maison d'en face, sans même regarder s'il s'agissait de Mlle Marthe ou d'une autre commère, il revint lentement vers la maison.

68

La colère, comme toujours, avait fatigué le père beaucoup plus que ne l'eût fait une journée du plus dur travail, et pourtant, il lui semblait qu'elle l'avait également libéré d'un grand poids.

De retour à la maison, il s'assit un moment, puis ranima le feu où il restait quelques braises des bûches qu'il avait brûlées pour faire chauffer son café du matin. Il était 11 heures passées et il se sentait de l'appétit. Il regarda avec dégoût ce que contenaient encore les deux casseroles que la bonne lui avait apportées la veille, puis il alla les poser dehors, sur une marche d'escalier, en grognant :

— Tambouille... Ça ne se conserve même pas une nuit... Saloperie... Dommage que je n'aie plus de lapins.

Du même pas il descendit à la cave, prit quelques pommes de terre et deux gros oignons. Lorsqu'il eut tout épluché, il mit deux cuillerées de graisse dans la cocotte en fonte et y coupa les pommes de terre et les oignons en tout petits morceaux. Le seul fait de préparer tout cela, de respirer l'odeur de la graisse chaude et de l'entendre grésiller lui aiguisait encore l'appétit.

— Dommage que je n'aie pas un morceau de lard à mettre dedans!

Depuis la mort de la mère, il n'avait jamais plus mangé de pommes de terre mijotées à la cocotte. Il ajouta encore une grosse gousse d'ail, deux feuilles de laurier et un peu de thym.

Tandis que le feu ronflait sous son repas, le père se prépara un verre de vin bien sucré.

— Bonsoir, grognait-il, il voudrait me voir crever. Eh bien, nous allons voir... Me foutre le jardin en l'air? Il ferait beau voir ça... Je me serais crevé toute ma vie à y mettre du fumier, j'aurais planté des arbres pour voir tout ça s'en aller à coups de pelle! Merde alors! Parce que je n'ai pas bougé de l'hiver, il se figure peut-être que je me suis endormi. Foutre non...

Il allait ainsi, buvant une lampée de vin sucré, remuant ses pommes de terre et respirant à s'en saouler l'odeur du laurier et des oignons.

— Voilà belle lurette que la maison n'a pas senti aussi bon.

Il se parlait sans cesse, comme s'il eût voulu par ses paroles entretenir cette espèce de feu qui venait de se ranimer en lui. La seule menace de sa trique avait éloigné ces trois hommes dont le plus vieux avait trente ans de moins que lui, et le souvenir de leur fuite faisait courir dans ses muscles un flot de sang vif et chaud qui lui donnait envie de se dépenser.

— Ce soir, j'aurai fini d'élaguer cet arbre, et il y a gros à parier que j'aurai fabriqué une bonne partie de branchage... Et ceux qui me croient bon à foutre au rancart, n'ont qu'à venir prendre une serpe, on verra lequel ira le plus vite... Qu'est-ce qu'ils se croient donc les uns avec leur argent et les autres avec des serviettes. Est-ce que c'est du travail, ça?

Il parla ainsi durant tout le temps que dura son repas. Elevant parfois la voix comme s'il se fût adressé à un nombreux auditoire.

Une fois bu son café, il se versa une bonne rasade de marc.

— Ce n'est ni dimanche ni fête, mais je sens que j'en ai besoin... La vaisselle, je la ferai ce soir... Je m'en vais profiter du soleil pour abattre un peu de besogne.

Il avait fini d'élaguer et commençait de tirer les branches vers le hangar lorsque sa belle-fille arriva. Comme la grille était toujours fermée, elle avait emprunté le chemin qui longe le jardin, et il ne l'aperçut que lorsqu'elle fut à quelques pas du hangar. Sa vue l'irrita. Il posa la branche qu'il tenait, et se planta sur place, une main dans la poche de son tablier, et l'autre tenant le mégot éteint qu'il venait de décoller de sa lèvre. Micheline approcha, l'ai très affligé. Après quelques secondes d'hésitation, elle l'embrassa sur les deux joues. Elle était très parfumée et le père remarqua qu'elle avait les cheveux d'un blond plus clair que d'habitude.

— Mon Dieu, pleurnicha-t-elle. Mon Dieu, mon pauvre papa, mais qu'est-ce qui nous arrive?

— Si vous êtes là, vous devez bien le savoir. Parce que je ne peux pas dire que vos visites m'auront trop fatigué, depuis quelque temps!

Il avait parlé sans crier, mais d'une voix très dure. Micheline le regarda en silence, battit des paupières et éclata en sanglots.

— Je mérite vos reproches, fit-elle. Oh! comme je les mérite. Et comme je m'en veux de n'avoir pas su abandonner un peu mon travail pour vous donner davantage de mon temps. On veut toujours trop en faire, et puis, à quoi ça sert... Je vous le demande.

Le père, que cette crise de larmes trop rapide agaçait, l'interrompit :

— Je pense que c'est pas pour me demander ça que Paul vous envoie.

Elle feignit une grande surprise et une grande peur.

— Mais il ne sait pas que je suis venue, affirma-t-elle. Le pauvre Paul, si vous pouviez voir dans quel état il est.

— Je n'y tiens pas. Et ce n'est pas la peine de venir me jouer la comédie.

— Ne criez pas, mon pauvre papa, vous vous ferez du mal. Il faut que je vous explique. Mais on ne va pas rester ici.

Le père se durcissait de plus en plus. Sa colère était un bloc auquel il s'accrochait de toute sa force. L'attitude forcée de Micheline l'y aidait. Elle avait trop facilement fondu en larmes. Elle poussait trop de soupirs, et le père trouvait presque quelque chose de comique à sa poitrine qui se soulevait à chaque sanglot, tendant, à la faire craquer, l'étoffe de son corsage. Le père eut un geste de la main du côté de Mancy où le ciel se couvrait un peu.

— Il risque de pleuvoir demain. Et j'ai mon bois à sortir du carré avant que ça gadouille. Je n'ai pas le temps d'écouter vos jérémiades.

— Mon Dieu, je n'aurais jamais cru que vous seriez aussi dur et aussi injuste avec moi. Et ce pauvre Paul qui n'a pas pu avaler une bouchée à midi...

— Eh bien, moi, j'ai très bien mangé. Je me suis fait des pommes de terre à la cocotte... Vos casseroles d'hier, elles sont sur l'escalier. Vous pouvez aller les chercher. Et ce n'est plus la peine de m'envoyer à manger. Je me débrouillerai. D'ailleurs, la grille restera fermée.

Il tourna les talons et revint près de l'arbre sans se soucier de Micheline qui restait plantée devant la porte du hangar, son mouchoir à la main.

— Chiale donc, grommelait le père, tu pisseras moins. Mais ça ne te fera pas maigrir, Bon Dieu.

Il entretenait sa colère. Il la tenait serrée autour de lui, comme une bonne toile imperméable aux sanglots et aux larmes de cette grosse femme qui lui donnait sur les nerfs.

A chaque voyage qu'il faisait, Micheline recommençait de lui parler.

— Le pauvre Paul. Si vous saviez ce qu'il doit

endurer. Mon pauvre père qui va me maudire, qu'il disait. Et moi qui voudrais tant lui adoucir ses vieux jours...

Le père fit encore quatre voyages. Ce n'était plus de la colère qu'il sentait bouillonner en lui, mais une espèce d'agacement qui lui donnait envie d'empoigner une badine bien souple et d'en fouetter les grosses fesses de sa bru.

Au cinquième voyage, n'y tenant plus, il se planta devant elle et, s'efforçant de ne pas crier pour éviter la toux qui l'eût empêché d'aller au bout, il lança :

— J'en ai assez entendu comme ça pour aujourd'hui. Vous allez me faire le plaisir de foutre le camp et de ne plus remettre les pieds ici avant que j'aie cassé ma pipe... A ce moment-là, vous ferez ce que vous voudrez de ma terre, mais moi vivant, vous n'y foutrez pas le bordel!

Micheline recula lentement, puis, avant de faire demi-tour, elle sanglota encore :

— Mais mon pauvre Paul va en tomber malade!

— Qu'il boive un peu moins, et tout ira bien... Mais qu'il ne vienne plus m'emmerder avec ses conneries et ses guignols à serviettes!

69

Il y eut un petit retour de fraîcheur avec de la pluie et quelques giboulées, mais soutenu par cette espèce de force que la colère avait plantée en lui, le père ne s'arrêta pas de travailler. Il partageait son temps entre le hangar où il sciait et fendait le bois tiré de l'élagage, et le jardin où il commençait le nettoyage de printemps. Dès que la terre aurait rendu son trop-plein d'eau, il commencerait de bêcher.

Un peu avant le milieu du mois de mars, il reçut une lettre de Julien qui lui annonçait la naissance d'un garçon. Ce garçon s'appelait Charles, Gaston Dubois. Ce jour-là, le père travailla mieux encore que de coutume. Et, lorsque M. Robin passa sur le chemin, il lui demanda de l'accompagner à la cuisine. Il lui montra la lettre de Julien, et, quand M. Robin l'eut félicité, le père qui avait les larmes aux yeux demanda :

— Est-ce que vous voudriez faire une petite lettre?

— Bien sûr. Vous voulez qu'on la fasse tout de suite?

— Ma foi... Si vous pouviez me la poster ce tantôt, et puis, si ce n'est pas trop vous demander, j'aimerais envoyer un peu d'argent. Vous comprenez, acheter un cadeau, moi, je ne saurais pas. Alors, j'aime mieux leur envoyer quelques sous. J'ai l'argent du loyer de la boulangerie, et pour le moment, je n'ai pas tant de besoins.

M. Robin fit la lettre au bas de laquelle le père mit sa signature d'une main qui tremblait.

— Ah, pauvre de nous, dit-il. Ce que ma pauvre femme aurait été heureuse de voir ça!... Demain, si le temps ne menace pas trop, j'irai jusqu'au cimetière. Je n'y suis pas encore allé. Je ne me sentais pas assez fort. Mais à présent...

— Voulez-vous que je demande à ma femme de vous accompagner?

— Non non. Je lui donne déjà assez de tracas avec les commissions.

Depuis que le père avait bouclé sa porte et décidé de refuser les repas que lui devait son garçon, c'était Mme Robin qui se chargeait de lui acheter son pain, sa viande et son lait. De temps à autre, elle lui apportait une portion de dessert. Elle le faisait gentiment, et toujours en disant :

— Vous me rendrez service, j'en ai fait de trop, et mon mari me gronderait s'il me voyait jeter.

Le lendemain matin, dès qu'il fut debout, le père interrogea le ciel. L'aube annonçait une journée de soleil. Un petit vent frais soufflait de l'est, débarrassant le ciel des vapeurs de la nuit. Le père mit à tremper dans un baquet deux chemises, deux flanelles et quelques mouchoirs qu'il avait à laver, puis, ayant mis un tablier propre et enfilé sa veste de velours, il prit sa canne ferrée et sortit.

Pour éviter le centre de la ville, il traversa le champ de foire, emprunta la rue Regard puis le quai du Solvan. Il allait d'un bon pas régulier, heureux qu'il y eût peu de monde dans les rues. Il allait au cimetière, rendre visite à sa femme qu'on avait enterrée au début de l'hiver, mais il n'était pas triste. Il allait lui dire un petit bonjour et lui porter une bonne nouvelle.

Après trois quarts d'heure de marche, il atteignit la route du cimetière. En même temps que lui, mais débouchant de la rue du Puits-Salé, arrivait une vieille femme qu'il croyait morte depuis des années. C'était une ancienne cliente du temps où il tenait la boulangerie. Elle ne parut pas surprise de le voir et se mit à cheminer à côté de lui, parlant exactement comme s'ils se fussent quittés la veille au soir.

— Alors, vous voilà donc d'aller voir votre femme.

— Oui, fit le père, l'hiver a été long. Et moi, quand il fait froid, ce n'est pas la peine que j'essaie de sortir.

— Moi non plus, je ne vais guère au cimetière quand la saison est dure. Mais tout de même, comme je ne suis pas très loin, quand je vois un rayon de soleil, je viens... Bien sûr, je ne m'attarde pas. Juste un petit bonjour et je me sauve... Mais les morts comprennent bien... Ils me connaissent. Ils savent que dès qu'il fait beau, je viens des grands moments.

— C'est votre mari, que vous venez voir?

La vieille s'arrêta, posa une main aux doigts largement ouverts sur ses reins, et se redressa un peu pour regarder le père.

— Mon mari? Fichtre non! Ça fait quarante-deux ans qu'il n'est plus. Et il a été enterré à Bourg où il était à l'hôpital... Je n'avais pas de quoi acheter une concession, il doit être relevé depuis longtemps. Non, non, je n'ai personne ici. Mais enfin, j'ai tout de même bien du monde.

Ils avaient atteint l'entrée du cimetière, et la vieille eut un geste large de la main pour désigner l'ensemble des tombes.

— Vous, reprit-elle, c'est là-haut, sur la gauche.

— Oui, au-dessus du petit escalier, après les gros arbres.

Ils prirent l'allée de gauche, et, marchant plus lentement à cause de la montée, la vieille se remit à parler :

— C'est un bon endroit. Pas humide du tout. Et

le soleil quasiment toute la journée. Ils sont bien mieux là-haut que d'être comme vous diriez tout près de l'entrée. C'est plus sain, et il y a moins d'allées et venues.

Elle s'arrêta le temps de relever un vase que le vent avait couché sur une petite tombe recouverte de graviers blancs.

— C'est la Pauline Richard, expliqua-t-elle. Celle qui tenait la Civette, autrefois. Vous l'avez connue?

— Bougre, si je l'ai connue!

— C'était une bonne femme toute simple. Ici, elle n'est pas bien dans son monde. C'est un quartier où il y a surtout des gros bonnets.

Elle montrait du menton d'énormes tombes en marbre bleu et noir, des caveaux surmontés de colonnes ou de sculptures, d'autres entourés de grilles en fer forgé. Elle s'arrêta devant un mausolée qu'un affaissement de terrain faisait pencher vers la droite.

— Vous voyez, remarqua-t-elle, ça ne vaut pas mieux qu'une simple pierre. Tous ces machins tarabiscotés, le jour où ça ne peut plus tenir, ça dégringole. Et je me demande si les morts sont vraiment mieux là-dessous.

D'abord surpris, le père l'écoutait à présent tout comme si elle eût parlé de gens bien vivants. Elle avait parfois un petit rire qui ne paraissait même pas déplacé en ce lieu habité par la vie bien plus que par la mort.

Car le soleil déjà chaud faisait vivre le cimetière. Des lézards gris filaient sur les pierres et se coulaient dans les fissures, des moucherons tournaient dans la lumière, et les premiers bourgeons marquaient déjà de vert tendre les lilas plantés en bordure du mur d'enceinte.

Comme ils arrivaient sous les arbres, la vieille sortit de son cabas un petit sac en papier empli de croûtons de pain. Elle les émietta entre deux tombes en disant :

— Je donne un peu aux oiseaux... Ils viennent, et ça fait de la compagnie aux morts.

Le père Dubois s'engagea dans l'étroit escalier de pierres grises où la vieille le suivit. Dès qu'il eut débouché sur l'allée du haut, il marcha jusqu'à un tertre recouvert de fleurs pourries.

— Ils n'ont pas encore remis la pierre en place, remarqua-t-il. Avec le gel, la terre ne s'est pas tassée bien vite.

— A présent, pour peu qu'il revienne de l'eau, ce sera tôt fait.

Il s'assit sur le bord de la tombe voisine, et, les deux mains sur sa canne, il dit :

— Je vais me reposer un peu, et ensuite, j'enlèverai toutes ces cochonneries.

La vieille resta quelques minutes immobile. Elle avait croisé ses mains devant elle, et son cabas noir pendait le long de ses jambes. Seules ses lèvres remuaient sans qu'il en sortît aucun son.

— Eh bien, finit-elle par dire, je m'en vais vous laisser tous les deux. Et je vais faire un bout de compagnie aux autres.

Elle s'éloigna lentement, et le père la vit s'arrêter devant les tombes, demeurer immobile, relever un vase, arracher une touffe d'herbe ou remettre en place un crucifix. Lorsqu'elle eut disparu, il regarda la terre jaune sous laquelle reposait la mère, et il dit :

— C'est vrai qu'il fait bon dans ce coin. Et à présent, les gros froids sont passés.

Il marqua une pause assez longue.

— Et tu sais que Julien a un garçon.. Hé oui, les uns s'en vont et les autres arrivent. Le monde est comme ça.

Il posa sa canne, se leva et se mit à ramasser les fleurs que l'hiver avait aplaties contre la terre. Il ne laissa que les deux couronnes en perles. Celle de Julien et la sienne.

— Ma pauvre femme, reprit-il, j'ai bien de la

misère depuis que tu n'es plus. Et je me demande si ça vaut bien la peine qu'on remette la pierre en place... Quand je vois comme tu es tranquille ici...

Il ne se sentait pas triste. Il lui semblait même qu'il se sentait aussi bien ici que chez lui. C'était un jardin où personne ne venait plus vous parler sur un mauvais ton. Ou bien les gens ne venaient pas, ou bien ils venaient en amis, comme cette vieille qui s'en allait faire son petit bout de causette avec les morts.

Lorsqu'il eut nettoyé la tombe, il alla se laver les mains au robinet qui se trouve un peu plus haut, puis étant venu reprendre sa canne, il dit encore :

— Je viens de voir que le Félix Ramillon et sa femme sont tout à côté. Et plus haut, il y a la fille Cretot, c'est tous des gens que tu as bien connus.

Du bout de sa canne, il détruisit un pissenlit qui pointait entre deux mottes, puis, s'engageant dans une allée de traverse, il murmura :

— Je vais m'en retourner par l'autre allée, comme ça, je verrai un peu plus de monde. A présent, j'ai plus de connaissances ici que par la ville.

70

Après cette visite au cimetière, le père se remit à son travail. Il se sentait plus calme, comme s'il eût avancé avec la certitude de se trouver vraiment dans le bon chemin. Il n'avait plus besoin de cette colère qui l'avait fouaillé, il se sentait la force d'aller seul jusqu'au bout de sa route. Il tenait son travail bien en main, et c'était aussi le travail qui lui tenait sa vie. Il ne leur restait plus qu'à cheminer ainsi, se soutenant l'un l'autre, sans trop s'attarder à compter les jours.

Deux semaines coururent, avec un temps qui poussait la sève au bout des branches et tirait l'herbe de la terre. L'herbe vient toujours trop vite, mais elle a ceci de bon qu'elle incite à semer et à planter. Le père commença par retourner les carrés qui se trouvaient derrière la maison, protégés du nord et tout indiqués pour les premiers semis. Il vida une couche et brouetta du fumier.

Au début de la troisième semaine, il avait largement passé le cap de la fatigue qu'engendrent toujours les premiers travaux de l'année. Il avait pris le rythme et, bien qu'il fût seul pour mener la besogne, il estimait qu'elle n'avait souffert aucun retard. Un matin, il eut la joie de voir arriver le fils Picaud, le forestier.

— Heureusement que je connais la maison, dit Picaud. J'ai essayé d'ouvrir la grille, mais c'était bouclé.

— C'est vrai, je ne l'ouvre plus. Ceux qui veulent vraiment me voir savent bien le chemin.

— Vous avez peur des voleurs?

Le père hésita. Il se moucha pour se donner le temps de la réflexion, puis il dit :

— Non. Mais la serrure coince, et je n'ai pas trouvé le temps de la réparer.

Le forestier parla de la mort de la mère en s'excusant de n'avoir pu assister aux obsèques. Le père eut un geste qui signifiait que ça n'avait pas d'importance, puis il demanda où en était sa commande de bois.

— Je peux vous l'amener la semaine prochaine, mais j'ai pensé que si vous vouliez quelques fagots, je vous les descendrais en même temps.

— Bien sûr, mais ce n'est pas tellement le bois d'allumage qui me manque. C'est le gros, et qui ne soit pas tout pissant de sève.

Le forestier eut un gros rire.

— Je ne peux vous livrer que ce que j'ai. Et c'est du bois de l'année.

Ils discutèrent un moment, mais le forestier ne disposait d'aucune réserve, et le père ne put rien obtenir de mieux. Picaud qui s'en allait déjà se ravisa soudain et revint sur ses pas.

— Je pense à une chose, fit-il. Il y a quatre ou cinq ans, nous avions abattu deux gros tilleuls qui gênaient le passage pour exploiter une coupe. Le branchage a été fabriqué, mais je n'ai pas pu vendre les troncs qui sont tarés. Evidemment, ce n'est pas du chauffage de premier choix, mais si vous voulez les fabriquer, ils sont sciés de longueur, il n'y a plus qu'à les ouvrir à la masse et aux coins. Le tilleul, ça se fend comme de rien. On les foutrait sur le camion, et ça vous ferait toujours pour le temps que le reste pisse un peu son eau.

Le père pensait au long chemin qu'il faudrait faire à pied pour gagner la forêt. Comme il hésitait, Picaud lui dit :

— Bien sûr, si tendre que soit le tilleul, je sais que la masse, ce n'est plus de l'ouvrage de votre âge.

Le père se redressa. Le mot l'avait piqué au vif.

— Que crois-tu? Est-ce que tu me vois déjà foutu? Depuis que ma pauvre femme s'en est allée je mène l'ouvrage tout seul. Et tu peux voir que rien ne pâtit.

Il montrait du geste le jardin tout autour d'eux.

— Enfin, dit le forestier, c'est à vous de voir.

— C'est tout vu. Il suffit de m'expliquer où ça se trouve.

— Ce n'est pas si loin que la coupe où vous aviez fait les fagots. Ça se tient juste au-dessus de Perrigny, sur le versant de coteau qui se trouve plein sud, à l'amorce de la vallée.

Mettant un genou en terre, il traça du doigt sur le bord de l'allée le chemin qu'il fallait suivre.

— Oui, oui, disait le père, je connais. J'ai fait ça souvent pour aller aux morilles... Tiens, du temps de ton père... et je crois même que ton grand-père était encore de ce monde, je ne te parle pas d'hier...

Il raconta une longue histoire qui débouchait sur une autre et qu'il continua pour lui seul après que Picaud l'eut interrompu pour dire :

— Je me sauve, j'ai à livrer. Vous n'aurez qu'à monter une hache à tête pour les entames, et votre masse. Les coins, vous trouverez de quoi les fabriquer sur place.

— Ne t'inquiète pas, j'en ai fait plus que tu n'en feras jamais, tout bûcheron que tu es.

Il regarda s'éloigner ce grand gaillard qui se dandinait en balançant les bras. Il allait voir un peu, celui-là, si le travail de la masse n'était plus de son âge!...

— Les jeunes, ça prend l'habitude des machines, et ça se vide de ses forces avant même les quarante ans... Du temps de ton grand-père, dans la forêt, le patron abattait comme les autres. Et même que c'était lui qui menait la danse. De nos jours, ça commande et ça mène les camions. Et quand on parle du temps d'autrefois, ça n'a même pas le respect d'écouter.

Ayant repris sa besogne, il parla longtemps ainsi. Il parlait sans colère, et même avec une sorte de joie neuve qui, peu à peu, prenait forme et ampleur au fond de lui.

De temps à autre, il se redressait pour sonder le ciel du regard et flairer le vent. C'était le nord-est qui donnait, et comme il tenait depuis plus de trois jours, on pouvait être assuré que la semaine irait à son terme sans une goutte d'eau.

Le reste de la journée passa très vite. Le père ne cessait d'imaginer le chemin, de fouiller ses souvenirs pour y retrouver le moindre sentier de cette forêt qu'il avait souvent parcourue. Et ce voyage dans le passé lui échauffait le sang, poussant au creux de ses veines un courant de force qui lui faisait oublier le présent.

Avant la tombée du soir, il alla préparer sa masse, donner un coup de lime à sa hache et passer sa serpe sur la meule. Ensuite, revenu à la cuisine, il graissa ses godillots et de vieilles guêtres de cuir qui sauraient le protéger de la rosée. Il mangea, puis il prépara son café pour n'avoir plus qu'à lc réchauffer le lendemain matin.

Et, ce soir-là, il alla se coucher sans avoir eu besoin d'allumer la lampe.

71

Le ciel blanchissait à peine lorsque le père Dubois quitta sa maison. Il avait ficelé ensemble sa hache et sa masse qu'il portait sur l'épaule gauche. Dans sa musette, il avait sa serpe et de quoi boire et manger. De la main droite, il tenait sa canne dont le bout ferré sonnait sur le goudron.

Le temps était calme, mais il savait que le vent se lèverait avec le soleil, et il voulait être rendu à pied d'œuvre le plus tôt possible. Ce n'est jamais facile d'aller avec le vent dans le museau et le soleil dans l'œil. Et puis, il préférait traverser la ville avant l'heure où les gens sortiraient de chez eux. Il croisa seulement quelques ouvriers de la fromagerie. Plus loin, quelques cyclistes le dépassèrent qui devaient se rendre à l'usine de lunettes.

Une fois passé le pont du chemin de fer, il ralentit le pas. La route commençait de monter entre les maisons, et ce n'était pas le moment de s'essouffler. Il se sentait bien des jambes, il emportait une bonne réserve de forces et voulait éviter cette toux qui le laissait toujours à demi épuisé. Il s'arrêta donc à plusieurs reprises. se donnant le temps de contempler la ville qui s'étalait derrière lui, gris et bleu dans le matin encore frais. Son regard s'attardait sur le cimetière.

— Ma pauvre vieille, murmurait-il, tu dois bien dire que je suis fou, à mon âge, de vouloir m'atteler à ce travail. Mais que veux-tu, tu sais bien qu'on ne peut pas brûler ce bois tout gorgé d'eau qu'ils nous livrent. S'il y avait un peu plus de conscience, mais cette saloperie de guerre a fini de tuer l'honnêteté. Les vieux n'ont plus qu'à crever tout seuls. Quand je te le disais, tu ne voulais pas me croire. C'est pourtant vrai.

A chaque halte, il changeait sa musette de côté, faisait passer ses outils d'une épaule sur l'autre et sa canne d'une main dans l'autre. Il avait en tête le plan que le gros doigt du forestier avait tracé dans la terre de l'allée.

Lorsqu'il eut atteint l'ancienne voie romaine, il obliqua sur sa gauche et s'engagea dans le sentier de traverse qui grimpe droit sur la lisière du bois, pour déboucher sur un autre chemin, bien avant Saint-Etienne-de-Coldre. A mi-côte, il dut s'arrêter. La pente était plus raide. Il se retourna. Il dominait le village de Perrigny. Le chemin qui file sur Haute-Roche s'en allait sur sa gauche, et plongeait derrière la corne du bois. C'était bien ce qu'avait expliqué Picaud. Le père reprit sa marche. Lorsqu'il eut atteint le chemin du haut, il le prit sur sa droite et compta trois cents pas avant de commencer à chercher le sentier.

Les ronces avaient envahi le talus, mais il devina le débouché de l'ancien chemin de coupe à une légère dépression de terrain.

— J'ai bigrement bien fait de prendre ma serpe... Et j'ai bien fait aussi de mettre mes guêtres.

Il commença par tailler une longue perche de frêne, qu'il ébrancha, laissant seulement un bout qui formait crochet. Ensuite, écartant les ronces, il les coupa de sa serpe, le plus près possible du sol. Puis, les ayant tirées à l'aide du crochet, il les fit glisser par paquets de l'autre côté du chemin, au pied du talus.

Quand le passage fut dégagé, il put constater que seules les fougères avaient poussé sur le chemin de coupe. Il suffirait de les piétiner un peu pour tracer un sentier où il pourrait commodément transporter son bois. Il se débarrassa de sa veste et de sa musette qu'il suspendit à un érable, à quelques pas de la route, puis il marcha jusque vers les troncs qui émergeaient des fougères. Il compta huit grosses pièces sciées en longueur de trois mètres et il se dit que s'il en débitait déjà la moitié, ça ferait un bon tas de bois. Le forestier avait précisé que les troncs se trouvaient à moins de cent mètres du chemin communal, il ne s'était pas trompé.

Avant même de tailler ses coins, le père voulut voir ce que valait ce bois. Il piétina les fougères tout autour du premier tronçon, coupa quelques ronces, et planta sa serpe dans le gras du bois. Deux coups en biseau et une éclape large comme la main gicla, ouvrant une plaie blanche et saine.

— Voilà qui paraît bon sur le dessus.

Il regarda la tranche. Le cœur était plus tendre, et même nettement pourri sur un bon peu, mais il restait tout l'aubier.

— A cheval donné, on ne regarde pas les dents.

Le soleil avait débordé le faîte de la colline, et ses premiers rayons coulaient comme une eau vive entre les troncs, léchant la terre et les fougères où perlait la rosée. Le bois était roux comme un automne luisant. Seules quelques flammes vertes perçaient çà et là. Le vent s'était levé, mais il passait très haut, miaulant dans les cimes nues.

Le père trouva aisément un acacia qui pouvait lui fournir des coins qu'il eut vite fait de tailler. Il avait envie d'éprouver sa force et de voir si vraiment la masse était encore de son âge.

Il attaqua donc le premier tronc. Ce n'était bien sûr pas un travail facile, car le bois sec et serré avait vieilli au soleil et à la pluie.

— Il est écuit, répétait sans cesse le père... Je

connais ça... C'est dur à fendre, mais le grain est serré et ça donne de bonnes chevilles de feu.

Le plus dur était l'entame. Si la fente allait par-delà le cœur, il essaierait de l'ouvrir en deux. Ensuite, le travail serait plus facile. Si elle s'arrêtait là, il faudrait reprendre sur le flanc et enlever tout du long, morceau par morceau. Comme il le redoutait, la fente ne dépassa pas la partie pourrie. Le père eut un ricanement. Le bois résistait. Il voulait se battre, eh bien, il se battrait.

— Bon Dieu, nous verrons bien qui aura le dessus!

Une espèce de fureur amicale l'animait. Il parlait au bois comme à un vieux compagnon. Pourtant, il frappait de la masse, lâchant des han arrachés au fond de sa poitrine. La masse écrasait peu à peu le bois des coins qui s'enfonçaient à chaque coup. Le tronc se plaignait, couinait comme une bête blessée. Quand la deuxième fente eut été menée au bout, le père revint du côté de l'attaque, reprit sa hache et, d'un large geste qui étira son buste parallèle à la terre, il planta le fer à la base des deux entailles. Un seul coup suffit pour que la hache s'engageât de tout son tranchant dans le bois de bout. Le père lâcha le manche, prit la masse et monta sur le tronc pour frapper plus à l'aise. Au troisième coup porté sur l'acier qui sonnait clair jusqu'à l'autre rive de la vallée, le bois se souleva. Le père eut un ricanement, et lança simplement :

— Alors!

Il descendit, et pesant de tout son poids sur le manche de sa hache, il arracha au bois une réponse qui était un long craquement des fibres tendues et déchirées une à une.

Le premier morceau détaché de l'arbre était là, à ses pieds. Le tronc ouvert vivait encore des fibres étirées qui, lentement, reprenaient leur place.

— Ferait beau voir!

Il souleva le morceau d'un bout, fit marcher ses

mains tout au long jusqu'à le sentir basculer. Là, fléchissant un peu les genoux, il prit la charge en équilibre sur son épaule et s'en fut à petits pas la porter jusqu'au bord du chemin communal.

Le plus dur était fait. Il savait qu'à présent, l'arbre entamé céderait facilement. Ce bois avait compris que toute résistance était inutile. Lui, le vieux dont doutait le forestier, le vieux qu'on voulait enterrer avant l'âge en lui prenant sa terre sous prétexte qu'il n'avait plus la force de la retourner et d'en tirer profit, il était venu à bout de ce tilleul où les nœuds ne manquaient pas.

Il avait chaud, et il alla remettre sa veste. A présent qu'il avait jaugé le travail et pris la mesure exacte de sa force, il n'était plus tellement pressé. La marche et ce premier effort l'avaient creusé, il pouvait bien prendre un petit acompte sur son repas de midi. Il décrocha sa musette, et, pour éviter la fraîcheur du bois, il s'en alla chercher, le long du chemin, un bout de talus bien exposé pour manger un morceau.

72

Quand le père eut achevé son casse-croûte, le soleil était déjà haut. Il eut du plaisir à retrouver le bois où, malgré l'absence de feuilles, le branchage tamisait la lumière. Il reprit sa besogne, allant son train, persuadé à présent qu'il mènerait sa tâche à son gré. Pour varier le travail et laisser à ses mains le temps de se reposer, il transportait son bois à mesure qu'il le débitait.

Lorsqu'il eut achevé la deuxième bille, il alla jusqu'à l'endroit où sa veste était accrochée pour regarder sa montre. Il était à peine 11 heures, et il pensa qu'il pouvait débiter encore un tronc avant de manger. Il se contenta de boire un demi-verre du mélange de vin et d'eau qu'il avait apporté, puis il reprit sa hache.

Comme il écrasait du pied les fougères, il lui sembla que quelque chose remuait derrière le tronc. Il s'immobilisa.

— Un rat, ou quelque autre saloperie, grogna-t-il.

Ayant fait la place, il examina la tranche. Ce morceau était plus taré encore que les autres. Non seulement le cœur était pourri, mais on voyait un trou de quoi passer le poing. Somme toute, c'était une bonne chose, car l'arbre éclaterait plus facilement.

Le père repéra un endroit où une fente se dessinait déjà, et, d'un maître coup, il y planta sa hache. Il y eut un craquement, puis, le prolongeant de façon insolite, un crachement pareil à celui du bois mouillé qu'on pose sur la braise.

— Bonsoir! Le voilà qui pleure avant même de connaître le feu.

Lâchant le manche de la hache, il prit la masse et frappa deux coups rapides sur le talon de métal. Cette fois, le crachement se fit sifflement, et le père s'inquiéta.

— Bon Dieu, il y aurait une vipère dedans, que ça ne m'étonnerait pas.

Prenant un pas de recul, il regretta d'avoir si bien planté sa hache qui eût été une arme plus maniable que la masse. Mais, en même temps, il songeait qu'il valait mieux cueillir la bête à la sortie du trou que de la laisser filer sous les fougères. La masse bien en main, il attendit quelques secondes. Il allait se décider à cogner le tronc de nouveau, lorsqu'une tête triangulaire pointa et coula comme une glue rousse au ras de la tranche qui portait encore les marques noires du passe-partout.

— Vérole! Une rouge!

La masse s'abattit, écrasant la tête. Le corps gicla aussitôt et se tordit sur les fougères. Le père avançait déjà le pied pour l'achever, lorsqu'une autre vipère sortit, beaucoup plus rapide que la première. Le temps de relever la masse, et la bête, déjà, filait sur l'herbe.

Le lourd marteau de fonte l'arrêta, frappant sur le milieu du corps.

— Fumelle, ragea le père... Ça fraye là-dedans!

A peine avait-il reculé d'un pas qu'une autre bête parut, puis une autre collée à son flanc, tandis que d'autres encore sortaient de la fougère derrière l'arbre couché.

— Bonsoir, c'est pas vrai... Mais c'est pas vrai.

Reculant d'instinct, le père sentit qu'il écrasait un autre reptile. Il eut le réflexe de ne pas lever le pied. Il avait posé le talon gauche en plein milieu du corps d'une énorme vipère dont la tête vint heurter sa guêtre de cuir tandis que la queue fouettait sa chaussure.

— Saloperie!

Ça sifflait de toute part. Le père sentit la sueur l'inonder. Il frappa de sa masse sur la bête la plus proche, puis, quand il l'eut presque coupée en deux, il revint à celle qui remuait toujours sous son pied. Il avait beau appuyer de toute sa force, il sentait que le corps de la bête enfonçait dans l'épaisseur de mousse et de fougères. S'il levait le talon, elle pouvait tenter de mordre plus haut que la guêtre. Voulant lui écraser la tête de son pied droit, il perdit l'équilibre. Se servant de sa masse comme d'une canne, il évita la chute. Libérée, la bête se ramassait. Le père vit luire son petit œil vif. Il fallait être plus rapide que ce ressort roux qui avait la mort dans la gueule. A peine levée de trente centimètres, la masse tomba.

Libéré, le père eut encore un regard vers la souche dont la bouche d'ombre continuait de vomir des reptiles.

Cette fois, la peur le prit tout à fait. Il lui semblait vivre un cauchemar. D'une traite il courut à la route. Là, à l'idée de sa veste, de sa hache, de tout ce qu'il avait apporté dans cette forêt, il s'arrêta. Essuyant d'un revers de main ses yeux que la sueur brûlait, il scruta le sous-bois en direction des souches. Même d'où il était, il pouvait encore voir remuer.

— Saloperie de saloperie de merde!

Une angoisse terrible lui nouait la gorge. Sa tête sonnait comme avait dû sonner le bois creux où dormaient les vipères.

Pouvait-il retourner jusqu'à sa veste? L'idée de la serpe lui vint. La meilleure arme serait encore une baguette souple et solide. Avec sa serpe, il pourrait la couper.

Sans bruit, regardant où il posait les pieds, et tenant toujours sa masse à demi levée, il avança jusqu'à la veste. La décrochant et prenant la musette et la canne en même temps, il revint à la route. Il était trempé et ses membres tremblaient. Seule l'idée de sa bonne hache restée plantée dans le tronc l'empêchait de s'enfuir. Il s'imposa de respirer profondément, et réfléchit quelques instants. Puis, songeant qu'il devait se tenir prêt à battre en retraite, il enfila sa veste et passa sur son épaule la courroie de sa musette.

Parce que ses mains tremblaient toujours, il eut beaucoup de mal à dénouer les lacets qui fermaient la musette. Il avait pourtant fait des boucles, mais, tirant du mauvais côté, il commença par serrer un nœud qu'il n'arrivait plus à ouvrir. Ses gros ongles claquaient sur l'étoffe, et, finalement, il sortit son couteau et coupa le lacet.

Il se tenait au milieu du chemin, et, tout en faisant cela, il surveillait le terrain tout autour de lui. Quand il eut sorti sa serpe, il l'accrocha à sa ceinture et ramassa la perche qu'il avait utilisée pour dégager les ronces. La tenant à deux mains, il frappa l'herbe le long du fossé à l'endroit où il voulait s'avancer pour couper un noisetier. Comme rien ne remuait, il s'engagea prudemment, trancha en deux coups de serpe un noisetier qu'il tira sur le chemin. Choisissant deux bonnes tiges, il les coupa puis les dépouilla de leurs brindilles. Ayant remis sa serpe dans sa musette, il essaya les deux badines, les fit siffler dans l'air et fouailla le talus où les herbes se couchaient sous ses coups. Après avoir bien ajusté sa casquette sur son crâne et rejeté sa musette sur ses reins, il se dirigea lentement vers l'entrée du chemin de coupe.

L'œil aux aguets, il avançait sans bruit, la main droite en avant, tenant levée l'arme souple prête à frapper. De loin en loin, il évaluait la distance qui le séparait encore de sa hache. Il savait qu'enfoncée comme elle l'était dans le tronc, il lui faudrait un bon moment pour la dégager. Un bon moment et ses deux mains. Il devrait donc poser ses baguettes et s'approcher à un mètre de cette gueule noire qui pouvait cracher des vipères à hauteur de ses genoux.

— Bon Dieu de saloperie, marmonnait-il sans cesse.

Arrivé à mi-chemin, il vit filer un trait roux et luisant entre les herbes. La bête venait de derrière lui et le dépassait. Il fit deux pas plus rapides et sa baguette s'abattit. Mais les fougères trop raides amortirent le coup et la vipère lui échappa. Il se retourna. S'il avait pu passer à côté de celle-là sans la voir, c'était la preuve que d'autres aussi s'étaient avancées vers la route.

Il demeura un instant figé sur place, tournant seulement la tête et le buste pour un regard circulaire. Le silence de la forêt l'effraya. Même le vent semblait s'être arrêté. Point d'oiseau. Rien. Un grand vide.

Il sentit poindre en lui l'idée que tout cela n'était pas naturel. Il repoussa cette pensée. Enfin quoi, ce n'était pas la première fois qu'il tuait plusieurs vipères! Oui, mais un si grand nombre, il ne l'avait jamais vu. Il avait déjà entendu parler des vieilles souches où ça leur arrive de se rassembler en grand nombre pour hiverner, mais rarement... Est-ce qu'il n'y avait pas là quelque chose de bizarre? Et ce silence? Il eut la conviction que des milliers de petits yeux le fixaient. Que d'un coup, une armée de reptiles allait fondre sur lui. Il leva les yeux pour s'assurer qu'il n'y en avait pas dans les arbres.

Il se sentait ridicule, et pourtant, il ne parvenait pas à dompter sa peur.

Son regard revint sur la hache. Il ne pouvait tout de même pas l'abandonner là. C'était une fameuse hache, solide et de bon métal. Une hache qu'il avait depuis tout de suite après l'autre guerre.

Bonsoir, il n'allait pas laisser sa hache aux serpents, non!

Il fit encore quelques pas. Changeant de tactique, il frappait le sol du talon, préférant voir remuer les bêtes à son approche plutôt que de passer à côté d'elles sans même soupçonner leur présence. Il alla ainsi jusqu'à quelques mètres du tronc, à l'endroit où se trouvaient encore deux des coins de bois qu'il utilisait pour fendre.

Est-ce que les vipères apeurées n'avaient pas toutes quitté le tronc pour s'éparpiller dans la forêt?

Pour en avoir la certitude, le père prit ses deux baguettes dans sa main gauche et, ramassant l'un des coins, il visa la souche et lança de toute sa force. Il atteignit l'arbre à peine en dessous du trou. Il y eut un choc sourd et, aussitôt, deux têtes triangulaires pointèrent à la sortie tandis que, se dressant à demi, une autre vipère lovée au pied de la souche dardait sa langue bifide. Le père était trop éloigné pour l'entendre siffler, et pourtant il lui sembla que tout le bois sifflait autour de lui. Son regard s'affola, vola comme une mite d'un point à un autre. Le bois grouillait-il vraiment? Etait-ce dans sa tête que tout se passait? Avait-il perdu l'esprit au point de voir des vipères partout? Il eut encore une hésitation. Un soubresaut de son corps qu'une force invisible tirait vers la hache tandis qu'une autre le poussait vers le chemin.

— Saloperie! cria-t-il d'une voix étranglée.

Puis, courant, s'arrêtant lorsqu'il croyait voir remuer, se remettant à courir, il gagna rapidement le chemin.

Tenant toujours ses baguettes, il prit aussi sa masse et sa canne ferrée. Une dernière fois il se retourna vers le bois où il crut voir plusieurs reptiles avancer dans sa direction. Alors, talonné par une peur qu'il ne contrôlait plus, évitant d'instinct le raccourci, il fila le long du bois, ayant soin de se tenir toujours au milieu du chemin.

73

Toute la nuit, le père Dubois chercha vainement le sommeil. Les vipères étaient là, plus présentes encore que dans la forêt. Elles venaient jusqu'à lui, froides, silencieuses, insaisissables. Dès qu'il commençait de s'endormir, elles approchaient davantage. Il tentait de fuir, mais les bêtes rousses étaient tout autour de lui. Il frappait. Il en tuait des centaines et des centaines mais il en venait toujours. Il se réveillait en sursaut, couvert de sueur, et s'il parvenait à repousser les images de son cauchemar, c'était pour d'autres moins folles mais qu'il ne pouvait chasser complètement. Il pensait à sa hache. Les forestiers la trouveraient en allant chercher son bois, ils verraient les vipères, ils en déduiraient qu'il s'était sauvé comme un enfant pris de panique. Il lui arrivait aussi de penser à sa musette qu'il avait posée à la cuisine. N'avait-il pas rapporté, sans s'en rendre compte, un ou deux reptiles qui allaient venir l'attaquer durant son sommeil? C'était une idée absurde. Il le savait. Et pourtant, elle revenait sans cesse le visiter.

Par moments, il doutait de lui. Il doutait de sa propre raison, se demandant s'il n'avait pas été victime de sa fatigue, s'il n'avait pas fui la forêt après avoir seulement vu une seule vipère.

L'idée lui vint de retourner sur place, de reprendre sa hache, mais, lorsqu'il se leva, il comprit que ce n'était plus possible. Cette lutte et cette fuite avaient à tel point secoué son corps qu'il se retrouva sans force. C'est à peine s'il put avaler quelques gorgées de son café au lait. Un grand dégoût demeurait en lui, et sa bouche était si amère que même la fumée du tabac lui parut insupportable.

Dans le jardin, il besogna par habitude, poussé par cette espèce d'instinct qui l'habitait depuis toujours et lui interdisait de demeurer inactif dès que le temps permettait le moindre travail. Mais le cœur n'y était pas. Rien n'avançait. Le jour pesait sur lui et tout autour de lui exactement comme si une immense fatigue eût écrasé la terre. Pour lui, le ciel tout inondé de cette lumière qui redonnait vie aux plantes, aux oiseaux, aux insectes était plus morne qu'un ciel d'hiver embrumé et glacé. Ses jambes le portaient, ses bras et ses mains accomplissaient des gestes mille et mille fois répétés au cours des années, mais tout se faisait en dehors de lui.

Ce jour-là, son repas de midi fut composé seulement de pain et de fromage. Le soir, très tôt, il but un grand bol d'infusion et monta se coucher. La fatigue accumulée lui procura un sommeil qui le mena jusqu'à l'aube presque sans rêves. Mais ses forces n'étaient pas revenues, et les jours suivants lui parurent interminables. Sa besogne n'avançait pas. Pour la première fois de sa vie, il se trouvait en proie à l'idée que ce travail même était dénué de sens. Il bêchait, il plantait, il semait... pour quoi faire de sa récolte? Irait-il seulement jusqu'à la récolte? Et, s'il parvenait à pousser jusque-là cette existence sans but, aurait-il encore la force de récolter? Aurait-il seulement besoin de cette récolte? N'avait-il pas signé des papiers qui lui assuraient le vivre jusqu'à ce que toute cette misère s'achève enfin?

A plusieurs reprises, il dut faire un grand effort

de volonté pour repousser l'idée d'aller trouver son garçon et de lui dire : « Fais ce que tu veux du jardin, mais que je ne sois plus obligé de m'occuper de ma nourriture, de mon chauffage, de ma lessive. »

Le passé revenait encore lui rendre visite, mais seulement avec des visions qu'il était tout surpris de retrouver aussi nettes. Elles montaient du fin fond de sa mémoire. Tout enfant, il avait connu un vieux mitron resté longtemps au service de son père et que l'on avait hébergé et nourri jusqu'à sa mort. Le vieux vivait dans un coin du magasin à farine, derrière l'écurie du cheval, sur des piles de sacs vides tout imprégnés de sueur. Chacune de ses rides était un pli noir de crasse. Ce vieux devait sentir qu'il était un objet de dégoût pour les autres, car il refusait de prendre place à table et mangeait sa soupe tout seul. L'été, il s'installait au soleil dans un coin de la cour, l'hiver, il restait le dos au mur tiède séparant la chambre à farine du fournil. Les cafards et les grillons étaient ses seuls compagnons. Lorsqu'on lui parlait de l'hospice des vieillards, il entrait dans une grande colère, se mettait à pleurer et à trembler en criant :

— Je vais partir. Je vais vous débarrasser. J'irai crever sous un pont!

Les boulangers disaient que c'était une espèce de chantage, mais ils cédaient toujours, laissant le vieux qui n'avait plus guère d'amitié que pour le cheval dont il assura le pansage jusqu'à son dernier jour. Le père ne se souvenait de la mort du vieux mitron que pour avoir souvent entendu raconter qu'on l'avait trouvé un matin, recroquevillé sur ses sacs, dans la position où il s'endormait chaque soir. C'était l'hiver. Il y avait du verglas et, la veille, en rentrant de tournée, le cheval s'était cassé une patte. En apprenant qu'on avait abattu le cheval, le vieux s'était couché sans manger pour ne plus se relever.

Cette histoire n'était pas une de celles que le père Dubois avait le plus souvent racontées, mais, à présent, elle lui revenait sans cesse. Il la reprenait à son début, cherchant à retrouver des détails oubliés. Le visage du vieux était en lui. Sa misère aussi, et même l'odeur que dégageait la pile de sacs où il dormait.

Allait-il finir de la sorte? Allait-il s'entêter à demeurer seul; à repousser tous ceux qui tentaient de l'approcher?

La semaine se termina par deux journées de pluie. Deux longues journées qu'il passa au coin de son feu, à regarder le vent souffler sur le jardin. Et son regard se portait souvent sur ce coin de terre où la mère était tombée. Quelques cardons gelés y étaient encore, que les premiers coups de soleil avaient noircis. Par une sorte de pudeur qu'il ne commandait pas, il avait renoncé à toucher ce carré. Depuis le fond du jardin jusqu'à la hauteur de la maison, tout était bêché, et cette étroite bande de terre faisait une levée qui courait des dalles bordant l'allée à la barrière longeant le chemin.

Il la regardait, soupirait, puis murmurait :

— Ma pauvre vieille... Qu'est-ce que je vais bien devenir?

Même durant la longue solitude de ce dernier hiver, jamais il n'avait aussi douloureusement éprouvé l'absence de sa femme. C'est que, jusqu'à présent, il n'avait jamais eu à réfléchir sur une décision à prendre. La seule fois qu'il avait lui-même apporté un bouleversement à son existence en jetant dehors l'aîné de ses garçons, ç'avait été sous le coup de la colère.

Il ne regrettait pas vraiment cette colère qui lui avait permis de retrouver un peu de sa force, mais il lui semblait que cette force, de nouveau évanouie, le laissait pareil à une brindille que l'eau d'orage emporte où bon lui semble.

Alors, regardant la pluie ruisseler contre les vitres, il se laissait aller sur sa chaise, tout recroquevillé dans sa grosse veste de laine, tout engoncé dans l'attente, espérant et redoutant il ne savait quoi des jours à venir.

74

Un matin de la semaine suivante, le forestier vint livrer le bois. Dès que le père vit le gros camion chargé de bûches s'arrêter devant le jardin, il sentit renaître sa crainte d'être ridicule. L'idée lui vint de s'enfermer chez lui et de laisser les hommes décharger le bois devant la barrière, mais il se dit que s'il ne payait pas le forestier le jour même, il aurait sa visite tôt ou tard. D'ailleurs, déjà Picaud s'avançait dans le chemin.

— J'y vais! cria le père.

Il passa prendre la clef de la grille et gagna l'entrée. De loin, il avait reconnu tout en haut du chargement ses bûches de tilleul plus longues que le bois de moule, et plus claires avec leur chair fraîchement ouverte.

Déjà le commis du forestier était sur le camion, prêt à descendre le bois.

— On le met dans la rue? cria-t-il.

— Attends une minute, dit Picaud.

Le père ouvrit la grille et serra la main que lui tendait le forestier qui disait :

— Vous voyez, on vous a amené aussi ce que vous avez fabriqué. J'aurais même pas cru que vous en feriez autant.

— Ma foi, soupira le père, je ne suis plus tout jeune.

Ils parlèrent un moment de la qualité des bois, puis le forestier dit :

— Est-ce que vous n'avez pas oublié une hache?

Le père éprouva en même temps une crainte et un espoir.

— Oui. Et je m'en suis aperçu au pont de Perrigny. Mais j'étais trop fatigué pour remonter. J'ai bien pensé que tu la trouverais.

L'homme prit la hache dans la cabine du camion. Le fer avait rouillé. Il portait une trace plus claire marquant la partie qui était restée engagée dans le tronc.

Le père remercia. Il n'osait regarder Picaud. Il alla poser la hache contre une dalle de l'allée, et, comme il revenait, Picaud lui demanda :

— Alors, on le met dans la rue, vous allez le rentrer aujourd'hui?

Le père hocha la tête. Parviendrait-il, à lui tout seul, à traîner tout ce bois jusque dans le hangar en une journée? Il réfléchit très vite et il dit :

— Ecoute voir. Le premier carré n'est pas encore bêché, si tu pouvais approcher ton camion tout contre la barrière, ce serait de jeter le bois jusque-là. Comme ça, même si je ne transporte pas tout avant la nuit, il sera plus en sûreté que dans la rue.

— C'est bien facile.

Picaud remonta dans la cabine, fit ronfler le moteur, avança et recula. Puis, rejoignant son commis, il entreprit avec lui de lancer les bûches sur le jardin, le plus près possible de l'allée. Pendant que les hommes déchargeaient, le père emporta sa hache et ramena la charrette. Lorsque tout le bois fut par terre, il emmena les deux hommes jusqu'à la maison et leur servit un verre de vin. Il les observait à la dérobée, se demandant s'ils allaient parler des vipères ou si, au contraire, ils se taisaient pour se moquer de lui entre eux et raconter à toute la ville que le père Dubois avait abandonné sa hache aux serpents.

Comme les hommes allaient se retirer, n'y tenant plus, le père leur demanda :

— Vous n'avez rien trouvé d'autre, dans la coupe?

Ils se regardèrent.

— Non.

— Parce que j'ai tué deux vipères. Je les avais laissées près du tronc.

— Ça alors, fit Picaud, on ne risquait pas de les retrouver huit jours après. C'est souvent qu'on en tue, nous autres, dans les coupes. Mais à peine avons-nous tourné les talons, que les buses ou les tiercelets viennent les chercher.

Le père se sentit soulagé d'un coup. Accompagnant les hommes, il demanda encore :

— C'était deux rouges, des belles... Est-ce qu'il y en a beaucoup, dans ce coin-là?

— C'est pas ce qui manque. Un versant exposé plein sud, vous pensez si elles s'y plaisent. Surtout au printemps.

— En ce moment, dit le commis, il faut s'en méfier. Elles frayent. C'est de ces temps-là qu'elles sont le plus mauvaises.

Les hommes racontèrent quelques histoires de vipères, puis, remontant dans son camion, Picaud dit :

— C'est pas tout ça, mais on a encore à livrer, et on n'est pas du pays, nous autres.

Le père remercia encore, puis regarda le camion s'éloigner et disparaître à l'angle de la rue.

Il rentra, ferma la grille, mais au moment de tourner la clef dans la serrure, il hésita, eut un haussement d'épaules et retira seulement la clef qu'il glissa dans la poche de son tablier.

Il avait regardé les deux hommes décharger les bûches qu'il lui restait à empiler sur sa charrette pour les transporter là-bas, tout au bout du jardin, dans ce hangar où il faudrait les scier et les fendre avant l'hiver. Et, à cause de ce raidillon qui terminait l'allée, il ne pourrait mettre qu'une dizaine de morceaux à chaque voyage.

Il commença le travail, mais quelque chose lui murmurait qu'il ne le terminerait pas.

Au troisième voyage, il était à tel point fatigué qu'il ne put monter le raidillon et dut porter bûche par bûche jusque dans le hangar, la moitié de ce que contenait la charrette. Il allait recommencer de tirer, lorsque Mme Robin parut.

— Mais vous n'en viendrez jamais à bout, dit-elle. Ce n'est plus du travail pour vous.

Toute la pitié qu'il y avait dans sa voix et dans son regard pénétrèrent le père. Il était vieux. Il était à bout de force. Ca devait se lire sur son visage pour qu'on en vînt à lui parler ainsi.

Jusqu'alors, il avait marché, soutenu par un reste d'espoir vague qui l'avait empêché de s'effondrer. Et puis, à cause de la force qu'il avait vue chez ces deux forestiers, à cause de ces quelques mots prononcés avec douceur par une jeune femme qui le prenait en pitié, à cause peut-être de mille et mille petits détails accumulés, voilà qu'il se sentait vidé d'un coup. Il se cramponna encore quelques secondes puis, laissant tomber le timon de la charrette, il porta une main à son front et murmura :

— Oui... c'est au-dessus de mes forces... Au-dessus de mes forces.

Sa voix qui avait monté de ton s'étrangla. Il fit un effort désespéré pour étouffer un sanglot qui creva comme une bulle amère sur le bord de ses lèvres.

— Je suis foutu... Foutu pour de bon...

Et, sans honte, sans penser à rien qu'à sa force qu'il ne retrouverait jamais, il se mit à pleurer.

75

Le père s'était laissé conduire jusqu'à la maison. Après cette longue période durant laquelle il s'était raidi contre tout ce qui pouvait lui venir de l'extérieur; après cette retraite où il s'était enfermé, s'imposant un rythme de travail qui ne correspondait plus à ce que son corps pouvait encore lui permettre, il s'abandonnait. Il écoutait les mots d'amitié sans réagir. Et, lorsque Mme Robin lui avait dit qu'il avait tort de s'enfermer ainsi dans sa solitude alors que l'aîné de ses fils s'était engagé à l'aider, il avait hoché la tête.

— Ils feront ce qu'ils voudront... Ce qu'ils voudront... Je sens bien que je suis au bout de mon rouleau.

C'était sa façon de dire qu'il sentait sa vie lui échapper, c'était une manière d'éviter un mot dont il avait un peu peur.

Prévenus par Mme Robin, Micheline et Paul lui rendirent visite le soir même. Ils arrivèrent alors que le père venait d'allumer son feu. Micheline posa sur la table un grand panier recouvert d'une serviette, puis embrassant le père, elle se mit à sangloter en disant :

— Mon Dieu, mon pauvre papa, comme vous avez été dur avec nous... Tous les jours nous attendions, nous espérions un signe de vous...

Les coudes sur la table et la tête basse, le père se bornait à répéter :

— Je suis foutu... Foutu... Vous pouvez faire ce que vous voudrez.

Ils lui parlèrent un long moment. Il n'écoutait pas vraiment ce qu'ils disaient. C'était comme une chanson douce et monotone qui l'endormait un peu. Il fixait le panier et la tache blanche de la serviette. Pourtant, lorsque Paul lui demanda s'il était décidé à s'installer chez eux, il se redressa et retrouva un reste de vigueur.

— Non... ne revenez pas là-dessus... Je ne partirai d'ici que les pieds devant.

— Tu as tout de même la tête dure, grogna le fils.

Mais Micheline, se penchant vers le père, dit doucement :

— Voyons, Paul, si ce pauvre papa veut absolument rester dans sa maison, il faut pas le contrarier. Quand tu auras son âge, tu seras comme lui. On s'attache aux choses. Nous sommes tous les mêmes. Moi je le comprends très bien.

Elle découvrit le panier d'où elle tira un bidon qu'elle posa sur la cuisinière.

— C'est de la soupe aux légumes. Bien épaisse comme vous aimez, avec les légumes passés très fins. Et dans la casserole, il y a des petits pois au lard. Je vous ai apporté aussi du poulet froid. Des figues. De la confiture et du fromage.

— Mais je n'ai pas besoin de tout ça.

— Il faut manger... Vous verrez, vous reprendrez des forces... Vous verrez comme nous allons bien vous soigner.

— Les forces, elles ne reviendront plus... Et pourtant il m'en faudrait bien au moins pour finir de rentrer mon bois et pour le fabriquer. Et puis, j'ai commencé le jardin...

Paul l'interrompit :

— Ton bois, je t'enverrai un homme demain pour le rentrer. Et on viendra aussi te le fabriquer...

Quant au jardin, pour ce que tu as commencé, on t'aidera aussi, tu n'auras qu'à donner des conseils. Mais pour le reste, si tu voulais m'écouter.

Le père eut un long soupir. Il y eut un silence. Il regardait Paul, puis Micheline, puis le panier et tout ce qui était étalé sur la table. Il se tourna vers la fenêtre. Un reste de jour entrait qui ne suffisait plus à éclairer les visages.

— Tu devrais bien allumer la lampe et me fermer les volets, dit-il à son garçon.

Micheline descendit la suspension, et, maladroitement, elle souleva le verre qui sonna contre l'abat-jour. Elle alluma la mèche que le père dut régler. En regardant sa belle-fille, il avait pensé à la mère; à son habileté pour tout faire. A cette tranquillité dont il jouissait lorsqu'il pouvait se reposer sur elle de tous les soucis.

Paul avait fermé les volets. Il regagna sa chaise et alluma une cigarette au mégot qu'il écrasa ensuite dans le cendrier. Il en offrit une à son père qui refusa :

— Non, je viens d'en fumer une... Tu sais, même le tabac ne m'apporte plus guère de plaisir.

Il y eut encore un silence pénible. L'idée du jardin où Paul voulait entreprendre des travaux était entre eux, presque palpable. Le père le sentait. Paul souffla sa fumée qui s'étala sur la table, puis, regardant le père il demanda :

— Qu'est-ce que ça va donner, un jardin que tu ne pourras plus cultiver?

Le père haussa les épaules.

— Je sais. La terre meurt vite quand on ne lui donne plus son temps.

— Alors, tu crois que c'est une bonne chose, l'herbe qui poussera partout et qui grènera sur ce que tu pourras encore cultiver pour t'occuper?

— Bien sûr que non.

Il n'arrivait pas à poursuivre. A demander à Paul ce qu'il comptait faire au juste.

— Tu parles de la terre, dit-il encore, mais il y a aussi les arbres, ça ne demande pas gros travail, et tout de même, les fruits sont d'un bon rapport.

— Si ce n'est que ça, tu sais bien que je ne veux pas te faire tort de ce que tu peux gagner avec les fruits. Et puis, qu'est-ce qu'il y a dans les carrés de devant? Le gros prunier. Il est vieux, il est...

Le père l'interrompit :

— Il est vieux, mais il donne encore bien. Et des fruits sains.

Il tenait à ce vieil arbre qu'il avait planté et soigné durant tant d'années.

— Et puis, reprit-il, il y a des pêchers qui sont en pleine force.

— Ecoute. Je ne discute pas. C'est à toi de voir ce que ça peut te donner chaque année, je te payerai ce que tu voudras.

Le père voyait son jardin. Il se rappelait les étés de récolte. La peine qu'il avait eue sur cette terre. Il imaginait aussi ce qu'il éprouverait à voir ces carrés envahis par l'herbe. Il savait qu'il n'aurait pas le courage de regarder cela sans rien tenter pour y remédier. Ce serait une lutte où il userait sa santé. Une lutte où il risquait de n'être pas le plus fort.

— Tu sais bien que je n'ai pas besoin d'argent, finit-il par dire... Mais tout de même, voir tout ça bouleversé.

— N'exagère rien. Tu sais bien qu'on ne prendra qu'une petite bande.

Comme le père ne se décidait pas à répondre, Micheline qui repliait la serviette pour la mettre dans le panier vide demanda :

— Est-ce que vous voulez me donner du linge à laver ce soir, ou si vous préférez que la bonne le prenne demain?

— J'ai fait une petite lessive la semaine dernière, mais tirer cette eau à la pompe me crève les reins.

— Tu vois, observa Paul, c'est encore un détail auquel tu ne penses pas. Mais si je commence les travaux, la première chose à faire, c'est d'amener l'eau. Même si tu ne veux pas qu'on te l'installe jusqu'ici, tu auras toujours un robinet au bout du jardin.

— Sûr que je ne veux pas qu'on fasse une tranchée jusque-là!

Le père avait presque crié. Paul s'empressa de dire.

— Mais non, pas du tout, on fera ce que tu voudras. Tout ce que je te demande, c'est de me laisser commencer les garages... C'est tout.

Le père se leva pour remettre une bûche dans la cuisinière dont la bouillotte chantait moins fort. Il le fit lentement. Ce n'était pas qu'il voulût se donner le temps de réfléchir. Il avait déjà pris sa décision. Simplement, il s'accordait un petit sursis. Tant qu'il n'avait pas donné sa réponse, ce jardin lui appartenait tout entier. Il savait que les mots qu'il allait prononcer seraient définitifs. Ils étaient en lui, tout prêts à sortir, mais la force de les prononcer lui manquait.

Lorsqu'il eut refermé la cuisinière, il se pencha pour gratter les braises et faire tomber les cendres. Puis, ayant suspendu le pique-feu à la barre de cuivre, il le regarda se balancer. Il sentait que son garçon et sa belle-fille ne le quittaient pas des yeux. Le pique-feu oscillait encore imperceptiblement. Lorsqu'il se fut immobilisé, le père se tourna lentement vers son garçon, toussota un peu, et, d'une voix mal assurée, il dit enfin :

— C'est bon... Puisque tu en as vraiment besoin, fais donc... Pour le peu de temps qu'il me reste, je tâcherai de m'en accommoder.

76

Une fois de plus, le père Dubois avait surestimé ses forces. Une fois de plus il avait jugé en vieil homme qui ne sait rien du temps présent. Il avait imaginé quelques terrassiers arrivant un matin, et arrachant sa barrière dont il pourrait récupérer les piquets. Il garderait les meilleurs, il ferait des autres de bonnes chevilles de feu. Durant les quatre semaines qui s'étaient écoulées avant le commencement des travaux, il avait passé la plupart de son temps dans les premiers carrés du jardin. Il s'était habitué peu à peu à l'idée du chantier. Il avait préparé, derrière la maison, un emplacement où il s'était promis de faire apporter ce que les terrassiers enlèveraient de bonne terre en creusant les fondations. Tout s'était organisé dans sa tête.

Et puis, un lundi matin, il fut tiré de son sommeil par le ronflement d'un moteur qui, par intermittence, faisait vibrer la maison. Il resta un moment immobile dans son lit, cherchant à deviner d'où pouvait venir ce bruit. Le jour était là, perçant par les fentes des volets. Le ronflement venait de la rue. Le père se pencha au-dehors. Ses mains se crispèrent sur la barre d'appui et il ne put que murmurer :

— Bon Dieu!... Bon Dieu, c'est pas possible!

Il était incapable d'un geste. Incapable de prononcer un autre mot.

Déjà la barrière avait disparu. Un camion était arrêté dans la rue, et une énorme machine dont le père ignorait le nom, arrachait la terre de son jardin. Un long bras articulé se pliait, se dépliait, brandissait un outil dont la mâchoire mordait le bon terreau noir, le soulevait par brouettées entières pour le verser dans la benne du camion.

— Bon Dieu, c'est pas possible!

Il descendit l'escalier, et, sans même prendre le temps d'enfiler sa veste, il gagna le jardin.

De la fenêtre, il n'avait pu voir qu'une partie du chantier, mais, dès qu'il fut dans l'allée, il put constater que toute la moitié gauche du jardin était déjà labourée sur plus de trente mètres de longueur. Il ne vit que deux hommes, sans compter celui qui se trouvait dans la cabine du monstre à long bras. La grille de fer arrachée et tordue était au milieu du chemin bordant le jardin. L'allée elle-même était labourée et le père dut contourner les fondrières pour atteindre la rue. Dès qu'il fut à portée de voix des deux hommes adossés au camion, il cria :

— Mais qu'est-ce que vous faites... Vous êtes fous!

Les ouvriers le regardèrent. L'un d'eux fit quelques pas à sa rencontre. C'était un petit homme sec, à cheveux noirs et à moustaches, qui pouvait avoir une quarantaine d'années. A cause du bruit, il n'avait pu comprendre ce qu'avait crié le père. Lorsqu'il l'eut rejoint, il demanda :

— Qu'est-ce que vous dites?

Il avait un fort accent italien.

— Je dis que vous êtes fou. Qu'est-ce que vous faites? Mais vous massacrez tout!

L'homme parut étonné. Il se retourna vers son compagnon qui n'avait pas bougé. Le père désigna du geste le camion à moitié plein de terreau d'où émergeaient des piquets et des fils de fer.

— Qu'est-ce que vous allez faire de ca?

— On va l'emmener au remblai.

— Au remblai, de la terre pareille... Et pourquoi on l'enlève, il fallait juste enlever pour les fondations... Arrêtez-moi ça, ce n'est pas possible.

L'homme marcha jusqu'à côté de la machine, sauta sur le rebord de la cabine et se mit à parler en gesticulant. Le long bras de métal posa son énorme mâchoire sur le sol, le moteur se mit à tourner au ralenti, et l'Italien revint, suivi du conducteur.

Celui-là était français. Guère plus grand que son compagnon, il était large et épais. Un maillot de corps bleu laissait voir des épaules aux muscles noueux. Ses mains et ses avant-bras étaient noirs de graisse.

— Qu'est-ce qui se passe? demanda-t-il.

Le père expliqua de nouveau qu'il ne comprenait pas, que ce n'était pas ce qui avait été prévu.

— Moi, dit l'homme, je fais ce qu'on m'a dit. On doit creuser un mètre cinquante, avant de commencer les fondations. C'est ce qui a été prévu sur le plan.

— Un mètre cinquante, bégaya le père... Mais, mais cette terre... J'avais préparé un emplacement, là-bas, derrière la maison.

Les hommes se regardèrent, puis le grutier dit :

— Mais comment voulez-vous que les camions aillent là-bas?

— Je pensais... Enfin... Mais c'est pas possible... Pas possible.

Le père n'avait même pas osé parler de brouette. Il regardait le gros engin dont le moteur toussotait en secouant les tôles qui le recouvraient. Il regardait le camion benne aux roues jumelées presque aussi hautes que lui. Jamais il ne s'était senti si faible, si petit, si pauvre qu'en ce moment.

— Et ma barrière, murmura-t-il encore.

— On a mis la grille dans le chemin. Si vous voulez qu'on vous la porte vers la maison.

Le père n'eut qu'un geste qu'il n'acheva pas. Il était écrasé. Venu là pour chasser ces hommes et leurs engins, voilà qu'il se sentait pris d'une immense faiblesse. Comme il restait immobile et silencieux, le grutier regagna sa cabine. Dès qu'il fut assis sur son siège, le moteur rugit, la petite cheminée qui montait le long de la cabine lâcha un nuage de fumée bleue, et les chenilles grincèrent tandis que le bras se levait, ouvrant sa mâchoire aux longues dents luisantes.

Durant des années, le père Dubois avait chaque printemps fouillé ce sol des dents de sa triandine. Les dents de l'engin étaient du même acier, elles luisaient aussi, mais elles mordaient cette terre avec mille fois plus de force. Une espèce de rage méchante. Chaque blessure faisait mal au père comme s'il eût été lui-même atteint par l'acier.

Le chauffeur italien était resté près de lui. Ils regardèrent un moment, puis le père demanda :

— Les arbres, si vous pouvez, faudrait me les laisser dans le chemin. Je les débiterai.

— Sûrement. C'est bien facile.

Ils se regardèrent, et le père crut voir une lueur de pitié dans l'œil noir du petit homme qui demanda :

— Vous voulez qu'on vous emporte la grille?

— Ma foi, on ne peut pas la laisser là.

Le chauffeur appela son compagnon et, à eux deux, ils prirent la grille qu'ils portèrent d'une traite jusque dans le hangar. Le père savait qu'il n'eût même pas pu la soulever. Et pourtant, il se souvenait du jour où il l'avait mise en place. Il tenait encore la boulangerie. Il avait fait cela un soir, avec son mitron. Et ils n'avaient pas peiné davantage que les deux chauffeurs.

Quand les hommes eurent dressé la grille contre l'un des piliers du hangar, le père leur dit :

— Voulez-vous boire un verre?

Les deux hommes le suivirent jusqu'à la maison où le père sortit des verres et un litre de vin en disant :

— Il faudrait appeler votre compagnon.

— Non, dit l'Italien. On ne peut pas arrêter comme ça. Les machines, ça coûte de l'heure.

Le père leva son verre.

— A votre santé.

— A la vôtre, dit l'Italien.

L'autre leva également son verre en prononçant quelques mots que le père ne put comprendre.

— Il n'est pas français?

— Non. Et il ne parle pas... C'est un prisonnier. Mais il n'est pas allemand. Il paraît que c'est un Polonais enrôlé de force dans l'armée allemande. Il ne comprend qu'une seule chose.

L'Italien se tourna vers son compagnon et lui dit en riant :

— Guerre kapout... Guerre finie.

L'autre se mit à rire et leva la main en répétant :

— Guerre kapout, guerre finie.

C'était vrai, la guerre était finie depuis plus d'une semaine. Le 8 mai, la capitulation de l'Allemagne avait été signée. Le père l'avait lu dans les journaux que M. Robin lui avait apportés, mais pour lui, cet événement n'avait rien changé.

Depuis 1939, par deux fois la guerre avait traversé la ville. Chaque fois le jardin et la maison avaient été épargnés. Aujourd'hui, la guerre était finie, mais il sentait qu'autre chose aussi s'achevait. Et puis, autre chose commençait. Un autre temps arrivait qu'il ne comprenait plus. Un temps qui ne tenait même pas compte du vieux qu'il était devenu à force d'attendre il ne savait quoi.

La mère était partie. Le jardin s'en allait, et lui, il était là dans sa cuisine, à boire un verre de vin avec un Italien et un autre dont on ignorait de quel pays il venait.

Décidément, le monde n'était plus le monde.

— Il faut y aller, dit l'Italien.

Ils vidèrent leur verre et sortirent. Le père les suivit. Le camion était plein, et l'homme qui ne parlait pas le français monta dans la cabine. Le moteur gronda, et le camion descendit la rue. L'Italien s'était éloigné, et, quand le père se retourna, il le vit monter dans un autre camion tout pareil au premier, mais dont il n'avait pas remarqué la présence parce qu'il se trouvait garé un peu plus haut, dans le renfoncement de l'Ecole Normale. Le camion dont la benne était vide vint prendre la place de celui qui venait d'emporter la barrière et le premier chargement de cette bonne terre noire que le père avait engraissée de tant de fumier, et si souvent mouillée de sa sueur. Il regarda encore un moment la lourde machine aller et venir, puis, épuisé, il regagna lentement sa maison.

77

Cet été-là fut plus long et plus lugubre qu'un hiver. Le père Dubois s'était acagnardé dans sa maison qu'il ne quittait plus que pour tirer son eau, aller jusqu'au hangar où, une heure ou deux chaque jour, il fabriquait son bois. Parfois, il sortait de ses placards quelques outils qu'il graissait avant de les remettre en place. Il savait bien que plus jamais ces rabots, ces ciseaux à bois, ces burins ou ces mèches ne lui serviraient à rien, mais il continuait de les soigner comme il avait toujours fait, par habitude. Chacun d'eux avait son histoire qu'il se racontait. C'était alors un moment du passé qui revenait peupler sa solitude de visages heureux.

Il avait renoncé au jardin, et la partie que les travaux épargnaient encore verdissait peu à peu, envahie par l'herbe qu'il avait si longtemps combattue. Paul avait bien envoyé deux ou trois fois un de ses ouvriers pour aider le père, mais les visites avaient cessé, et le père n'avait pas réagi. Il avait même renoncé à se plaindre.

Lorsqu'il regardait vers la rue, les murs de ciment qui montaient du sol sur toute la largeur du jardin ne lui inspiraient qu'une espèce de dégoût. Quand il ne faisait pas trop chaud, il allait s'asseoir près de la pompe, derrière les buis qui lui cachaient le chantier. Les mains croisées sur sa canne, le corps tassé et le cou rentré dans les épaules; les yeux mi-clos sous la visière de sa casquette, il passait des heures à regarder sa vie écoulée. Et c'était toujours au temps de sa jeunesse qu'il revenait le plus volontiers, recherchant des noms, des visages, des lieux et des dates qui, parfois, se confondaient un peu.

Il était là, un après-midi du mois d'août, somnolant, lorsque Françoise arriva. Il l'entendit appeler près de la maison :

— Il n'y a personne?... Il n'y a personne?

Il reconnut tout de suite sa voix, et son cœur se serra tant qu'il eut du mal à crier :

— Je suis là!

Il se leva et marcha dans l'allée qui n'était plus qu'un étroit sentier entre les herbes où, çà et là, des fleurs vivaces émergeaient. Françoise venait à sa rencontre. Lorsqu'ils se furent rejoints, le père ôta sa casquette, embrassa la jeune femme et murmura :

— Mon Dieu... Mon Dieu...

Sa gorge se serrait. Il luttait pour refouler ses larmes. Ils revinrent près de la maison où Françoise avait laissé un landau noir dont la capote de toile cirée était repliée. Un gros bébé blond tout bouclé y était couché jambes nues, potelé, regardant le ciel de ses grands yeux bleus.

Le père se pencha. Il voulut parler, mais un gros sanglot creva soudain tandis qu'il disait, d'une petite voix tremblante dont le ton monta jusqu'à n'être plus qu'un cri haché :

— C'est pas possible... C'est pas possible... Ma pauvre vieille... Si elle était là...

Françoise avait pris le bébé qu'elle approcha du père. Le père se sentait maladroit. Il lâcha sa canne et avança sa main tremblante vers le bras nu de l'enfant.

— Vous voyez, dit Françoise, comme il ressemble à Julien.

Le père ôta de nouveau sa casquette pour embrasser l'enfant qui riait en agitant les mains.

Ils restèrent là quelques minutes. Embarrassés, ne sachant que dire. Le père souriait, mais les larmes continuaient de couler sur ses joues toutes piquetées de poils blancs. Il s'essuya, se moucha plusieurs fois et murmura :

— Il faut monter... On ne va pas rester là.

Françoise le suivit, portant le bébé. Ils prirent place dans la cuisine dont les volets étaient tirés.

— Il fait frais, ici, dit le père. Est-ce que le petit ne va pas avoir froid?

— Non. Il est très bien.

— Il est plein de vie.

Il regardait l'enfant, et c'était Julien qu'il voyait. A la même place, sur les genoux de la mère.

— Et Julien?

— Il n'a pas pu venir. Il a trop de travail dans cette maison où il est.

Le père baissa la tête. Il voulait parler, mais ce qu'il avait à dire n'était pas facile. Il allait peut-être se décider, lorsque Françoise demanda :

— Et vous, papa, comment allez-vous?

— Moi... Oh! moi...

Après un long silence, tandis que sa main serrait le rebord de la table, sans qu'il eût rien décidé vraiment, les mots arrivèrent qu'il ne put contenir :

— Moi, je suis foutu. De toute façon, je sais bien qu'il ne me restait plus beaucoup à faire... Mais tout de même... Tout de même. Ils me feront crever avant l'heure. Crever. Vous avez vu ce qu'ils font, là-bas devant. Ils ont tout bouleversé... tout. Et ils m'enferment derrière ce ciment. Quand la bise souffle, ça fait un courant d'air à n'y pas tenir. Cet hiver, je ne pourrai même pas me chauffer... C'est épouvantable. Ils n'avaient pas le droit de me faire ça... Ils pouvaient bien attendre que je m'en aille... Je n'en ai plus pour si longtemps.

Il s'arrêta. Il avait parlé fort, et le bébé le regardait, intrigué.

— Mon Dieu, dit-il, je lui fais peur.

— Mais non, il vous écoute.

— Il faudrait peut-être lui donner quelque chose.

— Non, il a eu son biberon. D'ailleurs, je vais le remettre dans sa voiture, il dormira.

Elle descendit et remonta très vite. Le père n'avait pas bougé. Il avait encore à dire, et il sentait qu'il devait parler. Il écouta la jeune femme lui expliquer qu'elle s'était rendue à Saint-Claude, et ne s'arrêtait à Lons-le-Saunier que quelques heures pour le voir et lui présenter son petit-fils. Elle avait toujours sa voix douce et ce regard où se lisait une grande tendresse. Quand elle se tut, le père voulut parler. Il murmura :

— Il faut dire à Julien...

Mais il s'arrêta. Les mots l'étouffaient, mais refusaient de passer ses lèvres.

— Il faut qu'il vienne me voir, reprit-il. Il faut... C'est important... Je ne peux pas vous expliquer, mais il faut qu'il vienne... Je n'aurais pas dû faire ce que j'ai fait... C'est important pour lui aussi... pour lui et pour vous.

Il arrachait, un à un, ces mots qui le torturaient.

— Est-ce que vous me comprenez? demanda-t-il.

— Julien viendra. Il viendra dès qu'ils auront moins de travail.

— Mais le dimanche... il pourrait bien venir un dimanche?

Françoise baissa les yeux. Elle semblait hésiter à répondre. Quand ses paupières se rouvrirent, elle avait les yeux plus brillants. Très vite, elle expliqua :

— Vous comprenez, avec le petit, j'ai été obligée de quitter mon travail. Julien est comme moi, on ne veut pas le donner en garde à des étrangers... Alors, comme nous n'avons pas beaucoup pour vivre, le dimanche, Julien va travailler chez un pâtissier.

— Ce n'est pas une mauvaise chose. Ça lui donnera peut-être l'idée de reprendre vraiment son ancien métier. C'est peut-être mieux payé que ce travail de décoration, et puis, on peut toujours espérer se mettre à son compte.

Françoise n'eut qu'un geste évasif, et le père comprit que ce ne devait toujours pas être dans l'idée de son garçon. Pourtant, il ne put s'empêcher d'ajouter :

— Si seulement vous reveniez ici...

Mais il s'interrompit.

Il faisait calme et frais dans la cuisine tout habitée de pénombre. Il n'y avait rien de changé depuis le départ de la mère, et pourtant, le père était seul. Il le savait. C'était une pensée de chaque instant. Françoise était venue, mais elle allait s'en aller, emportant ce bébé qu'il ne reverrait plus.

Rien n'était changé dans la petite maison, mais, dès que l'on soulevait le store et que l'on passait le seuil, le chantier apparaissait. Les murs de ciment d'où dépassaient comme des piques les tiges de fer de l'armature étaient présents. Le ciment avait mangé le jardin et tué les arbres.

— Vous ne pouvez pas savoir ce qu'ils me font endurer.

Le père avait parlé sans même s'en rendre compte. Sans doute parce que c'était une phrase qu'il répétait à longueur de journée lorsqu'il était seul.

Il se leva, alla jusqu'à la souillarde et revint avec une casserole dont il souleva le couvercle.

— Tenez, sentez un peu.

— Mais il faut jeter ça, ce n'est plus bon.

— Bien sûr, que je vais le jeter. Mais c'est ce qu'ils m'ont apporté hier. Et des fois, ils restent trois jours sans venir.

— Mais pourtant, ils devaient bien...

Le père leva la main pour l'interrompre.

— Il n'y a rien à dire. Rien!

Il retourna dans la souillarde poser la casserole

puis il revint s'asseoir. Un moment passa. Ils se regardaient sans mot dire, et, parce qu'il redoutait de céder encore à sa peine, le père se raidit. D'une voix plus dure, il reprit :

— Il n'y a rien à dire. C'est moi qui me suis condamné. C'est à moi de me débrouiller... Heureusement que j'ai de bons voisins... Mais vous pouvez aller voir Mme Robin... elle vous dira... elle vous en dira long sur ce qu'ils me font endurer...

Il tourna la tête et fixa le foyer éteint. De nouveau, les larmes montaient. D'une voix qui s'était remise à trembler, il répéta :

— Il faut dire à Julien... Il faut dire à Julien que...

Il se tut. En bas, le bébé s'était mis à pleurer et Françoise se précipita. Le père hésita un instant, puis il la rejoignit. Elle avait pris le petit sur son bras et essuyait deux grosses larmes qui avaient roulé sur ses joues rondes. Déjà il ne pleurait plus.

— Qu'est-ce qu'il avait? demanda le père.

— Rien. Il devait se trouver seul. Ou alors, ce sont peut-être ses dents. Mais vous savez, il ne pleure pas beaucoup.

En voyant le père, le bébé sourit et agita sa main.

— Mon Dieu, comme il serait bien ici, dans le jardin... Tout au fond, c'est encore calme, et il y a bien meilleur air qu'en ville.

Il observa l'enfant un moment sans parler, puis, d'une voix plus grave, il ajouta :

— Pauvre petit... Sait-on ce qu'il connaîtra. Est-ce que le monde est encore le monde? L'autre jour, M. Robin m'a parlé de cette bombe sur le Japon. Bien sûr, c'est la fin de la guerre... Mais qu'est-ce que ça veut dire?... Moi, me voilà au bout. Et quand je vois toute cette folie, ça ne me fait pas tellement regret de m'en aller.

— Il faut bien espérer que cette guerre est la dernière. Sinon ce n'était pas la peine de...

— Ma pauvre petite, soupira le père, c'est déjà ce qu'on disait en 18. Et vous voyez...

Françoise avait assis le petit dans sa voiture.

— Nous pouvons aller jusqu'au fond, proposa le père. C'est toujours là-bas que je m'installe... Au moins, je suis tranquille.

La jeune femme poussa la voiture dans l'allée où les herbes gênaient le passage. Elle dut s'arrêter et soulever l'avant du landau pour le retourner. Il était plus facile de tirer.

— Si ma pauvre femme voyait son jardin dans cet état... Mon Dieu, elle aurait bien du mal à le croire... Est-ce que vous voulez emporter des fleurs? C'est bien tout ce qui reste encore du temps qu'elle était là.

— Je ne veux pas en emporter, elles arriveraient toutes fanées, et avec le petit, je suis déjà bien embarrassée. Mais j'en cueillerai tout de même. En m'en allant, je vais passer au cimetière... Je pense que ce serait bien de lui porter quelques fleurs de son jardin.

— Sûrement qu'elle serait heureuse... Sûrement... Moi, je ne peux plus aller jusque là-bas, je n'ai plus la force.

Ils avaient atteint l'endroit où le père avait laissé sa chaise.

— Je vais aller vous chercher un siège, dit-il.

— Non, ce n'est pas la peine. Vous allez rester près du petit, je vais couper des fleurs, et après, il sera l'heure de partir.

— Vous trouverez un sécateur et du raphia derrière la porte de la cave.

Françoise s'éloigna. Resté seul avec le bébé, le père avança la chaise tout près du landau et s'assit. L'enfant le regardait. Il y avait un hochet au pied de la voiture, le père le prit et l'agita devant le petit qui se mit à rire.

— Ah, le petit gamin, disait le père... Tu es un petit Dubois... Hein! Tu vois comme tu serais bien, dans le jardin... Si tu avais ta mémée... Si tu avais ta mémée...

Il essaya de se maîtriser encore, mais il n'en trouva pas la force. Alors, tout en continuant à jouer avec l'enfant dont les mains potelées s'agrippaient au hochet, en silence, le vieux se mit à pleurer.

78

Après la visite de Françoise, le père vécut avec cette image de l'enfant qui lui souriait. C'était un souvenir plus proche que tous ceux qu'il évoquait sans cesse, mais plus flou. Tout brouillé par les larmes. A présent, il ne pleurait plus. Il vivait comme une plante malade et dont la sève se fige peu à peu à mesure que la saison avance.

Les lettres de Julien et de Françoise étaient moins rares. Depuis qu'il n'y avait plus de barrière au jardin, le facteur les apportait jusqu'à la maison. Le père guettait son passage. C'était un gros homme d'une cinquantaine d'années, à visage rouge et à moustaches noires. Il aimait bien boire la goutte. Le père lui offrait un verre et lui demandait de lire la lettre. L'homme lisait lentement, cherchant parfois un mot. Lorsqu'il avait terminé, invariablement il disait :

— Voilà, c'est tout.

Et, invariablement le père demandait :

— Il ne dit pas quand il viendra?

— Non, il n'en parle pas.

Lorsque s'annoncèrent les premiers froids, le père dut rester à la cuisine. Chaque matin, à partir de 10 heures, il se tenait debout devant la fenêtre, touchant la vitre de la visière de sa casquette, et regardait l'allée en direction de la rue. A 11 heures, il savait que le facteur avait passé sans rien apporter, et il reprenait place sur sa chaise.

Les journées coulaient ainsi, et le père ne sortait que pour aller chercher son eau et son bois. Il ne montait plus dans la chambre, mais, un matin, il y eut un grand bruit qui le fit sursauter. Il se leva et monta l'escalier. Il pleuvait, et le ciel bas ne versait dans la chambre qu'un jour gris et triste qui laissait les angles dans l'ombre. Tout d'abord, le père ne remarqua rien d'anormal. Il regardait surtout le plafond, craignant qu'une tuile n'ait glissé. Enfin, comme il avançait vers le lit, il vit une tache trop blanche dans le papier peint d'un bleu-gris délavé. Le papier avait été arraché et un morceau de plâtre manquait.

— C'est la photographie... La photographie...

Il passa entre le lit et le mur. Un gros cadre doré était debout par terre, sa vitre cassée. C'était le père qui avait lui-même encadré cette photographie de ses parents, prise dans l'allée du jardin, un matin d'été dont sa mémoire avait conservé le moindre détail.

Le père passa la main sur le mur humide, puis il ramassa le cadre qu'il porta près de la fenêtre. Il répétait seulement :

— La photographie... La photographie...

Il demeura longtemps à la regarder. Puis, comme il sentait le froid humide le pénétrer, il regagna la cuisine.

Toute la journée, il vécut avec ses parents, retrouvant leurs gestes, leurs mots, leur façon de vivre et surtout ce travail de la boulangerie qu'ils lui avaient enseigné. A cause de cela peut-être, à cause de cette maison et de ce jardin qu'il était venu habiter après eux, il lui semblait qu'ils n'étaient jamais morts tout à fait. Ils avaient continué de vivre dans son souvenir, en ces lieux où rien n'avait changé. Et puis, ce matin, parce que les pluies avaient trempé le mur et pourri le plâtre dans cette chambre qu'il n'ouvrait plus, qu'il ne chauffait plus, ce matin, la grande photographie était tombée. Est-ce que c'était vraiment le signe que tout allait s'achever? Que tout était déjà fini?

Jusqu'au soir, le père fut harcelé par cette idée. Il grognait contre l'hiver qui revenait avant même que l'automne ne s'achève; il grognait contre le temps, contre la maison; et maudissait cet immeuble que Paul faisait construire et qu'il accusait d'amener du froid sur tout le jardin.

Ce soir-là, il se coucha très tôt.

Malgré la bouillotte qu'il avait mise dans son lit, il eut beaucoup de mal à lutter contre le froid qui l'empêchait de trouver le sommeil.

Le lendemain matin, il se réveilla trempé de sueur et le souffle court. Il ne faisait pas encore jour. Le père se leva pourtant, alluma le feu, se fit une infusion et changea les draps humides de son lit.

Une grande peur le poussait à tout faire très vite. Il eut plusieurs quintes de toux qui lui arrachèrent des glaires.

— Il ne manquait plus que ça... Plus que ça... et me trouver tout seul.

Avant de se recoucher, il avait ouvert les volets. Adossé à ses deux oreillers, il guettait la venue du jour. La pluie s'était muée en une bruine très fine qu'il avait sentie sur ses mains et son visage lorsqu'il s'était penché à la fenêtre. On n'entendait plus que la gouttière dont l'eau tombait dans le grand baquet de zinc.

— Si je ne peux pas sortir, ce baquet va déborder, et l'eau entrera dans la cave.

La nuit collait aux vitres, une nuit glauque, seulement percée par la lueur lointaine de l'usine qui se devinait par-delà le mur de l'Ecole Normale.

Imperceptiblement, le ciel pâlissait.

Ce n'était même pas une annonce du jour, mais une lente métamorphose de la nuit. C'était cette bruine jusqu'alors invisible qui, peu à peu, prenait sa place derrière les vitres.

Lorsque le père se leva pour recharger le feu, les toits de l'école luisaient, plus pâles que le ciel. Mais le jardin demeurait absent. La nuit refusait de lever le siège. Elle était collée à la terre tout autour de la maison que rien ne rattachait au reste du monde. Seuls quelques mètres de jardin séparaient la maison du chemin, mais c'était assez pour que le père Dubois se sentît réellement seul avec cette fièvre qui le brûlait. Il y avait comme un grand feu dans toute sa poitrine, et pourtant, son dos moite était sans cesse parcouru de frissons. Il demeura un moment contre la cuisinière, les mains crispées sur la barre de cuivre, les reins offerts à la chaleur du foyer, les cuisses tout près de la grille derrière laquelle pleurait le bois. A cause du temps trop bas, la cheminée tirait mal et le bois se consumait lentement.

— Bonsoir, être si seul... Je pourrais bien crever... crever de misère.

Il disait cela sans colère, surtout parce qu'il avait besoin de parler pour éloigner le silence et la nuit. Il disait cela parce que ces seuls mots lui venaient.

Et ces mots faisaient surgir de la pénombre le visage de Julien et surtout le sourire doux de Françoise.

Il n'avait enfilé qu'un caleçon long et sa veste de laine par-dessus sa chemise de nuit.

— Faut tout de même que je m'habille. On ne sait jamais.

Il retourna près de son lit, enfila son pantalon et ses chaussettes, puis regagna la cuisine. Il n'avait pas faim, et se contenta de boire un autre bol de tisane. Il roula une cigarette, l'alluma, mais la première bouffée le fit tousser. Il laissa la cigarette s'éteindre seule entre ses doigts, fit tomber la cendre, et mit le mégot dans sa boîte à tabac.

— Si je ne peux même plus fumer, qu'est-ce qu'il va me rester?

Il ne voulait pas se recoucher. Il lui semblait que le fait de rester dans son lit attirerait la maladie. Il alla chercher une couverture où il s'enveloppa, et revint s'asseoir près du feu. Il fixait le chemin qui émergeait lentement de l'ombre. A vrai dire, il n'attendait rien. Seul M. Robin pouvait passer par là, mais il ne sortait jamais d'aussi bonne heure.

A force de fixer le même point, ses yeux lui faisaient mal, ses paupières s'alourdissaient, battaient un peu puis se fermaient. De loin en loin sa toux le reprenait. Lorsqu'il se levait pour cracher dans le foyer où pour y mettre une bûche, il sentait ses jambes fléchir sous lui. Des points noirs voletaient devant ses yeux.

A la fin de la matinée, lorsque Mme Robin vint le voir, le père s'était assoupi sur sa chaise. En entendant frapper, il eut un sursaut. Comme la porte était encore fermée à clef, il se leva pour aller ouvrir et il dut s'appuyer à la table. L'effort provoqua une quinte plus violente que les autres. Lorsqu'elle fut terminée, les yeux pleins de larmes, les oreilles bourdonnantes, il entendit la jeune femme lui dire :

— Il faut prévenir votre fils. Il fera venir le docteur. Vous ne pouvez pas rester comme ça.

Le père s'était déjà essuyé les yeux, mais sa vision restait floue.

— Oh non... Non non, ce n'est rien... Si vous pouviez seulement me préparer un cataplasme de moutarde.

— Mais ce n'est pas suffisant. Il faut voir un docteur.

Il retrouva un peu de force.

— Non. Ils m'enverront à l'hôpital... Je ne veux pas. Je ne veux pas.

— Mais il faut vous coucher.

— Non. Je suis mieux près de mon feu.

Mme Robin prépara le cataplasme, alla chercher

un panier de bois, puis elle parla encore d'appeler le docteur. Le père s'obstinait. Lorsqu'elle sortit, il cria :

— N'appelez personne... Personne... Je ne veux pas.

La crainte de son mal le tenaillait, mais la peur de quitter sa maison était plus forte encore.

Mme Robin revint plusieurs fois et resta près de lui une bonne partie de l'après-midi. Il s'efforçait de parler, de paraître fort, de dominer sa toux.

— Vous voyez, dit-il à la fin de l'après-midi, ça va mieux... Beaucoup mieux. Je savais bien qu'il ne fallait déranger personne.

La jeune femme s'en alla, et, dès qu'elle eut passé la porte, le père retourna se coucher sans se déshabiller, tirant sur lui deux couvertures et un gros édredon de plume.

79

Dans la nuit qui suivit, la fièvre augmenta. Le père sentait le travail qu'elle accomplissait en lui. Il avait laissé la lampe pigeon allumée à la tête de son lit, mais, vers 4 heures du matin, comme la flamme baissait, il voulut se lever pour aller chercher une bougie. Il s'assit lentement au bord de son lit, enfila ses pantoufles, et attendit quelques instants. Le feu avait dû s'éteindre car il faisait froid dans la pièce. Le père imaginait les gestes qu'il devrait accomplir pour rallumer le feu, et ce travail lui paraissait énorme. Lorsqu'il tenta de se lever, il sentit venir un vertige. La maison tout entière oscillait, le plancher se dérobait sous ses pieds et il dut se rasseoir.

— Foutu, murmurait-il... Foutu.

Il essaya encore deux fois, puis, cloué par la peur d'une chute, il se cramponna au dossier de la chaise où il avait posé sa grosse veste de velours, et réussit à uriner dans le vase de nuit.

Ensuite, il se recoucha. La sueur ruisselait sur son visage et sur son corps. Son bonnet de coton était trempé et glacé, mais il n'osait pas le quitter.

Quand sa fatigue se fut un peu endormie, il se mit à penser presque avec sérénité qu'il allait mourir là, comme ça, sans personne pour lui venir en aide. Il s'éteindrait comme cette lampe vidée de sa sève, dont la flamme minuscule tremblotait, n'éclairant plus que le marbre de la table de nuit et l'angle du buffet tout proche. Il demeura avec cette idée jusqu'au moment où la flamme grandit dans un dernier sursaut, puis s'éteignit, laissant un point rouge pas plus gros que le bout d'une cigarette. Quand le point rouge eut disparu, le père se souleva sur ses oreillers et se mit à crier :

— Salauds... Salauds... Ils me laisseront crever... Ils me laisseront crever comme un chien... Salauds... Salauds!

Epuisé, il laissa aller son buste en arrière. Sa tête s'enfonça au creux des oreillers et ses yeux cessèrent de fouiller la nuit.

Lorsqu'il se réveilla, Mme Robin était près de lui. La veille, le père lui avait donné une clef et ce fut la première pensée qui lui vint.

— Vous avez bien fait de prendre cette clef, murmura-t-il. Ça ne va pas fort, vous savez... Je ne crois pas que j'aurais pu me lever pour aller ouvrir.

Il se sentait presque bien dans son lit, et cette présence dans la maison le rassurait.

— Est-ce que vous pourrez m'allumer mon feu? demanda-t-il.

— C'est déjà fait, monsieur Dubois. Et je vous ai apporté du café.

Il but un bol de café au lait bien chaud, et pensa qu'il avait eu très peur d'un mal qui se terminait déjà.

— Je vais peut-être pouvoir me lever.

Mme Robin l'obligea à rester au lit.

— Je vais aller chercher ma femme de ménage, et nous changerons vos draps. Mais en attendant, ne bougez pas.

Elle partit, revint avec l'Italienne qui aida le père à aller s'asseoir près du feu.

— Vous n'auriez pas dû vous coucher tout habillé.

— J'avais froid. Et puis, pour me lever...

Il se tut. Il lutta quelques instants contre la toux, mais il dut céder. Cette quinte raviva le feu de sa poitrine, et il se remit à transpirer. Les femmes l'obligèrent à se déshabiller et à se coucher. Son souffle était court. Une fois couché, il entendit les deux femmes parler dans la cuisine sans pouvoir comprendre ce qu'elles disaient. Il perçut également le bruit de la porte ouverte et refermée, et il appela :

— Vous êtes là?

L'Italienne revint près de lui.

— Madame est partie, mais elle va revenir.

Le père eut envie de demander si elle était allée appeler un docteur, mais il garda le silence. La femme se tenait près du lit, bras ballants, l'air embarrassé. Il ferma les yeux et attendit.

Lorsqu'il revint à lui, il comprit qu'il avait dormi longtemps. Un bruit de voix venu de la cuisine l'avait tiré de son sommeil.

— Qu'est-ce que c'est? cria-t-il.

Micheline entra et dit aussitôt :

— N'ayez crainte, papa. Nous sommes là. Et le docteur va venir... Ce n'est rien. Un peu de grippe, avec ce temps, c'est normal, vous savez.

Les yeux mi-clos, le père la regardait. Elle lui semblait très éloignée, et sa voix résonnait étrangement. Lorsqu'elle avait parlé du médecin, il avait senti renaître en lui un peu de colère, mais il ne dit rien. Il n'avait plus la force de crier, et il redoutait cette toux qui ravivait les douleurs de sa poitrine.

Pourtant, il retrouva des forces après la visite du docteur, lorsque Paul lui dit :

— Tu vas venir à la maison. La voiture est là. Nous te porterons...

— Non... Je ne veux pas... Je ne veux pas...

Il n'avait pas crié très fort, mais assez pour réveiller son mal. Lorsqu'il eut toussé et craché, il se sentit si faible qu'il ne tenta même pas de résister.

Il put seulement dire ce qu'il fallait prendre et mettre dans un sac. Son rasoir, son blaireau, le cuir pour affûter la lame, le portefeuille où était son argent, quelques titres.

— Ce qu'il te faudra, dit Paul, je reviendrai le chercher.

— Vous pourriez tout de même bien me soigner ici, murmura-t-il encore... Il faudrait dire à Julien de venir... sa femme...

La voix de Paul s'éleva, dure et sifflante :

— Tais-toi. Tu n'es plus en état de décider. Nous n'avons personne qui puisse rester près de toi, et tu auras plus chaud là-bas.

— Ne crie pas, supplia le père... Ne crie pas.

Il se sentait plus faible qu'un enfant, et cette sensation s'accentua encore lorsqu'il fut emmailloté dans une couverture et qu'on l'emporta. Un des chauffeurs de son garçon, un grand gaillard de trente ans qui était venu lui rentrer son bois, le prit dans ses bras et le souleva en disant :

— N'ayez pas peur, grand-père, vous ne risquez rien. Et on sera vite à la voiture.

La bouche et le nez cachés par la couverture, le père sentit seulement le froid humide lui piquer les yeux. Des larmes montèrent tout de suite, et il vit la maison et ce qui restait du jardin à travers une brume toute irisée de lumière jaune.

— Il y a du soleil...

— Du soleil, dit le chauffeur avec un gros rire, mais non... Ça fait dix jours qu'il ne s'est pas pointé.

Ils contournèrent la construction neuve qui atteignait la hauteur de deux étages. Le père vit passer devant ses yeux une énorme masse grise trouée d'ombres noires.

Arrivé à la voiture, le chauffeur se remit à rire en disant :

— J'aurais pu vous emporter comme ça jusqu'à Monciel, et même plus loin.

L'homme monta près du père, et Michcline s'installa devant, à côté de Paul qui conduisait.

— Est-ce que vous avez bien fermé les volets?

— Oui, cria Paul, t'inquiète pas.

— Et la porte, vous avez bien fermé à clef?

— Mais oui, dit Micheline, ne vous faites pas de souci.

Chaque cahot de la voiture résonnait en lui. Il essayait de regarder la rue, mais les larmes brouillaient tout. D'une voix à peine audible, il murmurait presque sans cesse :

— Bon Dieu, s'en aller comme ça... Laisser sa maison... S'en aller comme ça... tout abandonner.

Chez son fils, on le transporta dans une chambre trop grande et trop haute de plafond qu'éclairaient mal deux fenêtres donnant sur une cour étroite. Il y avait un gros poêle carré en fonte émaillée et le père remarqua tout de suite un seau à charbon. Dès qu'il fut couché dans un lit très bas, il dit, le souffle court :

— Ouvrez un peu... Je ne peux pas respirer... Le charbon, dans les chambres... Ce n'est pas sain.

— Mais non, lança Paul. C'est parce que tu viens de respirer l'air froid. Tu vas t'habituer.

— Ne crie pas comme ça... Je ne suis pas sourd... Et ça me fait mal.

Paul haussa les épaules et sortit suivi du chauffeur.

— Ne vous faites pas de souci, dit Micheline, la bonne va vous apporter de la tisane. Et à 4 heures, l'infirmière viendra vous faire votre piqûre.

— Est-ce que j'ai besoin de piqûres?

Il ne comprit pas la réponse de sa belle-fille qui parlait le dos tourné, en fouillant dans une armoire. Pour lui seul, il ajouta :

— Est-ce que j'ai besoin de piqûres pour aller où je vais?

80

Dès le lendemain, le père Dubois perdit la notion du temps. Lorsqu'il émergeait du sommeil, quelle que fût l'heure du jour ou de la nuit, il ne voyait qu'une vague lueur sans couleur précise éclairant faiblement le mur et les couvertures. Lorsqu'il remuait ses mains, il les voyait s'agiter très loin de lui, floues et transparentes. Il souffrait de la poitrine. Et ce n'était plus la brûlure qu'il avait tant redoutée, mais comme un poids, comme une gaine qui le serrait par moments, l'empêchant de respirer.

Lorsque la douleur s'atténuait, il s'efforçait de ne pas remuer pour éviter de la réveiller.

Entre lui et ce qu'il pouvait encore apercevoir de cette chambre, entre lui et les visages qui s'approchaient, il y avait constamment un mouvement d'images. Tantôt d'une extrême précision, tantôt très floues, tantôt superposées, elles se succédaient, passaient lentement ou se mettaient à défiler sur un rythme saccadé.

Les plus précises, les plus tenaces aussi étaient liées à son enfance, à sa jeunesse, à son travail de chaque jour. La pâte dans le pétrin. La lueur du four au gueulard crachant de longues flammes. La pelle à enfourner dont le manche interminable courait en miaulant sur le sol de briques brûlantes.

Les charges de bois. Le pain tout chaud dont l'odeur lui revenait, inondant la chambre. Parfois, la pâte qu'il pétrissait à pleines mains devenait grise, puis brune, puis presque noire. Son mouvement se métamorphosait aussi, les dents d'une triandine remplaçaient les mains. Elle n'était plus pâte à pain mais terre du jardin mille fois retournée, grattée, fouillée, piochée, engraissée de fumier et de feuilles mortes. La fumée n'avait plus l'odeur du bois sec qui flambe clair dans le foyer du four, mais celle plus âcre des plantes arrachées au jardin de l'automne et brûlées sur place, en gros tas, les matins de brouillard. Il y naissait parfois des cris d'enfants, des rires, des appels répondant à la voix de la mère. Julien courait dans la fumée en direction de l'école. Etait-ce bien lui? N'était-ce pas plutôt son petit garçon grandi dans la maison où ils s'étaient tous retrouvés?

Tout finissait par s'éteindre comme s'éteignirent les feux de l'automne sous la bruine épaisse qui tombe avec le soir. Et puis, une déchirure s'ouvrait dans la brume, un soleil noyé paraissait, le vent de l'aube ranimait le feu d'où surgissaient d'autres souvenirs. Leur cours allait s'accélérant. Morts et vivants se mêlaient. Morts de la guerre ou du travail. Les rires étaient plus lointains que les soupirs, les joies moins vivantes que les peines. Çà et là, très affaibli par la distance, un refrain arrivait par bribes, venu d'une fête de vendanges où l'on avait chanté les blés d'or, les peupliers et le temps des cerises. Mais ce n'était jamais qu'un très timide écho qu'étouffait bientôt la plainte des hommes brassant la pâte ou retournant la terre.

Et puis, plus forte peut-être que toutes les autres, revenait sans cesse l'image des vipères grouillant partout, filant sous le pas, se coulant sous la porte pour venir emprisonner les jambes glacées du père qu'agitait alors un soubresaut. Leur souvenir était lié à celui de la forêt, du bois abattu, des fagots, du travail qu'il avait mené seul ou en compagnie de la mère.

Car la mère, discrète mais vigilante, était toujours là, silhouette immobile dont le défilé des autres souvenirs brouillait à peine les traits fatigués.

Elle était là pour chaque besogne que le père reprenait et reprenait sans relâche. Elle était là pour la terre, pour le pain, pour le bois, pour la neige épaisse sur l'escalier et sur le jardin. Elle était de chaque saison, de chaque effort, de chaque tourment.

Son silence faisait partie de cette vie qui recommençait sans trêve. Elle demeurait vivante, même lorsque le père ne voyait plus que son manteau de soldat couché près des cardons, sur la terre glacée du jardin.

Bientôt, il n'y eut plus que la brume d'un crépuscule interminable, où seuls persistaient à vivre le regard clair et le sourire un peu triste de la mère.

Ce sourire se figeait. La pénombre l'éloignait. Il finissait par disparaître au moment où le père retrouvait assez de lucidité pour se souvenir que la mère était morte avant lui.

Alors, un autre sourire naissait de la brume.

Françoise.

Est-ce que Julien n'allait pas venir avec elle? Est-ce qu'ils n'allaient pas arriver et ramener le père chez lui où il pourrait guérir? Retrouver sa maison et son jardin?

Avait-on appelé Julien et cette Françoise qui avait une voix aussi douce que celle de la mère?

Il y a des visages, des regards, des gestes, des voix qui peuvent guérir. Il y a des êtres dont la seule présence fait fuir la douleur et la peine. Mais ces êtres-là ne sont jamais présents au moment où on les appelle!

Trouver seulement la force d'appeler! De crier un nom.

Dire qu'il avait été si fort, autrefois, et qu'il ne pouvait même plus prononcer un mot.

A mesure que s'éloignait la lumière, les bruits eux aussi diminuaient. Pourtant, lorsqu'il s'éveillait après avoir dormi plusieurs heures, le père retrouvait parfois une lucidité qui lui permettait d'entendre même les pas prudents sur le plancher de la chambre. Il comprenait ce qu'on disait autour de lui, et il tentait de répondre. Mais les sons ne passaient plus sa gorge, et le moindre effort l'essoufflait.

Il était chez son garçon, dans une chambre si grande et si haute qu'il n'en pouvait voir ni le plafond ni les murs. Son lit était au centre de ce vide immense où les voix avaient des résonances inconnues, où chaque son se déformait, s'amplifiait, se multipliait en échos qui passaient les murs pour aller se perdre dans cette nuit qui n'en finissait plus de cheminer à la recherche de l'aube.

La nuit allait, mais elle ne rencontrait jamais que d'autres nuits aussi denses.

Et il allait lui aussi son chemin au cœur de cette nuit, porté par une houle qui berçait par moments ce lit trop large et trop profond.

A combien de journées de route était-il de sa maison? Où était son jardin? Avait-on bien fermé sa porte? Le feu était-il éteint lorsqu'il avait quitté sa cuisine? Et le hangar? Et les outils? La graisse les protégerait-elle de l'humidité jusqu'au printemps?

La serpe était dans la musette. Demain il partirait avec la mère pour la montagne. Ils retrouveraient la charrette dans la forêt... Des fagots... Ils feraient des fagots... Un gros chargement. Et les gens diraient :

— Le père Dubois, tout de même, il sait encore faire de bons fagots... Et un beau chargement sur la charrette à quatre roues.

Dans la forêt où il marchait, le sol enfonçait sous le pas, aussi meuble que la terre du jardin, aussi souple que la pâte qui levait dans le pétrin. Le sol enfonçait, tiède comme la pâte, et froid comme les serpents.

Il est là. Lui. Le père. Tout seul dans cette nuit sans étoiles. Dans cette nuit où nul vent ne respire. Où la terre elle-même a cessé de pousser la sève au cœur des plantes.

Il est là, lui. Le père. Tout seul sur ce chemin qui ne conduit nulle part.

La nuit s'éclaire... La nuit s'épaissit...

Il fait tiède au fond de lui, mais tout autour, c'est un hiver glacé qui n'en finit plus de vous percer les membres.

Il fait tiède en lui, mais, peu à peu, la tiédeur coule, elle s'évapore, elle se fond dans ce froid qui ruisselle du ciel lourd et suinte de la terre grasse. La bruine qui tombe le pénètre, l'eau qui monte du sol lui gèle les jambes.

Il est là, tout seul, et personne ne vient pour l'aider à retrouver son chemin perdu.

Vont-ils tous l'abandonner?

Vont-ils le laisser en proie à cet univers glacé où la vie n'a plus de place?

Il y a en lui des injures, des cris, des appels.

Est-ce qu'il existe un autre monde par-delà les frontières de ce monde où il a tant peiné?

Le prêtre est venu. Le père a pu le reconnaître à son vêtement noir et surtout, il a su que c'était un prêtre parce que, depuis la mort de la mère, personne jamais ne s'était approché de lui aussi près, personne ne lui avait parlé avec autant de douceur. Il n'a pas pu comprendre les mots que le prêtre a prononcés, il n'a pas pu parler non plus. Il lui a semblé que ce visage demeurait longtemps tout près du sien, puis le silence et le froid l'ont enveloppé de nouveau.

Le temps s'est arrêté. Plus rien ne bouge, plus rien ne vit autour de lui.

Des heures et des heures passent ainsi sans même qu'il puisse tenter autre chose que cet effort immense qu'exige de lui chaque soupir. Car sa respiration n'est qu'une suite de soupirs de plus en plus brefs, de plus en plus rapprochés, de moins en moins douloureux aussi.

Il cherche l'air, la bouche ouverte et sèche, la gorge irritée. Et l'air entre de moins en moins dans sa poitrine. Toute la poussière de farine et de fleurage respirée durant sa vie de boulanger est encore dans ses poumons, desséchée et brûlante.

Les flammes du gueulard et le gros soleil plombant sur le jardin ont laissé dans sa poitrine un feu qui dévore le peu d'air que sa gorge laisse pénétrer à chaque appel désespéré de ses bronches irritées.

Tout est obscur, et puis, soudain, une main invisible arrache un lambeau de cette nuit. Le silence se déchire. Des pas approchent. Un visage approche, approche, quelque chose de frais se pose sur son front. Une voix murmure à son oreille :

— Papa... Papa... Je te demande pardon.

Ce mot tombe en lui, et le même mot monte du fond de lui comme un écho. Mais sa gorge serrée l'arrête.

Le visage s'éloigne. Un autre visage se penche un peu et une main dure secoue l'épaule du père. Comme un tonnerre, la voix de Paul le frappe à faire mal.

— Oh, père! C'est Julien!... Julien, tu le reconnais pas?

Moins fort, la voix ajoute tandis que le visage s'éloigne :

— Tu vois. C'est fini. Il ne voit même plus clair.

Le père voudrait crier. Il lui semble que sa force renaît soudain. Il se soulève de quelques centimètres, sa poitrine se gonfle, mais le cri qui passe sa gorge n'est plus qu'un râle.

Un long soupir monte encore du fond de sa poitrine. Un soupir semblable à ceux qu'il laissait aller chaque soir, lorsqu'il avait accompli le dernier geste d'une interminable journée de peine.

Chelles, 17 novembre 1967.

Littérature

extrait du catalogue

Cette collection est d'abord marquée par sa diversité : classiques, grands romans contemporains ou même des livres d'auteurs réputés plus difficiles, comme Borges, Soupault, Goes. En fait, c'est tout le roman qui est proposé ici, Henri Troyat, Bernard Clavel, Guy des Cars, Alain Robbe-Grillet, mais aussi des écrivains tels que Moravia, Colleen McCullough ou Konsalik.

Les classiques tels que Stendhal, Maupassant, Flaubert, Zola, Balzac, etc. sont publiés en texte intégral au prix le plus bas de toute l'édition. Chaque volume est complété par un cahier photos illustrant la biographie de l'auteur.

ADAMS Richard	**Les garennes de Watership Down** 2078/**6***
ADLER Philippe	**C'est peut-être ça l'amour** 2284/**3***
	Les amies de ma femme 2439/**3***
AMADOU Jean	**Heureux les convaincus** 2110/**3***
AMADOU J. et KANTOF A.	**La belle anglaise** 2684/**4*** (Novembre 89)
ANDREWS Virginia C.	Fleurs captives :
	-Fleurs captives 1165/**4***
	-Pétales au vent 1237/**4***
	-Bouquet d'épines 1350/**4***
	-Les racines du passé 1818/**4***
	-Le jardin des ombres 2526/**4***
ANGER Henri	**La mille et unième rue** 2564/**4***
ARCHER Jeffrey	**Kane et Abel** 2109/**6***
	Faut-il le dire à la Présidente ? 2376/**4***
ARTUR José	**Parlons de moi, y a que ça qui m'intéresse** 2542/**4***
AUEL Jean M.	**Les chasseurs de mammouths** 2213/**5*** et 2214/**5***
AURIOL H. et NEVEU C.	**Une histoire d'hommes / Paris-Dakar** 2423/**4***
AVRIL Nicole	**Monsieur de Lyon** 1049/**3***
	La disgrâce 1344/**3***
	Jeanne 1879/**3***
	L'été de la Saint-Valentin 2038/**2***
	La première alliance 2168/**3***
AZNAVOUR-GARVARENTZ	**Aïda Petit frère** 2358/**3***
BACH Richard	**Jonathan Livingston le goéland** 1562/**1*** Illustré
	Illusions / Le Messie récalcitrant 2111/**2***
	Un pont sur l'infini 2270/**4***
BALZAC Honoré de	**Le père Goriot** 1988/**2***
BARBER Noël	**Tanamera** 1804/**4*** & 1805/**4***
BARRET André	**La Cocagne** 2682/**6*** (Novembre 89)
BATS Joël	**Gardien de ma vie** 2238/**3*** Illustré
BAUDELAIRE Charles	**Les Fleurs du mal** 1939/**2***
BEART Guy	**L'espérance folle** 2695/**5*** (Décembre 89)
BEAULIEU PRESLEY Priscilla	**Elvis et moi** 2157/**4*** Illustré
BECKER Stephen	**Le bandit chinois** 2624/**5***

BELLONCI *Maria*	**Renaissance privée** 2637/**6*** Inédit
BENZONI *Juliette*	**Un aussi long chemin** 1872/**4***
	Le Gerfaut des Brumes :
	-Le Gerfaut 2206/**6***
	-Un collier pour le diable 2207/**6***
	-Le trésor 2208/**5***
	-Haute-Savane 2209/**5***
BEYALA *Calixthe*	**C'est le soleil qui m'a brûlée** 2512/**2***
BINCHY *Maeve*	**Nos rêves de Castlebay** 2444/**6***
BISIAUX *M.* et **JAJOLET** *C.*	**Chat plume - 60 écrivains parlent de leurs chats** 2545/**5***
	Chat huppé - 60 personnalités parlent de leurs chats 2646/**6*** (Septembre 89)
BLIER *Bertrand*	**Les valseuses** 543/**5***
BOMSEL *Marie-Claude*	**Pas si bêtes** 2331/**3*** Illustré
BORGES et **BIOY CASARES**	**Nouveaux contes de Bustos Domecq** 1908/**3***
BOURGEADE *Pierre*	**Le lac d'Orta** 2410/**2***
BRADFORD *Sarah*	**Grace** 2002/**4***
BROCHIER *Jean-Jacques*	**Un cauchemar** 2046/**2***
	L'hallali 2541/**2***
BRUNELIN *André*	**Gabin** 2680/**5*** & 2681/**5*** (Novembre 89) Illustré
BURON *Nicole de*	**Vas-y maman** 1031/**2***
	Dix-jours-de-rêve 1481/**3***
	Qui c'est, ce garçon ? 2043/**3***
CALDWELL *Erskine*	**Le bâtard** 1757/**2***
CARS *Guy des*	**La brute** 47/**3***
	Le château de la juive 97/**4***
	La tricheuse 125/**3***
	L'impure 173/**4***
	La corruptrice 229/**3***
	La demoiselle d'Opéra 246/**3***
	Les filles de joie 265/**3***
	La dame du cirque 295/**2***
	Cette étrange tendresse 303/**3***
	L'officier sans nom 331/**3***
	Les sept femmes 347/**4***
	La maudite 361/**3***
	L'habitude d'amour 376/**3***
	La révoltée 492/**4***
	Amour de ma vie 516/**3***
	La vipère 615/**4***
	L'entremetteuse 639/**4***
	Une certaine dame 696/**4***
	L'insolence de sa beauté 736/**3***
	Le donneur 809/**2***
	J'ose 858/**2***

	La justicière 1163/2*
	La vie secrète de Dorothée Gindt 1236/2*
	La femme qui en savait trop 1293/2*
	Le château du clown 1357/4*
	La femme sans frontières 1518/3*
	Les reines de coeur 1783/3*
	La coupable 1880/3*
	L'envoûteuse 2016/5*
	Le faiseur de morts 2063/3*
	La vengeresse 2253/3*
	Sang d'Afrique 2291/5*
	Le crime de Mathilde 2375/4*
	La voleuse 2660/3* (Octobre 89)
CARS Jean des	Elisabeth d'Autriche ou la fatalité 1692/4*
CASSAR Jacques	Dossier Camille Claudel 2615/5*
CATO Nancy	L'Australienne 1969/4* & 1970/4*
	Les étoiles du Pacifique 2183/4* & 2184/4*
	Lady F. 2603/4*
CESBRON Gilbert	Chiens perdus sans collier 6/2*
	C'est Mozart qu'on assassine 379/3*
CHABAN-DELMAS Jacques	La dame d'Aquitaine 2409/2*
CHAVELET J. et DANNE E. de	Avenue Foch / Derrière les façades... 1949/3*
CHEDID Andrée	La maison sans racines 2065/2*
	Le sixième jour 2529/3*
	Le sommeil délivré 2636/3*
CHOW CHING LIE	Le palanquin des larmes 859/4*
	Concerto du fleuve Jaune 1202/3*
CHRIS Long	Johnny 2380/4* Illustré
CLANCIER Georges-Emmanuel	Le pain noir :
	1-Le pain noir 651/3*
	2-La fabrique du roi 652/3*
	3-Les drapeaux de la ville 653/4*
	4-La dernière saison 654/4*
CLAUDE Madame	Le meilleur c'est l'autre 2170/3*
CLAVEL Bernard	Le tonnerre de Dieu qui m'emporte 290/1*
	Le voyage du père 300/1*
	L'Espagnol 309/4*
	Malataverne 324/1*
	L'hercule sur la place 333/3*
	Le tambour du bief 457/2*
	L'espion aux yeux verts 499/3*
	La grande patience :
	1-La maison des autres 522/4*
	2-Celui qui voulait voir la mer 523/4*
	3-Le cœur des vivants 524/4*
	4-Les fruits de l'hiver 525/4*

	Le Seigneur du Fleuve 590/**3***
	Pirates du Rhône 658/**2***
	Le silence des armes 742/**3***
	Tiennot 1099/**2***
	Les colonnes du ciel :
	1-La saison des loups 1235/**3***
	2-La lumière du lac 1306/**4***
	3-La femme de guerre 1356/**3***
	4-Marie Bon Pain 1422/**3***
	5-Compagnons du Nouveau-Monde 1503/**3***
	Terres de mémoire 1729/**2***
	Bernard Clavel Qui êtes-vous ? 1895/**2***
	Le Royaume du Nord :
	-Harricana 2153/**4***
	-L'Or de la terre 2328/**4***
	-Miséréré 2540/**4***
CLERC Christine	**L'Arpeggione** 2513/**3***
CLERC Michel	**Les hommes mariés** 2141/**3***
COCTEAU Jean	**Orphée** 2172/**2***
COLETTE	**Le blé en herbe** 2/**1***
COLLINS Jackie	**Les dessous de Hollywood** 2234/**4*** & 2235/**4***
COMPANEEZ Nina	**La grande cabriole** 2696/**4*** (Décembre 89)
CONROY Pat	**Le Prince des marées** 2641/**5*** & 2642 /**5*** (Septembre 89)
CONTRUCCI Jean	**Un jour, tu verras...** 2478/**3***
CORMAN Avery	**Kramer contre Kramer** 1044/**3***
CUNY Jean-Pierre	**L'aventure des plantes** 2659/**4*** (Octobre 89)
DANA Jacqueline	**Les noces de Camille** 2477/**3***
DAUDET Alphonse	**Tartarin de Tarascon** 34/**1***
	Lettres de mon moulin 844/**1***
DAVENAT Colette	**Les émigrés du roi** 2227/**6***
	Daisy Rose 2597/**6***
DEFLANDRE Bernard	**La soupe aux doryphores ou dix ans en 40** 2185/**4***
DHOTEL André	**Le pays où l'on n'arrive jamais** 61/**2***
DICKENS Charles	**Espoir et passion (Un conte de deux villes)** 2643/**5*** (Octobre 89)
DIDEROT Denis	**Jacques le fataliste et son maître** 2023/**3***
DJIAN Philippe	**37°2 le matin** 1951/**4***
	Bleu comme l'enfer 1971/**4***
	Zone érogène 2062/**4***
	Maudit manège 2167/**5***
	50 contre 1 2363/**3***
	Echine 2658/**5*** (Octobre 89)
DORIN Françoise	**Les lits à une place** 1369/**4***
	Les miroirs truqués 1519/**4***
	Les jupes-culottes 1893/**4***

DUFOUR Hortense	Le Diable blanc (Le roman de Calamity Jane) 2507/4*
DUMAS Alexandre	La dame de Monsoreau 1841/5*
	Le vicomte de Bragelonne 2298/4* & 2299/4*
DUNNE Dominick	Pour l'honneur des Grenville 2365/4*
DYE Dale A.	Platoon 2201/3* Inédit
DZAGOYAN René	Le système Aristote 1817/4*
EGAN Robert et Louise	La petite boutique des horreurs 2202/3* Illustré
Dr ETIENNE J. et DUMONT E.	Le marcheur du Pôle 2416/3*
EXBRAYAT Charles	Ceux de la forêt 2476/2*
FIELDING Joy	Le dernier été de Joanne Hunter 2586/4*
FLAUBERT Gustave	Madame Bovary 103/3*
FOUCAULT Jean-Pierre & Léon	Les éclats de rire 2391/3*
FRANCK Dan	Les Adieux 2377/3*
FRANCOS Ania	Sauve-toi, Lola ! 1678/4*
FRISON-ROCHE Roger	La peau de bison 715/2*
	La vallée sans hommes 775/3*
	Carnets sahariens 866/3*
	Premier de cordée 936/3*
	La grande crevasse 951/3*
	Retour à la montagne 960/3*
	La piste oubliée 1054/3*
	Le rapt 1181/4*
	Djebel Amour 1225/4*
	Le versant du soleil 1451/4* & 1452/4*
	Nahanni 1579/3* Illustré
	L'esclave de Dieu 2236/6*
FYOT Pierre	Les remparts du silence 2417/3*
GEDGE Pauline	La dame du Nil 2590/6*
GERBER Alain	Une rumeur d'éléphant 1948/5*
	Le plaisir des sens 2158/4*
	Les heureux jours de monsieur Ghichka 2252/2*
	Les jours de vin et de roses 2412/2*
GOES Albrecht	Jusqu'à l'aube 1940/3*
GOISLARD Paul-Henry	Sarah :
	1-La maison de Sarah 2583/5*
	2-La femme de Prague 2661/4* (Octobre 89)
GORBATCHEV Mikhaïl	Perestroïka 2408/4*
GOULD Heywood	Cocktail 2575/5* Inédit
GRAY Martin	Le livre de la vie 839/2*
	Les forces de la vie 840/2*
	Le nouveau livre 1295/4*
GRIMM Ariane	Journal intime d'une jeune fille 2440/3*
GROULT Flora	Maxime ou la déchirure 518/2*
	Un seul ennui, les jours raccourcissent 897/2*
	Ni tout à fait la même, ni tout à fait une autre 1174/3*

	Une vie n'est pas assez 1450/**3***
	Mémoires de moi 1567/**2***
	Le passé infini 1801/**2***
	Le temps s'en va, madame.... 2311/**2***
GUIROUS D. et GALAN N.	*Si la Cococour m'était contée* 2296/**4*** Illustré
***GURGAND** Marguerite*	*Les demoiselles de Beaumoreau* 1282/**3***
***HALEY** Alex*	*Racines* 968/**4*** & 969/**4***
***HARDY** Françoise*	*Entre les lignes entre les signes* 2312/**6***
***HAYDEN** Torey L.*	*L'enfant qui ne pleurait pas* 1606/**3***
	Kevin le révolté 1711/**4***
	Les enfants des autres 2543/**5***
***HEBRARD** Frédérique*	*Un mari c'est un mari* 823/**2***
	La vie reprendra au printemps 1131/**3***
	La chambre de Goethe 1398/**3***
	Un visage 1505/**2***
	La Citoyenne 2003/**3***
	Le mois de septembre 2395/**2***
	Le harem 2456/**3***
	La petite fille modèle 2602/**3***
	La demoiselle d'Avignon 2620/**4***
***HEITZ** Jacques*	*Prélude à l'ivresse conjugale* 2644/**3*** (Septembre 89)
***HILL** Susan*	*Je suis le seigneur du château* 2619/**3***
***HILLER** B.B.*	*Big* 2455/**2***
***HORGUES** Maurice*	*La tête des nôtres (L'oreille en coin/France Inter)* 2426/**5***
***ISHERWOOD** Christopher*	*Adieu à Berlin (Cabaret)* 1213/**3***
***JAGGER** Brenda*	*Les chemins de Maison Haute* 1436/**4*** & 1437/**4***
	Antonia 2544/**4***
***JEAN** Raymond*	*La lectrice* 2510/**2***
***JONG** Erica*	*Les parachutes d'Icare* 2061/**6***
	Serenissima 2600/**4***
***JYL** Laurence*	*Le chemin des micocouliers* 2381/**3***
***KASPAROV** Gary*	*Et le Fou devint Roi* 2427/**4***
***KAYE** M.M.*	*Pavillons lointains* 1307/**4*** & 1308/**4***
	L'ombre de la lune 2155/**4*** & 2156/**4***
	Mort au Cachemire 2508/**4***
***KENEALLY** Thomas*	*La liste de Schindler* 2316/**6***
***KIPLING** Rudyard*	*Le livre de la jungle* 2297/**2***
	Simples contes des collines 2333/**3***
	Le second livre de la jungle 2360/**2***
***KONSALIK** Heinz G.*	*Amours sur le Don* 497/**5***
	La passion du Dr Bergh 578/**3***
	Dr Erika Werner 610/**3***
	Aimer sous les palmes 686/**2***
	Les damnés de la taïga 939/**4***
	L'homme qui oublia son passé 978/**2***

	Une nuit de magie noire 1130/2*
	Bataillons de femmes 1907/5*
	Le gentleman 2025/3*
	Un mariage en Silésie 2093/4*
	Coup de théâtre 2127/3*
	Clinique privée 2215/3*
	La nuit de la tentation 2281/3* Inédit
	La guérisseuse 2314/6*
	Conjuration amoureuse 2399/2*
	La jeune fille et le sorcier 2474/3*
	Pour un péché de trop 2622/4* Inédit
	Et cependant la vie était belle 2698/4* (Décembre 89) Inédit
KREYDER Laura	*Thérèse Martin* 2699/3* (Décembre 89)
L'HOTE Jean	*La Communale* 2329/2*
LACLOS Choderlos de	*Les liaisons dangereuses* 2616/4*
LAHAIE Brigitte	*Moi, la scandaleuse* 2362/3* Illustré
LAMALLE Jacques	*L'Empereur de la faim* 2212/5*
LANE Robert	*Une danse solitaire* 2237/3*
LANGE Monique	*Histoire de Piaf* 1091/3* Illustré
LAPEYRE Patrick	*Le corps inflammable* 2313/3*
	La lenteur de l'avenir 2565/3*
LAPOUGE Gilles	*La bataille de Wagram* 2269/4*
LASAYGUES Frédéric	*Bruit blanc* 2411/3*
LAVAL Xavier de	*Le songe de Thermidor* 2528/6*
LEVY-WILLARD Annette	*Moi, Jane, cherche Tarzan* 2582/3*
LOTTMAN Eileen	*Dynasty-1* 1697/2*
	Dynasty-2 Le retour d'Alexis 1894/3*
LOWERY Bruce	*La cicatrice* 165/1*
LUND Doris	*Eric (Printemps perdu)* 759/4*
MAALOUF Amin	*Les croisades vues par les Arabes* 1916/4*
MACLAINE Shirley	*L'amour foudre* 2396/5*
	Danser dans la lumière 2462/5*
McCULLOUGH Colleen	*Les oiseaux se cachent pour mourir* 1021/4* & 1022/4*
	Tim 1141/3*
	Un autre nom pour l'amour 1534/4*
	La passion du Dr Christian 2250/6*
	Les dames de Missalonghi 2558/3*
MAGRINI Gabriella	*La dame de Kyôto* 2524/6*
MAHIEUX Alix	*Coulisses* 2108/5*
MALLET-JORIS Françoise	*La tristesse du cerf-volant* 2596/4*
MARGUERITTE Victor	*La garçonne* 423/3*
MARKANDAYA Kamala	*Le riz et la mousson* 117/2*
MARTIN Ralph G.	*Charles et Diana* 2461/6* Illustré

MARTINO Bernard	Le bébé est une personne 2128/3*
MATTHEE Dalene	Des cercles dans la forêt 2066/4*
MAUPASSANT Guy de	Une vie 1952/2*
	L'ami Maupassant 2047/2*
MAURE Huguette	Vous avez dit l'amour ? 2267/3*
MERMAZ Louis	Madame de Maintenon ou l'amour dévot 1785/2*
	Un amour de Baudelaire - Madame Sabatier 1932/2*
MESSNER Reinhold	Défi-Deux hommes, un 8000 1839/4* Illustré
MICHAEL Judith	L'amour entre les lignes 2441/4* & 2442/4*
MODIANO P. et LE-TAN P.	Poupée blonde 1788/3* Illustré
MONSIGNY Jacqueline	Michigan Mélodie (Un mariage à la carte) 1289/2*
	Les nuits du Bengale 1375/3*
	Le roi sans couronne 2332/6*
	Toutes les vies mènent à Rome 2625/5*
MONTLAUR Pierre	Nitocris, la dame de Memphis 2154/4*
MORAVIA Alberto	La Ciociara 1656/4*
	L'homme qui regarde 2254/3*
MORRIS Edita	Les fleurs d'Hiroshima 141/1*
MOUSSEAU Renée	Mon enfant mon amour 1196/1*
MURAIL Elvire	Les mannequins d'osier 2559/3* (Septembre 89)
NASTASE Ilie	Tie-break 2097/4*
	Le filet 2251/3*
NELL DUBUS Elisabeth	Beau-Chêne 2346/6*
	L'enjeu de Beau-Chêne 2413/6*
NOLAN Christopher	Sous l'œil de l'horloge 2686/3* (Novembre 89)
NORST Joel	Mississippi Burning 2614/3* Inédit
ORIEUX Jean	Catherine de Médicis 2459/5* & 2460/5*
OWENS Martin	Le secret de mon succès 2216/3* Inédit
PARTURIER Françoise	Calamité, mon amour... 1012/4*
	Les Hauts de Ramatuelle 1706/3*
PAULHAC Jean	Les herbes de la Saint-Jean 2415/5* Inédit
PAUWELS Marie-Claire	Mon chéri 2599/2*
PEGGY	Cloclo notre amour 2398/3*
PEYREFITTE Roger	Les amitiés particulières 17/4*
	La mort d'une mère 2113/2*
PIRANDELLO Luigi	Le mari de sa femme 2283/4*
PLAIN Belva	Tous les fleuves vont à la mer 1479/4* & 1480/4*
	La splendeur des orages 1622/5*
	Les cèdres de Beau-Jardin 2138/6*
	La coupe d'or 2425/6*
	Les Werner 2662/5* (Octobre 89)
POE Edgar Allan	Le chat noir et autres récits 2004/3*
POUCHKINE Alexandre	Eugène Onéguine 2095/2*
PROSLIER Jean-Marie	Vieucon et son chien 2026/3*
	Excusez-moi si je vous demande pardon ! 2317/3*

Impression Brodard et Taupin
à La Flèche (Sarthe) le 11 septembre 1989
6247B-5 Dépôt légal septembre 1989
ISBN 2-277-12525-3
1er dépôt légal dans la collection : août 1974
Imprimé en France
Editions J'ai lu
27, rue Cassette, 75006 Paris
diffusion France et étranger : Flammarion